하루
수능

Chunjae
Makes
Chunjae

▼

편집개발	편집부
디자인총괄	김희정
표지디자인	윤순미, 김지현
내지디자인	박희춘, 조유정
제작	황성진, 조규영

발행일	2021년 3월 1일 초판 2021년 3월 1일 1쇄
발행인	(주)천재교육
주소	서울시 금천구 가산로9길 54
신고번호	제2001-000018호
고객센터	1577-0902
교재 내용문의	(02)3282-1724

시 작 은

하루
수능

이 책의 **구성과 특징**

처음으로 수능 생활과 윤리와 만날 준비를 하고 있나요?

그렇다면 〈시작은 하루 수능 생활과 윤리〉가 수능에 다가가는 친절한 안내서가 되어 줄게요.
수능에 꼭 나오는 빈출 키워드를 중심으로 차근차근 수능 생활과 윤리를 준비해 보아요.

1 1주에는 무엇을 공부할까? ❶, ❷

❶에서는 만화를 통해 한 주 동안 공부할 내용을 알아보고,
❷에서는 한 주 동안 공부할 생활과 윤리 빈출 키워드를 정리해 봅니다.

 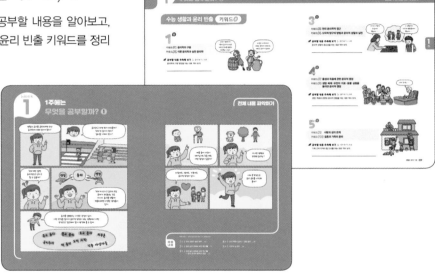

2 개념 확인

하루에 2개의 빈출 키워드를 공부합니다. 삽화와 내용 정리를 통해 빈출 키워드의 핵심 개념을 파악한 후, 개념 확인 문제를 풀며 공부한 내용을 점검합니다.

 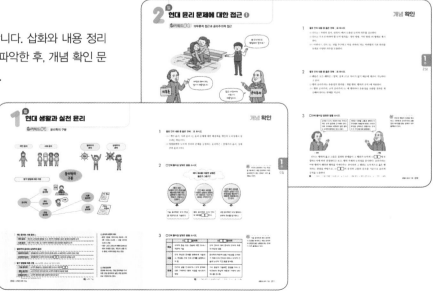

Features

3 기초 유형 연습

수능, 평가원, 교육청 기출 문제 중 꼭 나오는 기초 문제들로 구성하였습니다. 문제를 풀며 수능 실전 감각을 익혀 보세요.

4 누구나 100점 테스트

한 주 동안 공부한 내용을 다시 한번 점검하는 문제입니다. 꾸준히 공부했다면 충분히 풀 수 있으니 100점에 도전해 보세요.

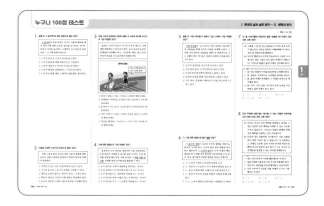

5 창의 · 융합 · 코딩

한 주 동안 공부한 내용 중 윤리적 쟁점을 한눈에 정리해 보고, 기출 문제에 자주 나오는 자료들만 모아 꼼꼼히 분석해 봅니다.

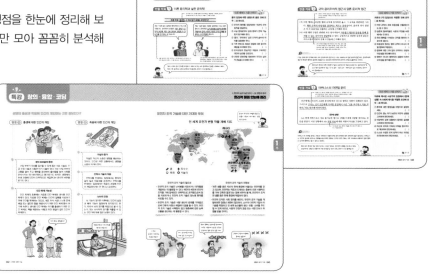

이 책의 차례

<시작은 하루 수능 생활과 윤리>의 차례를 확인하세요!

Week 1

[관련 단원] Ⅰ. 현대의 삶과 실천 윤리 ～ Ⅱ. 생명과 윤리

1일 현대 생활과 실천 윤리 ·· 010

2일 현대 윤리 문제에 대한 접근 ❶ ···························· 016

3일 현대 윤리 문제에 대한 접근 ❷ ～ 윤리 문제의 탐구와 성찰 ····· 022

4일 삶과 죽음의 윤리 ～ 생명 윤리 ·························· 028

5일 사랑과 성 윤리 ··· 034

○●● 누구나 100점 테스트 ····································· 040

○●● 창의·융합·코딩 ·· 042

Week 2

[관련 단원] Ⅲ. 사회와 윤리

1일 직업과 청렴의 윤리 ······································· 052

2일 사회 정의와 윤리 ❶ ······································ 058

3일 사회 정의와 윤리 ❷ ······································ 064

4일 사회 정의와 윤리 ❸ ······································ 070

5일 국가와 시민 윤리 ·· 076

○●● 누구나 100점 테스트 ····································· 082

○●● 창의·융합·코딩 ·· 084

Contents

Week 3

[관련 단원] Ⅳ. 과학과 윤리

1일 과학 기술과 윤리 ❶ ———————————— 094

2일 과학 기술과 윤리 ❷ ———————————— 100

3일 정보 사회와 윤리 ❶ ———————————— 106

4일 정보 사회와 윤리 ❷ ~ 자연과 윤리 ❶ ———————————— 112

5일 자연과 윤리 ❷ ———————————— 118

○●● 누구나 100점 테스트 ———————————— 124

○●● 창의·융합·코딩 ———————————— 126

Week 4

[관련 단원] Ⅴ. 문화와 윤리 ~ Ⅵ. 평화와 공존의 윤리

1일 예술과 대중문화 윤리 ———————————— 136

2일 의식주 윤리와 윤리적 소비 ———————————— 142

3일 다문화 사회의 윤리 ❶ ———————————— 148

4일 다문화 사회의 윤리 ❷ ~ 갈등 해결과 소통의 윤리 ———————————— 154

5일 민족 통합의 윤리 ~ 지구촌 평화의 윤리 ———————————— 160

○●● 누구나 100점 테스트 ———————————— 166

○●● 창의·융합·코딩 ———————————— 168

1주에는
무엇을 공부할까? ❶

생활과 윤리를 공부하려면 우선 윤리학에 대해 알아야겠지?

윤리라고 하면 뭐가 떠오를까? 착하게 살아야 된다? 질서를 지켜야 한다?

착하게만 살면 윤리적으로 산다고 할 수 있을까?

쟁점 윤리 쟁점

착하게 산다고 윤리의 모든 문제가 해결되는 것은 아니야. 윤리를 생활에 적용하려면 다양한 쟁점들이 있지.

윤리를 설명하는 다양한 관점이 있어. 이런 관점을 알아야 윤리적 쟁점이 되는 상황에서 어떤 관점으로 접근해야 할지 생각해 볼 수 있어.

유교 윤리   불교 윤리   도교 윤리   의무론
공리주의   덕 윤리   도덕 과학   각종 사상가들

[관련 단원] Ⅰ. 현대의 삶과 실천 윤리 ~ Ⅱ. 생명과 윤리

배울 내용

1일 | 현대 생활과 실천 윤리 _10

2일 | 현대 윤리 문제에 대한 접근 ❶ _16

3일 | 현대 윤리 문제에 대한 접근 ❷
~ 윤리 문제의 탐구와 성찰 _22

4일 | 삶과 죽음의 윤리 ~ 생명 윤리 _28

5일 | 사랑과 성 윤리 _34

수능 생활과 윤리 빈출 키워드#

1 일

키워드#1 윤리학의 구분
키워드#2 이론 윤리학과 실천 윤리학

✒️ **공부할 내용 추측해 보기** ↪ 관련 페이지 10쪽
윤리학의 구분 방법을 아는 대로 적어 보자.

구관이 명관이야. 기존의 윤리적 사유로 새로운 문제를 충분히 해결할 수 있어.

새 술은 새 부대에! 새로운 문제에 대해서는 새로운 윤리가 필요해.

2 일

키워드#3 유교·불교·도교의 윤리
키워드#4 의무론적 접근과 공리주의적 접근

✒️ **공부할 내용 추측해 보기** ↪ 관련 페이지 18쪽
의무론과 공리주의를 아는 대로 적어 보자.

쓸모없는 것이 가장 쓸모 있는 법이다.

마땅히 그렇게 해야 합니다.

3^일

키워드 **#5** 현대 윤리학적 접근
키워드 **#6** 도덕적 탐구의 방법과 윤리적 성찰과 실천

✍ **공부할 내용 추측해 보기** ↪ 관련 페이지 24쪽
윤리적 성찰의 중요성을 아는 대로 적어 보자.

4^일

키워드 **#7** 출생과 죽음에 관한 윤리적 쟁점
키워드 **#8** 생명 복제·유전자 치료·동물 실험을
둘러싼 윤리적 쟁점

✍ **공부할 내용 추측해 보기** ↪ 관련 페이지 28쪽
생명, 죽음과 관련된 윤리적 쟁점을 아는 대로 적어 보자.

5^일

키워드 **#9** 사랑과 성의 관계
키워드 **#10** 결혼과 가족의 윤리

✍ **공부할 내용 추측해 보기** ↪ 관련 페이지 36쪽
가족 간에 지켜야 할 도리를 아는 대로 적어 보자.

1일 현대 생활과 실천 윤리

📖 키워드#1   윤리학의 구분

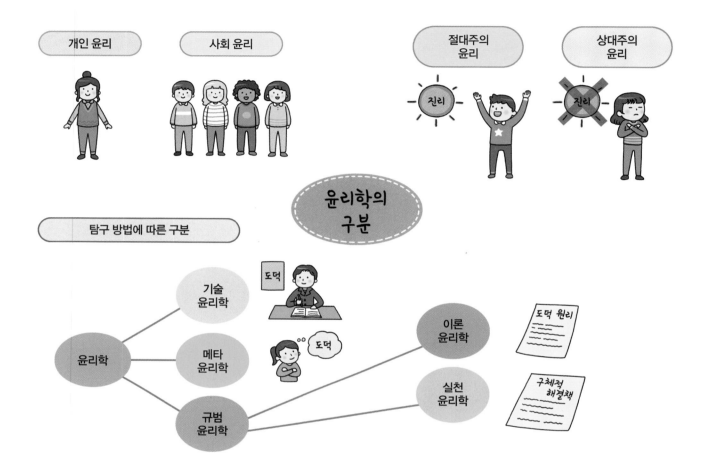

1 개인 윤리와 사회 윤리❶

개인 윤리	개인의 도덕성에 중점을 두고 개인적 차원에서 윤리 문제의 해결책 모색
사회 윤리	사회 구조나 제도 등 사회적 차원에서 윤리 문제의 해결책 모색

2 절대주의 윤리와 상대주의 윤리

절대주의 윤리	영원불변한 도덕적 진리의 존재 긍정 ➡ 보편적인 도덕적 진리 지향
상대주의 윤리	영원불변한 도덕적 진리의 존재 ☐☐ ➡ 윤리의 상대성 강조

3 탐구 방법에 따른 구분 —— 윤리학을 구분하는 가장 일반적인 방법

기술 윤리학	도덕적 풍습이나 관습에 대한 묘사나 객관적 ☐☐
메타 윤리학	도덕 언어의 의미 분석과 도덕적 추론의 타당성 입증
규범 윤리학❷	도덕적 행위에 대한 보편적 원리의 탐구

└── 분석 윤리학이라고도 함.

❶ 윤리의 어원적 의미
- 동양: 윤(倫: 무리 또는 질서) + 리 (理: 이치나 도리) → 사람 사이의 도리나 규범
- 서양: 고대 그리스어 에토스(ethos) 에서 유래한 말로, 개인의 성품 또 는 품성, 사회의 풍습 또는 관습

❷ 규범 윤리학
관점에 따라서는 규범 윤리학을 다시 이론 규범 윤리학과 실천 규범 윤리학 으로 구분하기도 한다.

📖 부정, 기술

1 괄호 안의 내용 중 옳은 것에 ○표 하시오.

(1) (개인 윤리, 사회 윤리)는 윤리 문제에 대한 해결책을 개인의 도덕성에서 찾으려는 학문이다.

(2) 영원불변한 도덕적 진리의 존재를 긍정하는 윤리학은 (절대주의 윤리, 상대주의 윤리)이다.

2 □ 안에 들어갈 알맞은 말을 쓰시오.

각각의 윤리학이 지닌 특징을 제시하고, 해당 윤리학이 어떤 윤리학인지 묻는 문제가 자주 출제되고 있어.

배아 세포를 이용한 실험은 옳은가 그른가?

배아 세포 실험이 인간 존엄성을 훼손하는지에 대한 설문에서 전문가의 70%가 그렇다고 답했다.

인간 배아 세포를 이용한 실험과 관련하여 사용되는 '인간'의 의미는 무엇인가?

인간 배아 세포를 이용한 실험은 인간 존엄성을 훼손하기 때문에 허용해서는 안 된다.

| 기술 윤리학은 도덕 현상을 객관적으로 기술한다. | 메타 윤리학은 도덕 언어의 의미를 □□한다. | 규범 윤리학은 도덕 행위의 보편적 원리를 탐구한다. |

3 □ 안에 들어갈 알맞은 말을 쓰시오.

기술 윤리학과 메타 윤리학의 입장을 제시하고, 해당 윤리학과 관련된 옳은 설명을 묻는 문제가 자주 출제되고 있어.

	(1) □□ 윤리학	(2) □□ 윤리학
목표	도덕적 풍습 또는 관습에 대한 묘사나 객관적 기술	도덕 언어의 의미 분석과 도덕적 추론의 타당성 입증
내용	도덕 현상과 문제를 명확하게 기술하고, 현상들 간의 인과 관계를 설명하고자 함.	윤리학의 학문적 성립 가능성을 모색하기 위해 도덕 언어의 의미나 도덕적 진술의 논리적 구조 등을 분석함.
한계	인간의 삶을 안내하거나 도덕 문제에 대한 구체적인 행위 지침을 제시하지 못함.	가치 중립적 기술에만 중점을 두어 도덕규범의 현실적 적용과 구체적 대안 제시를 경시함.

답 1. (1) 개인 윤리 (2) 절대주의 윤리   2. 분석   3. (1) 기술 (2) 메타

현대 생활과 실천 윤리

1 일

📖 키워드#2   이론 윤리학과 실천 윤리학

이론 윤리학은 도덕 원리를 중시하지.

실천 윤리학은 원리를 응용해서 해결책을 찾아.

1 이론 윤리학과 실천 윤리학 비교

응용 윤리학 이라고도 함.

이론 윤리학 ❶	실천 윤리학
• 어떤 도덕 원리가 윤리적 행위를 위한 근본 원리로 성립할 수 있는지를 연구함. • 도덕 원리나 도덕적 정당화의 □□적 근거를 제시하는 데 주된 관심을 둠. • 의무론적 윤리, 공리주의 윤리, 덕 윤리 등	• 삶의 구체적 윤리 문제에 대한 실제적·구체적 해결책을 모색함. • 이론 윤리학에서 제공하는 도덕 원리를 토대로 다양한 윤리 문제 해결에 주된 관심을 둠. • 생태 윤리, 생명 윤리, 정보 윤리 등

2 실천 윤리학의 특징

구체적·실천적 성격	• 구체적이고 실천적인 도덕 판단과 □□의 지침 강조 • 다양한 삶의 영역에서 제기되는 문제의 구체적인 해결책 모색
학제적 ❷ 성격	다양한 학문 분야 간의 대화 강조
새로운 문제를 다룸	과학 기술의 발달로 발생하는 새로운 문제를 다룸.
이론 윤리학의 적용	윤리 문제에 직면하였을 때 이론 윤리학의 연구 성과들을 적극적으로 활용함.

❶ 이론 윤리학의 성격
도덕 원리와 도덕 규칙으로 이루어진 체계로서의 성격을 지닌다

❷ 학제적
서로 다른 여러 학문 분야가 복합적으로 연계하여 탐구하는 것

🔁 이론, 행위

1 다음 내용이 이론 윤리학에 해당하면 '이', 실천 윤리학에 해당하면 '실'이라고 쓰시오.

(1) 윤리 문제 해결의 토대를 제공한다. (　　　)

(2) 주된 관심은 도덕 원리의 체계화이다. (　　　)

(3) 적용 가능한 실천적 규범과 원칙을 연구하여 적용한다. (　　　)

(4) 문제를 해결하기 위해 인접 학문과 연계하는 학제적 성격을 지닌다. (　　　)

1
주

1일

2 ☐ 안에 공통으로 들어갈 알맞은 말을 쓰시오.

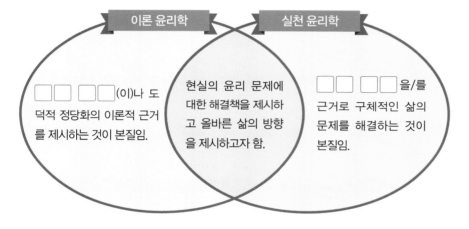

이론 윤리학		실천 윤리학
☐☐ ☐☐(이)나 도덕적 정당화의 이론적 근거를 제시하는 것이 본질임.	현실의 윤리 문제에 대한 해결책을 제시하고 올바른 삶의 방향을 제시하고자 함.	☐☐ ☐☐을/를 근거로 구체적인 삶의 문제를 해결하는 것이 본질임.

🐻 이론 윤리학과 실천 윤리학 이론을 제시하고, 이론 윤리학에 비해 실천 윤리학이 갖는 상대적 특징을 묻는 문제가 자주 출제되고 있어.

3 ☐ 안에 들어갈 알맞은 말을 쓰시오.

(1) ☐☐ 윤리학은 옳고 그름의 판단 기준인 도덕규범을 정립하고자 하는 학문이라 할 수 있어요. 그래서 어떤 도덕 원리가 도덕 행위를 위한 근본 원리가 될 수 있는지 연구해요.

(2) ☐☐ 윤리학은 현실적인 도덕 문제를 해결하기 위해 과학, 종교, 의학, 법학 등 여러 학문 분야의 전문적 지식과 기술을 활용하기 때문에 학제적 성격을 띤다고 이야기해요.

🐻 실천 윤리학과 관련된 글을 제시하고, 실천 윤리학의 특징을 묻는 문제가 자주 출제되고 있어.

📖 1. (1) 이 (2) 이 (3) 실 (4) 실　2. 도덕 원리　3. (1) 이론 (2) 실천

현대 생활과 실천 윤리

| 학평 기출 응용 |

1 그림에서 학생들이 모두 옳은 대답을 했다고 할 때, A~C에 대한 설명으로 가장 적절한 것은?

각각의 윤리학이 지닌 특징에 대해 발표해 봅시다.

A는 윤리 현상을 있는 그대로 서술하는 것에 중점을 둡니다.

B는 도덕규범이 무엇인지를 탐구하는 데 주된 목적이 있습니다.

C의 주요 과제는 도덕 추론의 타당성을 검토하는 것입니다.

〈윤리학의 구분〉
· A
· B
· C

① A는 사실 기술보다 도덕적 가치 판단을 중시한다.
② B는 도덕적 관습이 가치와 무관한 것임을 강조한다.
③ C는 윤리학의 학문적인 성립 가능성을 모색한다.
④ A는 B에 비해 보편적 도덕 원리 탐구를 중시한다.
⑤ B는 C와 달리 도덕 명제에 대한 논리적 명료화를 강조한다.

| 모평 기출 응용 |

2 갑, 을의 입장으로 가장 적절한 것은?

> 갑: 윤리학은 어떻게 살아야 하는가라는 문제보다 개인의 생활, 사회의 구조와 기능 속에 존재해 온 도덕적 관행들을 서술해야 한다.
> 을: 윤리학은 도덕적 관행 조사와 도덕적 개념 분석에 집중하기보다 사람들이 옳고 그름을 판단할 수 있도록 도덕 원리를 정립해야 한다.

① 갑: 도덕 현상을 기술할 때 문화적 특성을 고려하지 말아야 한다.
② 갑: 도덕적 관습 비교보다 윤리적 개념의 분석을 중시해야 한다.
③ 을: 어떻게 행동해야 하는가에 대한 규범적 원리를 정립해야 한다.
④ 을: 도덕적 명제의 논리 구조와 의미 분석이 탐구 목적이어야 한다.
⑤ 갑, 을: 인간의 가치 판단을 배제하여 객관성을 확보해야 한다.

| 수능 기출 응용 |

3 ㉠, ㉡에 관한 설명으로 적절하지 않은 것은?

> ㉠나는 윤리학은 현실에서 적용 가능한 도덕적 규범이나 원칙을 탐구하여 이를 구체적인 삶의 문제에 적용하는 것이어야 한다고 본다. 그런데 ㉡어떤 사람들은 도덕이 현실적 삶의 일부이기 때문에 경험적으로 연구될 수 있다는 관점에서 윤리학은 어떤 문화나 사회의 도덕적 현상을 객관적으로 기술하는 것이라고 주장한다.

① ㉠은 윤리학이 삶의 문제 해결에 도움을 준다고 본다.
② ㉠은 윤리학이 윤리 문제 해결에 대한 이론적 근거를 제시한다고 본다.
③ ㉡은 사실 판단의 서술을 윤리학의 핵심으로 본다.
④ ㉡은 사회 구성원들의 인식을 초월한 보편적 도덕 규범을 강조한다.
⑤ ㉠은 ㉡에 비해 윤리학의 실천적 성격을 강조한다.

| 학평 기출 |

4 ㉠에 들어갈 진술로 가장 적절한 것은?

> 나는 윤리학의 목적을 도덕적 논의의 의미론적, 논리적, 인식론적 구조를 분명하게 이해하는 데 두어야 한다고 본다. 그런데 어떤 이들은 윤리학의 목적을 보편적인 도덕 원리를 탐구하여 실제 삶의 다양한 윤리 문제를 해결하는 데 두어야 한다고 주장한다. 내가 보기에 이러한 입장은 윤리학이 ____㉠____

① 윤리적 삶의 가치와 방향을 제시해야 함을 간과하고 있다.
② 도덕적 행위를 위한 도덕 원리를 세워야 함을 간과하고 있다.
③ 도덕 법칙을 정립하여 만인에게 적용해야 함을 간과하고 있다.
④ 도덕 언어의 분석을 핵심 과제로 삼아야 함을 간과하고 있다.
⑤ 현실 도덕 문제에 대한 해결책을 모색해야 함을 간과하고 있다.

| 모평 기출 응용 |

5 그림의 토론 주제에 대한 갑, 을의 입장으로 가장 적절한 것은?

> ・토론 주제: 윤리학, 그 주요 탐구 과제는 무엇인가?

저는 "이론 없는 실천은 맹목적이다."라고 생각합니다. 윤리학의 본질은 어떤 원리가 도덕적 실천을 위한 근본 원리로 성립할 수 있는지를 연구하는 데 있습니다.

저는 "실천 없는 이론은 공허하다."라고 생각합니다. 윤리학은 도덕 원리를 실천적 문제에 적용하여 현대 사회의 다양한 도덕 문제를 해결하는 데 주력해야 합니다.

갑

을

① 갑: 여러 지역의 실천적 관습을 조사해야 한다.
② 갑: 도덕 언어의 개념적 의미를 엄밀히 규명해야 한다.
③ 을: 사실의 입증은 당위의 확립으로 연결되어야 한다.
④ 을: 새로운 쟁점에 대한 윤리적 해법을 모색해야 한다.
⑤ 갑, 을: 도덕적 진리는 보편적이고 영원불변하지 않음을 인정해야 한다.

| 학평 기출 응용 |

6 (가)에 비해 (나)가 갖는 상대적 특징을 그림의 ㉠~㉤ 중에서 고른 것은?

> (가) 윤리학은 윤리 이론을 바탕으로 현실의 삶에서 제기되는 도덕 문제의 해결 방안을 제시하고자 노력해야 한다. 구체적인 삶의 문제에 적용되지 않는 이론은 공허할 뿐이기 때문이다.
>
> (나) 윤리학은 윤리 이론들을 연구하면서 합리적이고 정당한 근거에 입각한 도덕 원칙들을 확립해야 한다. 이를 통해 인간의 당위적 의무나 책임을 밝히고 도덕적인 행위 규범을 제시해야 한다.

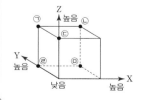

> ・X: 윤리 문제 해결을 위해 학문적 연계를 강조하는 정도
> ・Y: 윤리적 판단의 객관적 기준 정립을 강조하는 정도
> ・Z: 윤리 규범의 이론적 근거 정립을 강조하는 정도

① ㉠ ② ㉡ ③ ㉢ ④ ㉣ ⑤ ㉤

| 수능 기출 응용 |

7 ㉠에 들어갈 진술로 가장 적절한 것은?

> 윤리학의 근본 과제는 도덕적으로 올바른 행위를 판단하기 위한 기본 원리와 토대를 제공하고 일반화하는 데 있다. 그런데 오늘날 과학 기술의 급격한 발달은 기존의 이론 중심 윤리학만으로는 해결하기 어려운 도덕적 문제 상황들을 초래하였고, 그 결과 실제 생활과 관련하여 논쟁이 되는 윤리적 과제들이 대두되었다. 이에 따라 이러한 윤리적 과제들을 해결하기 위해 이 윤리학이 등장하게 되었다. 이 윤리학은 _____㉠_____

① 도덕 명제에 대한 분석적 접근을 강조한다.
② 도덕이 학문적으로 정립 가능한 분야임을 부정한다.
③ 도덕규범의 현실적인 적용과 구체적인 대안의 실천을 강조한다.
④ 도덕 문제 해결을 위한 규범 윤리 이론의 응용 가능성을 부정한다.
⑤ 도덕적 관행을 가치와 무관한 문화적 사실로 볼 것을 강조한다.

| 학평 기출 응용 |

8 ㉠, ㉡에 대한 설명으로 가장 적절한 것은?

> 20세기 초에 등장한 ㉠ ○○ 윤리학은 도덕적 언어의 분석과 도덕적 추론의 규칙 검토에 집중하였다. 하지만 이 윤리학은 현대 사회의 다양한 윤리적 문제에 대한 해결책을 마련해야 한다는 요구를 수용하지 못하는 한계를 노출하였다. 이에 따라 삶의 실천적인 영역에서 제기되는 도덕적 문제들의 해결책을 모색하는 ㉡ □□ 윤리학이 필요하게 되었다.

① ㉠은 삶에서 추구해야 할 규범의 제시가 목표이다.
② ㉡은 도덕적 관습에 대한 객관적 조사에 주력한다.
③ ㉠은 ㉡의 이론을 적용하여 문제를 해결하려 한다.
④ ㉡은 이론적 타당성 검토를 위해 ㉠의 지식을 활용할 수 있다.
⑤ ㉠, ㉡은 실천적 지식보다 이론적 지식의 탐구를 중시한다.

📖 키워드 #3 유교·불교·도교의 윤리

1 유교의 윤리

도덕성	인간을 도덕적 존재로 인식하고 도덕적인 행위를 실천하는 삶을 강조
인(仁) ❶	타고난 내면적 도덕성이자 일상의 인간관계에서 실현해야 할 최상의 가치
수양 방법 ❷	경(敬), 성(誠)
이상적 인간	☐☐ : 수양을 통해 도덕성을 확충하고 실천하는 이상적 인간
이상 사회	대동 사회: 개인이 능력을 충분히 발휘하고 기본적 생활이 보장되는 사회

2 불교의 윤리 ── 탐욕, 분노, 어리석음의 삼독과 집착을 고통의 원인으로 봄.

연기설	모든 존재와 현상은 다양한 ☐☐과 조건에 의해 생겨남.
자비	자신에 얽매이지 않고 모든 생명을 차별하지 않는 사랑
이상적 인간	부처, 보살 등 ── 불교에서는 진리를 깨달아 고통에서 벗어난 상태로 해탈과 열반을 제시함.

3 도교의 윤리

도(道)	우주의 근원, 만물의 변화 법칙
무위자연	인위가 아닌 무위에 따라 ☐☐ 그대로의 질서를 따를 것을 강조
수양 방법 ❸	심재, 좌망, 허심
이상적 인간	지인(至人), 진인(眞人), 신인(神人) 등

❶ 인(仁)의 실천 방법
· 충(忠): 자신에 대한 성실
· 서(恕): 내 마음을 미루어 다른 사람을 배려함.

❷ 유교의 수양 방법
· 경(敬): 홀로 있을 때도 도리에 어긋나지 않도록 몸가짐을 바르게 한다는 뜻
· 성(誠): 진실한 자세로 쉬지 않고 부단히 노력한다는 뜻

❸ 도교의 수양 방법
· 심재(心齋): 마음을 가지런히 함.
· 좌망(坐忘): 조용히 앉아 시비 분별을 잊음.
· 허심(虛心): 마음을 정화하여 본래의 마음을 되찾음.

🔒 답 성인, 원인, 자연

1 ☐ 안에 들어갈 알맞은 말을 쓰시오.

이기심을 극복해서 예(禮)로 돌아가는 것을 인이라 할 수 있다. 하루 동안이라도 이기심을 이겨 예를 회복한다면 천하가 인으로 돌아갈 것이다. 인을 실천하는 것은 자기 몸에 달린 것이지, 남에게 달린 것이겠는가?

▲ 공자

공자는 ☐을/를 실천하기 위해 극기복례, 즉 자신을 이겨 내고 예로 돌아갈 것을 강조한다. 유교에서는 인간은 도덕적 존재이지만 욕구 때문에 잘못을 저지를 수 있으므로 지나친 욕구를 극복해야 하고 예를 회복해야 한다고 본다.

> 유교 사상이 담긴 글과 문제 상황을 제시하고, 유교 사상의 입장에서 문제 상황에 대해 조언하는 문제가 자주 출제되고 있어.

1
주

2일

2 ☐ 안에 들어갈 알맞은 말을 쓰시오.

▲ 석가모니

해탈과 열반
• 불교에서 바라보는 이상적 경지로, 진리를 깨달아 ☐☐에서 벗어난 상태
• 팔정도(八正道): 불교에서는 깨달음과 열반으로 이끄는 여덟 가지 방법으로 정견, 정사유, 정어, 정업, 정명, 정정진, 정념, 정정을 제시함.

> 불교의 수양 방법으로 옳은 것을 고르는 문제가 자주 출제되고 있어.

3 ☐ 안에 들어갈 알맞은 말을 쓰시오.

최고의 선은 물과 같다. 물처럼 살아가면서 만족할 줄 아는 사람은 부끄러움을 당하지 않는다. 무엇이든 지나치게 좋아하면 그만큼 낭비가 크고, 너무 많이 쌓아 두면 그만큼 잃게 된다.

▲ 노자

도교 사상가인 노자의 주장이다. 노자는 최고의 선은 물과 같다고[上善若水] 보고, 자연의 소박함 속에서 진정한 아름다움을 찾을 것을 강조한다. 또한 선과 악, 아름다움과 추함, 크고 작음 등의 구분은 우리의 마음이 지어낸 허상이기 때문에 ☐☐에 따라 순수한 본래 모습대로 살아갈 것을 중시한다.

> 노자가 했던 말을 제시하고, 도교의 특징을 묻는 문제가 자주 출제되고 있어.

답 1. 인 2. 고통 3. 무위

📖키워드#4 의무론적 접근과 공리주의적 접근

1 의무론적 접근

자연법 ❶ 윤리	• 이성이나 직관을 통해 절대적인 자연법 원리를 발견할 수 있음. • ☐☐☐ 원리에서 도출되는 도덕적 의무를 준수해야 함. • 아퀴나스: '선을 추구하고 악을 피하라.'라는 규범에서 의무 도출
칸트의 의무론적 윤리	• 행위의 동기 중시: 의무 의식과 선의지에서 나온 행위만이 도덕적 가치를 지님. • 이성적이고 자율적인 인간은 보편적인 도덕 법칙을 인식할 수 있음. • 도덕 법칙: 그 자체로 선(善) ➡ 정언 명령 ❷의 형식으로 제시

2 공리주의적 접근

유용성의 원리를 개별 행위에 적용함.

특징	• 쾌락이나 행복을 추구하는 유용성에 따라 옳고 그름을 판단 • 도덕과 입법의 원리: 최대 다수의 최대 행복
행위 공리주의	• 벤담(양적 공리주의): 쾌락은 질적으로 동일, 쾌락의 양을 계산 가능 • 밀(질적 공리주의): 쾌락의 양뿐만 아니라 질적 차이 인정
규칙 공리주의	• 행위 공리주의의 문제점 ❸에 대한 대안 • 최대 ☐☐을 가져오는 행위의 규칙 준수 ➡ 어떤 규칙이 최대의 유용성을 가져오는가?

❶ 자연법
모든 인간에게 자연적으로 주어진 보편적인 법

❷ 정언 명령
명령 그 자체가 목적이 되고, 마땅히 해야 할 행위를 지시하는 명령

❸ 행위 공리주의의 문제점
• 최대 행복을 낳는 행위가 상식적 도덕과 상반될 수 있다.
• 각 상황마다 행위의 결과를 계산하기 어렵다.

🔑 자연법, 행복

1 괄호 안의 내용 중 옳은 것에 ○표 하시오.

(1) 칸트는 (자연의 질서, 선의지)에서 도출된 도덕적 의무를 강조한다.

(2) 칸트는 무조건 따라야 할 도덕 법칙을 (정언 명령, 가언 명령)의 형태로 제시한다.

(3) (아퀴나스, 칸트)는 '선을 추구하고 악을 피하라.'라는 자연법의 기본 원리를 토대로 다양한 의무를 도출한다.

2 괄호 안의 내용 중 옳은 것에 ○표 하시오.

(1) 벤담은 모든 쾌락은 (양적, 질적)으로 차이가 없기 때문에 계산이 가능하다고 본다.

(2) 행위 공리주의는 유용성의 원리를 (개별 행위, 행위의 규칙)에 적용한다.

(3) (행위 공리주의, 규칙 공리주의)는 매 행위마다 유용성을 산출할 결과를 계산해야 한다는 한계를 지닌다.

3 ☐ 안에 들어갈 알맞은 말을 쓰시오.

> 🐻 칸트와 벤담의 입장을 제시하고, 의무론과 공리주의의 공통점과 차이점을 묻는 문제가 자주 출제되고 있어.

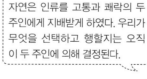

> 도덕은 누구나 따라야 하는 무조건적인 도덕 법칙에 근거해야 한다. 의무 의식에서 비롯되지 않은 행위는 도덕적 행위라고 할 수 없다.

> 자연은 인류를 고통과 쾌락의 두 주인에게 지배받게 하였다. 우리가 무엇을 선택하고 행할지는 오직 이 두 주인에 의해 결정된다.

▲ 칸트　　　　　　　　　　　　　▲ 벤담

칸트는 행위의 옳고 그름은 결과와 관계없이 그 행위가 도덕적 (1) ☐☐에 부합하는지에 따라 결정된다고 보고, 행위 자체의 도덕성을 중시한다. 공리주의는 어떤 행위가 쾌락과 행복을 가져다주는 것이라면 그 행위는 도덕적으로 옳은 행위라는 관점을 바탕으로, (2) ☐☐의 증진과 고통의 감소를 기준으로 윤리적 규칙을 도출한다.

📖 1. (1) 선의지 (2) 정언 명령 (3) 아퀴나스　2. (1) 질적 (2) 개별 행위 (3) 행위 공리주의　3. (1) 의무 (2) 쾌락

2^일 현대 윤리 문제에 대한 접근 ❶

| 학평 기출 응용 |

1 다음 사상의 관점에서 〈문제 상황〉 속 갑에게 해 줄 수 있는 조언으로 가장 적절한 것은?

> 측은히 여기는 마음은 인(仁)이요, 잘못을 부끄러 워하는 마음은 의(義)이며, 공경하는 마음은 예(禮)이 고, 시비를 가리는 마음은 지(智)이니, 인의예지는 진 실로 나에게 있는 것이다.

> **〈문제 상황〉**
> 갑은 어느 날 난치병을 앓고 있는 홀어머니를 돌보 는 소년 가장에 대한 뉴스를 보게 되었다. 갑은 그동 안 모아 둔 용돈을 기부하려다가, 곧 새 컴퓨터를 살 수 있다는 생각이 떠올라 고민하기 시작하였다.

① 나와 남이 다르지 않고 이어져 있음을 명심하게.
② 사사로운 욕심을 버리고 예(禮)를 회복하도록 하게.
③ 소요의 경지에 도달하기 위해 마음을 비우도록 하게.
④ 도덕적 실천을 통해 이기적 본성을 바로잡도록 하게.
⑤ 정의로운 마음은 실천을 통해 형성되는 것임을 깨 닫도록 하게.

| 학평 기출 응용 |

2 다음 사상에서 제시할 수 있는 수양 방법으로 옳은 것에만 모두 '✓' 표시를 한 학생은?

> 이것이 있으므로 저것이 있고, 이것이 생(生)하므 로 저것이 생한다. 무명(無明)을 연(緣)하여 행(行)이 있고 큰 고(苦)가 쌓이며, 무명이 멸(滅)하므로 행이 멸하고 큰 고가 멸한다.

수양 방법 \ 학생	갑	을	병	정	무
고통의 원인이 삼독이라는 것을 깨 닫는다.	✓	✓		✓	
윤회를 반복하고자 현세에서 덕을 쌓으려 노력한다.	✓		✓		✓
위로는 진리를 구하고 아래로는 중 생을 구제하는 데 힘쓴다.		✓		✓	✓
모든 존재는 인연에 따라 형성되는 고정된 실체임을 파악한다.			✓	✓	✓

① 갑 ② 을 ③ 병 ④ 정 ⑤ 무

| 학평 기출 |

3 다음 사상에서 강조하는 수양 방법을 〈보기〉에서 고른 것 은?

> 온갖 욕망에 집착함은 성스럽지 못하고 무익하다. 스스로 고행을 일삼는 것 역시 성스럽지 못하고 무익 하다. 이 두 가지 극단을 버리고 중도(中道)를 깨달으 면 눈을 뜨게 하고 지혜를 생기게 한다.

> **보기**
> ㄱ. 신독(愼獨)의 자세를 통해 사물의 이치를 궁구한다.
> ㄴ. 고통의 원인이 집착과 욕망에 있다는 사실을 깨닫는다.
> ㄷ. 연기성(緣起性)을 깨닫고 중생 구제와 자비를 실 천한다.
> ㄹ. 좌망(坐忘)과 심재(心齋)를 통해 대자연의 원리 와 하나가 된다.

① ㄱ, ㄴ   ② ㄱ, ㄷ   ③ ㄴ, ㄷ
④ ㄴ, ㄹ   ⑤ ㄷ, ㄹ

| 모평 기출 |

4 그림은 어느 사상가의 저서 중 일부이다. ㉠에 들어갈 진술 로 가장 적절한 것은?

> 나는 긴 것은 긴 대로, 짧은 것은 짧은 대로 두 어야 한다고 생각한다. 그런데 옛날 노나라의 어 느 임금은 귀한 새가 궁궐로 날아들자 아름다운 음악을 연주하고 맛있는 음식을 대접하였다. 그 러자 그 새는 눈이 어지럽고 마음이 슬퍼져서 사흘 만에 죽고 말았다. 내가 보기에 그 임금은
> [㉠] 간과하였다.

① 천지 만물에 인의예지가 내재되어 있다는 것을
② 도(道)의 관점에서 인간과 사물은 하나라는 점을
③ 주관적 인식에 사로잡혀 만물은 상대적이라는 점을
④ 모든 현상은 원인과 조건에 따라 생겨난다는 진리를
⑤ 경(敬)과 성(誠)의 원리에 따라 사물을 탐구해야 함을

| 학평 기출 응용 |

5 그림의 A~D에 들어갈 옳은 질문만을 〈보기〉에서 있는 대로 고른 것은?

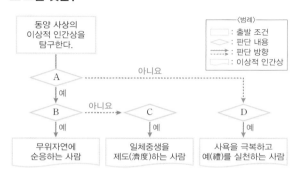

보기
ㄱ. A: 사단을 확충하여 사덕을 드러내야 하는가?
ㄴ. B: 무위를 따르고 심재와 좌망을 실천해야 하는가?
ㄷ. C: 삼독을 제거하고 연기성을 깨달아야 하는가?
ㄹ. D: 불성을 깨닫고 수기안인을 실천해야 하는가?

① ㄱ, ㄴ   ② ㄴ, ㄷ   ③ ㄷ, ㄹ
④ ㄱ, ㄴ, ㄷ   ⑤ ㄴ, ㄷ, ㄹ

| 학평 기출 응용 |

6 갑, 을 사상가에 대한 타당한 진술만을 〈보기〉에서 있는 대로 고른 것은?

갑: 네가 너 자신의 인격에서나 다른 모든 사람의 인격에서 인간을 항상 목적으로 대하고, 한낱 수단으로 대하지 않도록 행위를 하여라.
을: 행복은 이성에 따르는 삶에 있다. 이를 위해서는 자연법의 명령에 따라 덕을 실천해야 한다. 그러나 이것은 현세의 행복일 뿐이다. 영원한 행복은 신과 하나가 되는 것을 통해서만 가능하다.

보기
ㄱ. 갑은 온전한 행복은 신을 전제한다고 본다.
ㄴ. 을은 갑과 달리 선험적으로 있는 정의를 강조한다.
ㄷ. 갑, 을 모두 보편적인 도덕적 의무가 있다고 본다.
ㄹ. 갑, 을 모두 이성을 통해 어떻게 행동해야 할지 알 수 있다고 본다.

① ㄱ, ㄴ   ② ㄴ, ㄷ   ③ ㄷ, ㄹ
④ ㄱ, ㄷ, ㄹ   ⑤ ㄴ, ㄷ, ㄹ

| 학평 기출 응용 |

7 서양 사상 (가), (나)의 입장으로 가장 적절한 것은?

(가) 옳은 행위란 다른 어떠한 규칙에 따를 때보다 더 많은 행복을 가져오거나 혹은 더 적은 불행을 일으키게 하는 규칙을 따르는 것이다.
(나) 어떤 상황에서 특정 행위가 다른 행위보다 더 큰 효용을 가져올 때, 그리고 오직 그럴 때에만 그 행위를 옳은 행위로 볼 수 있다.

① (가): 공리의 원리를 규칙에 적용해야 한다.
② (가): 도덕 법칙에 따르려는 의무를 중시해야 한다.
③ (나): 행위의 결과보다 동기를 중시해야 한다.
④ (나): 쾌락을 계산할 때 도덕적 직관에 의존해야 한다.
⑤ (가), (나): 매 행위마다 유용성을 산출할 결과를 계산해야 한다.

| 학평 기출 응용 |

8 (가)의 사상가 갑, 을의 입장을 (나) 그림으로 표현할 때, A~C에 해당하는 옳은 진술을 〈보기〉에서 고른 것은?

(가)	갑: 만약 사적인 쾌락이 너의 목적이라면 그런 쾌락을 추구하고, 공적인 쾌락이 너의 목적이라면 그런 쾌락을 확대하라. 을: 아무런 제한 없이 선하다고 생각할 수 있는 것은 오직 선의지뿐이다. 천부적인 자질들을 이용하는 의지가 선하지 않다면 극도로 악하고 해가 될 수 있다.
(나)	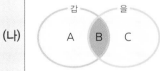 〈범례〉 A: 갑만의 입장 B: 갑, 을의 공통 입장 C: 을만의 입장

보기
ㄱ. A: 행위 결과의 유용성이 도덕적 판단의 기준이다.
ㄴ. B: 도덕 판단의 이론적 근거를 제시하고자 한다.
ㄷ. B: 감각적 쾌락과 정신적 쾌락은 질적으로 다르다.
ㄹ. C: 공동체적 관습을 고려한 도덕적 의무의 이행을 강조한다.

① ㄱ, ㄴ   ② ㄱ, ㄷ   ③ ㄴ, ㄷ
④ ㄴ, ㄹ   ⑤ ㄷ, ㄹ

현대 윤리 문제에 대한 접근 ❷ ~ 윤리 문제의 탐구와 성찰

📖 키워드 #5   현대 윤리학적 접근

1 현대 윤리학적 접근

덕 윤리적 접근 ❶	• 행위 중심 윤리가 아닌 ☐☐☐ 중심 윤리 • 행위자의 성품과 바람직한 인간관계의 맥락에 관심 ➡ 공동체 구성원의 삶 강조 • 매킨타이어: 개인의 자유와 선택보다 공동체의 전통과 역사를 중시함.
책임 윤리적 접근	• 다양한 유형의 책임 강조 ➡ 책임의 범위와 대상을 시공간적으로 확장함. • 예견할 수 있는 행위의 결과에 대해 엄중한 ☐☐을 물음. • 요나스 ❷: 윤리적 고려의 대상을 현세대에서 미래 세대와 자연까지 확대해야 함.
배려 윤리적 접근	• 길리건: 여성과 남성의 도덕적 지향점은 동일하지 않다고 간주 • 나딩스: 배려, 보살핌, 타인에 대한 유대감, 타인과의 관계 등을 중시
담론 윤리적 접근	• 윤리 문제의 해결을 위해 자유로운 의견 주장과 상호 존중과 이해가 바탕이 된 ☐☐와 합의 강조 • 하버마스: 의사소통의 합리성 실현 ➡ 합의에 도달 가능, 참여자 모두 합의의 결과 수용 가능
도덕 과학적 접근 ❸	• 도덕과 관련된 다양한 현상을 과학적 방법으로 설명하고자 함. ➡ 도덕성의 형성 요인에 초점 • 인간의 행동을 과학적 법칙에 적용함.

❶ **아리스토텔레스의 덕 윤리**
덕이 있는 사람은 선한 행위를 자발적으로 실천한다. → 행위자의 성품, 인간관계의 맥락에 관심을 둔다.

❷ **요나스의 책임 윤리**
• 행위의 결과가 미래의 가능성을 파괴하지 않도록 행위해야 한다.
• 인간은 책임질 수 있는 유일한 존재이다. 책임질 수 있는 능력은 책임져야 한다는 당위로 연결된다.

❸ **도덕 과학적 접근 방법**
• 신경 윤리학: 도덕의 근원인 감정, 이성을 과학적 방법으로 측정한다.
• 진화 윤리학: 도덕성을 진화의 산물로 인식한다.

🔑 행위자, 책임, 대화

1 다음 설명에 해당하는 윤리 사상에 ✔표 하시오.

(1) 예견할 수 있는 행위의 결과에 대해 책임을 묻는다.

☐ 덕 윤리　　　　　☐ 담론 윤리　　　　　☐ 책임 윤리

(2) 구체적인 도덕적 갈등 상황 속에서 공감과 맥락적 사고, 서로 간의 관계성 등을 중시한다.

☐ 담론 윤리　　　　　☐ 배려 윤리　　　　　☐ 책임 윤리

(3) 도덕과 관련된 현상을 행동 과학, 신경 윤리학, 진화 윤리학 등의 방법으로 설명하고자 한다.

☐ 책임 윤리적 접근　　　☐ 도덕 과학적 접근

2 ☐ 안에 들어갈 알맞은 말을 쓰시오.

> 내가 나의 선을 추구하는 방식과 당신이 당신의 선을 추구하는 방식은 결코 대립하지 않는다. 그것은 선이 특별히 나에게만 속한 것도 아니고 당신에게만 속한 것도 아니기 때문이다. 선한 것들은 사적인 것이 아니다.

▲ 매킨타이어

　덕 윤리학자 매킨타이어는 도덕적 행동이 행위자의 덕에 따라 정해진다고 본다. 또한 개인의 도덕적 행동, 즉 개인선의 추구는 곧 ☐☐☐을/를 지향한다고 보고 양자의 양립 가능성을 인정한다.

🐻 의무론과 덕 윤리 입장을 제시하고, 의무론에 비해 덕 윤리가 갖는 상대적 특징을 묻는 문제가 자주 출제되고 있어.

3 ☐ 안에 들어갈 알맞은 말을 쓰시오.

🐻 길리건이나 나딩스의 글을 제시하고, 배려 윤리의 특징을 묻는 문제가 자주 출제되고 있어.

▲ 길리건

▲ 나딩스

　길리건과 나딩스가 주장한 ☐☐ 윤리는 맥락적 사고를 바탕으로 도덕 규칙을 파악하고자 하며, 서로 간의 관계성을 중시한다. 또한 남성과 여성의 도덕적 성향은 선천적으로 다르다고 전제하고, 기존의 남성 중심적인 윤리를 보완하기 위해 구체적 상황 속에서 공감과 인간관계를 중시한다.

📖 1. (1) 책임 윤리 (2) 배려 윤리 (3) 도덕 과학적 접근　2. 공동선　3. 배려

3일 현대 윤리 문제에 대한 접근 ❷ ~ 윤리 문제의 탐구와 성찰

📖 키워드 #6 도덕적 탐구의 방법과 윤리적 성찰과 실천

1 도덕적 탐구의 방법

방법	윤리적 쟁점 확인 ➡ 문제 해결에 필요한 자료 수집·분석 ➡ 자신의 입장 채택 후 대안 설정 및 정당화 근거 제시 ➡ 최선의 대안 도출
도덕 판단❶	도덕 원리(대전제) ➡ 사실 판단(소전제) ➡ 도덕 판단(결론)
도덕 판단을 위해 필요한 능력	• 도덕적 상상력: 딜레마 상황의 윤리 문제를 자각 및 문제 상황이 어떻게 전개될 것인지 고려하는 능력 • 비판적 사고: □□ 판단의 진위를 검토하고, 도덕 원리를 검토함. • 배려적 사고: 도덕적 민감성과 공감 능력으로 타인의 처지를 생각함.

2 윤리적 성찰과 실천

윤리적 성찰의 의미	자신의 도덕적 경험을 바탕으로 □□적 사고를 하고, 도덕적 삶의 실천 방향을 결정하는 행동
윤리적 성찰의 방법	• 유교: 거경, 일일삼성❷ • 소크라테스: "반성하지 않는 삶은 살 가치가 없다." • 아리스토텔레스: "마땅한 때에, 마땅한 일에 대해, 마땅한 사람에게, 마땅한 동기로"
토론의 과정	주장하기 ➡ 반론하기 ➡ 재반론하기 ➡ 정리하기

❶ 도덕 판단의 예

대전제
사람을 돕는 행위는 옳다.

↓

소전제
세계 빈민에게 원조하는 것은 다른 사람을 돕는 행위이다.

↓

결론
세계 빈민에게 원조하는 것은 옳다.

❷ 유교의 윤리적 성찰

• 거경(居敬): 마음을 한곳으로 모아 흐트러짐이 없게 하는 것
• 일일삼성(一日三省): 하루의 삶을 성찰할 수 있는 세 가지 물음

📔 사실, 반성

1 다음 내용이 도덕 원리에 해당하면 '원', 사실 판단에 해당하면 '사', 도덕 판단에 해당하면 '판'이라고 쓰시오.

(1) 인체 실험은 바람직하지 않다. (   )

(2) 인체 실험은 인간의 존엄성을 훼손한다. (   )

(3) 인간의 존엄성을 훼손하는 실험은 바람직하지 않다. (   )

2 ☐ 안에 들어갈 알맞은 말을 쓰시오.

> 여러분은 지혜와 힘이 가장 뛰어난 아테네의 시민입니다. 그런데 여러분은 재물과 명성과 명예에 대해서는 최대한 마음을 쓰지만, 사리분별과 진리 그리고 정신의 훌륭함에 대해서는 생각도 않고 염려하지도 않습니다. 이 점이 부끄럽지 않습니까?

▲ 소크라테스

소크라테스는 자기 자신과 다른 사람의 삶을 부단히 검토하고 ☐☐하는 것을 자신의 본분이라 생각했으며 명예보다 덕 있는 삶을 사는 것이 더 중요하다고 주장하였다.

소크라테스의 글을 제시하고, 소크라테스가 주장하는 윤리적 성찰의 특징을 묻는 문제가 자주 출제되고 있어.

3 ☐ 안에 들어갈 알맞은 말을 쓰시오.

토론의 과정을 제시하고, 그 과정에 들어갈 내용을 묻는 문제가 자주 출제되고 있어.

☐☐의 과정

주장하기		반론하기		재반론하기		정리하기
근거를 들어 자신의 주장을 제시하기	>>	상대방 주장의 오류나 부당성 제시하기	>>	반론에 대한 반박 및 근거 추가하기	>>	상대방 반론을 참고하여 최종 입장 발표하기

 1. (1) 판 (2) 사 (3) 원   2. 성찰   3. 토론

| 학평 기출 응용 |

1 그림은 서술형 평가 문제와 학생 답안이다. ㉠~㉤ 중 옳지 않은 것은?

〈서술형 평가〉
◎ **문제** 밑줄 친 'A 사상'의 특징에 대해 서술하시오.

A 사상은 근대 철학이 행위자의 감정이나 인간관계와 같은 요소는 간과하였다고 비판하면서, 선한 행위를 위해서는 유덕한 성품을 기르는 것이 중요하고 덕의 습관화가 필요하다고 하였다.

◎ **학생 답안**

A 사상은 ㉠ 행위자의 성품에 주목하는 윤리 사상으로, ㉡ 아리스토텔레스의 사상을 바탕으로 한다. ㉢ 도덕적 행동은 행위자의 덕에 따라 정해진다고 보고, ㉣ 바람직한 인간관계의 맥락에 관심을 둔다. 또한 ㉤ 개인의 선택과 자유를 공동체의 전통과 역사보다 중시한다.

① ㉠　　② ㉡　　③ ㉢　　④ ㉣　　⑤ ㉤

| 학평 기출 응용 |

2 갑의 입장에 비해 을의 입장이 갖는 상대적인 특징을 그림의 ㉠~㉤ 중에서 고른 것은?

갑: 도덕성은 법칙으로부터 유발되는 의무의 관념이 동시에 행위로 나타나는 것이며, 단지 의무에 맞는 것이 아니라 의무로부터 비롯된 것이어야 한다.
을: 옳고 그름을 규정하는 원칙을 아는 것보다 유덕한 사람이 되는 것이 중요하다. 즉 '무엇을 해야만 하는가?'라는 물음보다 '어떤 사람이 될 것인가?'라는 물음에 주목해야 한다.

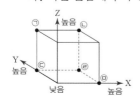

· X: 의무에 따른 행동보다 공동체적 맥락을 강조하는 정도
· Y: 행위자의 반복적 의지와 중용을 강조하는 정도
· Z: 정언 명령에 따른 규칙 준수를 강조하는 정도

① ㉠　　② ㉡　　③ ㉢　　④ ㉣　　⑤ ㉤

| 학평 기출 응용 |

3 다음 사상가의 입장을 〈보기〉에서 고른 것은?

낯선 사람이 길을 물었을 때, 우리는 그의 요구를 주의 깊게 듣고 그가 인정하는 방식으로 반응하여 배려의 관계를 만들 수 있다. 이러한 배려는 자연적 배려에 기초한다. 배려의 관계는 배려의 노력을 수용할 때 완성된다.

보기
ㄱ. 개인의 독립성보다 사회적 관계성을 중시한다.
ㄴ. 근대 철학의 핵심인 이성, 정의, 공정함을 강조한다.
ㄷ. 공감을 바탕으로 사회적 소수자와의 유대를 강화하려 한다.
ㄹ. 도덕규범에 대한 객관적이고 보편적 발견이 가능하다고 본다.

① ㄱ, ㄴ　　② ㄱ, ㄷ　　③ ㄴ, ㄷ
④ ㄴ, ㄹ　　⑤ ㄷ, ㄹ

| 학평 기출 응용 |

4 갑, 을 사상가의 입장으로 가장 적절한 것은?

갑: 도덕적 문제에 대한 여성의 '다른 목소리'를 차단해서는 안 된다. 이제 공정함과 보살핌 사이의 대화를 통해 양성 간의 더 나은 이해를 도모할 필요가 있다.
을: 어떤 행위 규범은 자유롭고 평등한 담론을 통해 관련된 모든 당사자가 동의할 수 있어야 정당화될 수 있다. 실천적 담론은 의사소통의 일반적 전제 조건들에 근거해야 한다.

① 갑은 공정함이 보살핌보다 중요하다고 본다.
② 을은 담론을 통해 옳고 그름에 대한 판단의 정당성을 확보하고자 한다.
③ 갑과 달리 을은 공감 능력의 필요성을 강조한다.
④ 갑은 이성, 을은 감정을 윤리적 공감의 척도로 본다.
⑤ 갑, 을 모두 공감과 의사소통을 통해 보편타당한 도덕적 의무를 산출할 수 있다고 본다.

5 그림은 수업 장면이다. 소전제 ⊙에 대한 반론의 근거로 가장 적절한 것은?

① 인간 배아는 성인과 동등한 도덕적 지위를 지닌다.
② 출생하기 이전의 어떤 존재도 인간으로 볼 수 없다.
③ 인간 배아 복제 실험은 인간의 존엄성을 침해한다.
④ 인간 배아는 잠재적 인간이므로 인간에 포함된다.
⑤ 인간 배아 복제는 인간을 대상으로 하는 연구이다.

6 (가)의 주장을 (나) 그림으로 나타낼 때, 이에 대한 설명으로 적절하지 <u>않은</u> 것은?

(가)	출생을 조작하거나 통제하는 인간 복제는 인간만이 갖는 존재의 자유를 본질적으로 불가능하게 한다. 따라서 출생을 조작하거나 통제하는 인간 복제는 허용되어서는 안 된다.

(나)

전제 **1** 인간만이 갖는 존재의 자유를 본질적으로 불가능하게 하는 것은 허용되어서는 안 된다.	+	전제 **2** ⊙

↓

결론	출생을 조작하거나 통제하는 인간 복제는 허용되어서는 안 된다.

① (나)의 전제 **1**은 대전제로, 도덕 원리에 해당한다.
② (나)의 전제 **2**는 소전제로, 사실 판단에 해당한다.
③ ⊙에 대해 '인간 복제는 자율성을 훼손하지 않는다.'라고 반론할 수 있다.
④ '인간 복제는 출생을 조작하거나 통제하는 것이다.'는 사실 판단에 해당한다.
⑤ (나)는 사실 판단을 바탕으로 도덕 판단을 거쳐 도덕 원리를 추론해 내는 과정이다.

7 ⊙에 들어갈 적절한 말을 〈보기〉에서 고른 것은?

> 갑: 저의 삶을 돌아봐야 하는 이유는 무엇입니까?
> 을: 올바른 행위와 삶의 방향을 정립할 수 있기 때문이지.
> 갑: 그 방법은 무엇입니까?
> 을: 자기를 이겨 예(禮)를 행하면 천하가 인(仁)으로 돌아올 것이니, 인의 실현은 자기에게서 비롯되는 것일세. 그러므로 　　⊙　　.

보기

ㄱ. 경(敬)의 자세로 사물의 이치를 탐구해야 하네.
ㄴ. 홀로 있어도 도리에 어긋나지 않도록 해야 하네.
ㄷ. 타고난 악한 본성을 선하게 만들기 위해 노력해야 하네.
ㄹ. 참선을 통해 인간의 참된 삶과 맑은 본성을 깨달아야 하네.

① ㄱ, ㄴ　　　② ㄱ, ㄷ　　　③ ㄴ, ㄷ
④ ㄴ, ㄹ　　　⑤ ㄷ, ㄹ

8 다음 사상가의 입장으로 가장 적절한 것은?

> 지혜를 얻기 위한 대화를 하지 않으면서 조용히 살아갈 수는 없다. 그렇게 하는 것은 오히려 신에게 복종하지 않는 것이다. 늘 자신을 성찰하고, 덕(德)과 타인의 언행을 진지하게 검토하는 것이 중요하다. 이것이 최대의 선(善)이며, 검토하지 않는 삶은 인간다운 삶이 아니다.

① 다른 사람과의 대화는 진리 탐구의 방법이 될 수 없다.
② 인간답게 살기 위해 자신의 부족함을 살펴 개선해야 한다.
③ 자기 삶에 대한 반성이 없어도 최대의 선을 실현할 수 있다.
④ 공동체를 벗어나 은둔의 삶을 살아야 최고선을 얻을 수 있다.
⑤ 좋은 인간관계를 유지하기 위해 타인의 잘못을 묵인해야 한다.

삶과 죽음의 윤리 ~ 생명 윤리

일

📖키워드#7　　출생과 죽음에 관한 윤리적 쟁점

1 출생❶과 관련된 윤리적 쟁점

인공 임신 중절	찬성 (선택 옹호주의)	여성의 선택권 > 태아의 생명권
	반대 (생명 옹호주의)	여성의 선택권 < 태아의 생명권
생식 보조술		• 긍정적인 면: 불임 부부의 고통을 덜어 주고 출생률을 높임. • 부정적인 면: 대리모 출산, 친권 문제, 정자·난자 판매 문제 등 발생

2 죽음❷과 관련된 윤리적 쟁점

자살		• ☐☐은 인위적인 죽음임. ➡ 인간 존중의 원칙에 위배 • 고통을 모면하기 위한 자살은 자신을 수단으로 삼는 것(칸트) ➡ 자기 보전의 의무에 위배
안락사	찬성	인간의 죽음 선택권 ○
	반대	인간의 죽음 선택권 ×
뇌사	인정	죽음의 기준: ☐ 기능 정지
	불인정	죽음의 기준: 심폐 기능 정지

❶ 출생의 윤리적 의미
태아가 모체로부터 분리되어 독립된 새로운 생명체가 되는 것 → 인간의 출생은 도덕적 주체로서 삶의 출발점이자, 사회 구성원으로서 삶의 시작을 의미한다.

❷ 죽음의 윤리적 의미
• 삶의 소중함을 깨닫는 계기
• 인간관계의 소중함을 깨닫게 하는 계기
• 어떻게 살아가야 하는지를 깨닫는 계기

🔑 자살, 뇌

1 ☐ 안에 공통으로 들어갈 알맞은 말을 쓰시오.

인공 임신 중절에 대한 찬성과 반대 입장을 제시하고, 찬성 또는 반대 입장을 지지하는 근거를 묻는 문제가 자주 출제되고 있어.

인공 임신 중절 찬성 근거

- 태아는 완전한 인간으로 볼 수 없음.
- 소유권 근거: ☐☐은/는 여성 몸의 일부이므로 여성은 태아에 대한 권리를 지님.
- 자율 근거: 인간은 자신의 신체에 대해 자율적으로 선택할 권리가 있음.
- 정당방위 근거: 여성은 자기방어와 정당방위의 권리를 지님.

VS.

인공 임신 중절 반대 근거

- 태아는 인간과 도덕적 지위가 동일함.
- 잠재성 근거: ☐☐은/는 성숙한 인간으로 발달할 가능성을 지님.
- 존엄성 근거: 인간의 생명은 존엄하므로 태아의 생명도 존엄함.
- 무고한 인간의 신성불가침 근거: 태아는 무고한 인간이고, 무고한 인간을 해치는 행위는 옳지 않음.

2 ☐ 안에 들어갈 알맞은 말을 쓰시오.

죽음에 대한 철학적 견해를 제시하고, 어떤 사상가가 제시한 견해인지 묻는 문제가 자주 출제되고 있어.

	죽음에 대한 철학적 견해
공자	• 죽음보다는 현실적 (1)☐에 충실할 것을 강조 • "삶도 모르는데 죽음을 어찌 알겠느냐?"
장자	• 삶과 죽음은 사계절의 운행처럼 자연스러운 현상 • "삶은 기(氣)가 모이는 것이고, 죽음은 기가 흩어지는 것"
불교	• 고통 중 하나이며 다른 세계로 윤회하는 계기 • 전생에 행한 행위에 따라 다음 생이 결정
플라톤	• 영혼이 분리되어 이데아의 세계로 들어가는 것 • 순수한 인식을 방해하는 (2)☐☐의 감옥에서 해방하는 것
에피쿠로스	• 경험할 수 없으므로 두려워할 필요가 없음. • "살아 있으면 죽음이 없고, 죽으면 느끼는 내가 없으므로 죽음을 의식하거나 두려워할 필요가 없다."
하이데거	현존재가 삶의 의미와 자아를 성찰하는 계기

답 1. 태아 2. (1) 삶 (2) 육체

삶과 죽음의 윤리 ~ 생명 윤리

📖키워드#8 생명 복제·유전자 치료·동물 실험을 둘러싼 윤리적 쟁점

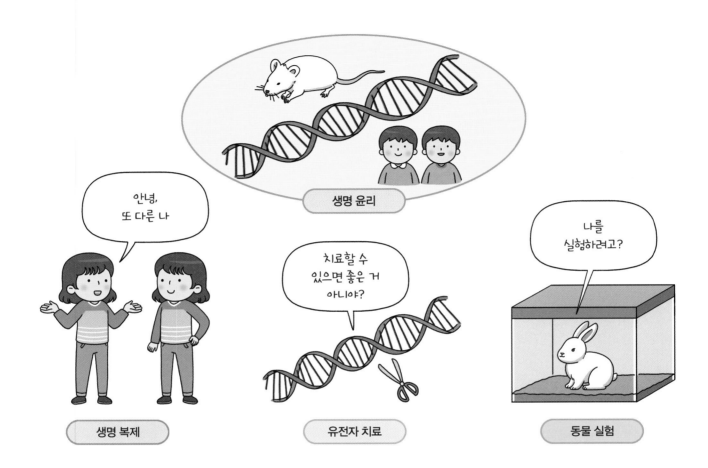

안녕, 또 다른 나

생명 윤리

치료할 수 있으면 좋은 거 아니야?

나를 실험하려고?

생명 복제

유전자 치료

동물 실험

1 생명 복제의 윤리적 쟁점

배아 복제	• 찬성: ☐☐는 인간이 될 가능성이 확정되지 않은 세포 덩어리 • 반대: 배아는 인간으로서의 잠재 가능성을 지닌 존엄한 존재
개체 복제	• 찬성: 불임 부부에 희망, 복제 인간도 독자적인 삶을 살아갈 수 있음. • 반대: 인간의 존엄성 훼손 및 고유성 위험, 인간의 모를 권리 침해

└─ 자신의 미래가 자신이나 타인에게 알려지지 않은
채로 태어나 생활할 수 있는 권리

2 유전자 치료❶의 윤리적 쟁점

찬성 근거	다음 세대의 질병 예방, 유전 질환을 물려주지 않으려는 부모의 선택 존중, 의학적 효용 가치가 높아 사회적인 유용성 증진
반대 근거	유전자 치료로 인한 부작용 우려, 인간 성향을 개선하려는 우생학으로 확대될 가능성 존재, 인간의 ☐☐적 다양성 상실 우려

3 동물 실험❷의 윤리적 쟁점

옹호	동물 실험 결과를 인간에게 적용 가능, 다양한 치료제나 치료법을 개발하여 인간의 질병 치료, 인간과 동물은 존재 지위❸가 다름.
반대	동물을 인간의 ☐☐으로만 사용하는 것, 인간과 동물은 존재 지위에서 차이가 없음, 동물 실험의 대안이 존재함.

❶ 유전자 치료
원하는 유전자를 세포 안에 넣어 새로운 형질을 발현하게 하여 이상 유전자를 대신하거나 유전자를 바꾸어 유전적 질병을 치료하는 것이다.

❷ 동물 실험
의학 및 생명 과학 연구 과정에서 살아 있는 동물을 대상으로 수행하는 실험이다.

❸ 동물의 권리에 관한 논쟁
• 인간 중심주의 관점: 동물은 도덕적으로 고려받을 권리를 갖지 않는다.
• 동물 중심주의 관점: 동물은 도덕적으로 고려받을 권리를 가진다.

답 배아, 유전, 수단

1 다음 설명에 해당하는 생명 윤리 관점에 ✔표 하시오.

(1) 인간의 생명이 수단화되어 인간의 존엄성이 훼손된다.
☐ 인간 개체 복제 찬성　☐ 인간 개체 복제 반대

(2) 인간과 동물은 근본적으로 존재 지위에서 차이가 없다.
☐ 동물 실험 옹호　　　☐ 동물 실험 반대

(3) 동물은 고통과 쾌락을 느끼지 않으므로 도덕적 고려 대상이 아니다.
☐ 인간 중심주의　　　☐ 동물 중심주의

2 다음 내용이 동물 실험 옹호 논거에 해당하면 '옹', 동물 실험 반대 논거에 해당하면 '반'이라고 쓰시오.

(1) 인체 실험의 위험이 감소한다. (　　)
(2) 대안적 실험의 한계가 존재한다. (　　)
(3) 인간과 동물이 공유하는 질병이 적다. (　　)
(4) 실험 결과를 인간에게 적용하면 부작용이 발생할 수 있다. (　　)

3 ☐ 안에 들어갈 알맞은 말을 쓰시오.

데카르트	동물은 단순히 움직이는 기계이므로 인간의 필요에 의해 사용될 수 있음.
칸트	동물은 인간의 목적을 위한 수단이지만, 인간성을 훼손하지 않기 위해 동물을 간접적으로 고려할 도덕적 의무가 있음.
싱어	동물 실험은 동물에게 고통을 유발하므로 부당함. ➡ 동물은 쾌고 감수 능력을 지니므로 동물의 이익 또한 인간의 이익처럼 평등하게 고려해야 함.
레건	동물 실험은 동물의 권리를 존중하지 않고 단지 동물을 인간을 위한 수단으로 이용하는 것이므로 부당함. ➡ 삶의 주체인 동물의 내재적 가치를 존중해야 함.

데카르트와 칸트는 동물의 권리를 (1)☐☐을/를 중심으로 보는 입장이에요.

싱어와 레건은 (2)☐☐을/를 도덕적으로 고려해야 한다고 주장해요.

동물 중심주의 사상가의 입장에서 인간 중심주의 사상가에게 제기할 수 있는 반론을 묻는 문제가 자주 출제되고 있어.

답 1. (1) 인간 개체 복제 반대 (2) 동물 실험 반대 (3) 인간 중심주의　2. (1) 옹 (2) 옹 (3) 반 (4) 반　3. (1) 인간 (2) 동물

삶과 죽음의 윤리 ~ 생명 윤리

| 학평 기출 응용 |

1 갑은 긍정, 을은 부정의 대답을 할 질문만을 〈보기〉에서 있는 대로 고른 것은?

> 갑: 어떤 차별도 정당화되지 않듯이 발달 과정에서의 차별 역시 정당화되지 않는다. 우리는 태아를 인간과 동일한 존재로 보아야 한다.
>
> 을: 모든 참나무가 한때는 도토리였지만, 도토리와 참나무가 같지는 않다. 도토리와 참나무가 같은 가치를 지닐 수 없듯이, 태아와 인간의 관계도 마찬가지이다.

보기

> ㄱ. 태아는 인간으로서 지위를 갖는가?
> ㄴ. 태아는 인간이 될 수 있는 존재인가?
> ㄷ. 낙태는 인간의 생명을 제거하는 것인가?
> ㄹ. 무고한 인간을 죽이는 행위는 옳지 않은가?

① ㄱ, ㄴ   ② ㄱ, ㄷ   ③ ㄴ, ㄹ
④ ㄱ, ㄷ, ㄹ   ⑤ ㄴ, ㄷ, ㄹ

| 학평 기출 응용 |

2 다음 논쟁에서 을의 입장을 지지하는 논거로 가장 적절한 것은?

> 갑: 인간의 도덕적 지위는 정신적 능력의 유무에 따라 판단되어야 합니다. 따라서 태아는 인간으로서의 존엄성을 가진다고 볼 수 없고, 상황에 따라 낙태를 허용할 수 있습니다.
>
> 을: 아닙니다. 인간의 도덕적 지위는 나중에 인간이 될 가능성이 있는지 없는지에 따라 판단되어야 합니다. 따라서 태아도 인간으로서의 존엄성을 지니고 있으며, 낙태는 허용되어서는 안 됩니다.

① 임부의 권리를 태아의 권리보다 우선해야 한다.
② 태아는 여성 몸의 일부이고 여성에게 소유권이 있다.
③ 모든 인간 생명은 존엄하고 태아 역시 생명이 있는 인간으로 보아야 한다.
④ 태아는 인간으로서 성장할 잠재성을 지니지 않은 세포 덩어리로 간주해야 한다.
⑤ 여성은 태아를 생산하는 주체이므로 태아에 대한 결정권을 행사할 수 있어야 한다.

| 모평 기출 응용 |

3 동양 사상 (가), (나)의 입장으로 가장 적절한 것은?

> (가) 삶도 내가 원하고 의로움 또한 내가 원한다. 이 둘을 함께 얻을 수 없다면, 의로움을 취하지 어찌 구차하게 살겠는가. 죽음도 내가 싫어하는 것이지만 죽음보다 더 싫어하는 것이 있다.
>
> (나) 사랑하는 이의 죽음이 슬픈 일인가? 생명이란 본래 자연에서 빌린 것이니 마치 티끌과 같고, 삶과 죽음의 이치는 밤낮의 변화와 같다.

① (가): 생(生) 그 자체가 어떤 가치보다도 더 소중하다.
② (가): 도덕적 가치가 삶과 죽음의 선택 기준이 될 수 있다.
③ (나): 삶과 죽음은 자연의 과정이 아니라 응보의 과정이다.
④ (나): 삶과 죽음의 악순환을 끊는 것이 이상적 인간의 경지이다.
⑤ (가), (나): 죽음 이후를 대비하여 도덕적 이치를 탐구해야 한다.

| 학평 기출 응용 |

4 갑, 을, 병 사상가들의 입장에 대한 설명으로 옳은 것은?

> 갑: 죽음은 영혼이 육체의 속박으로부터 벗어나는 것이다. 영혼은 육체를 떠나 될 수 있는 대로 그것과 상관하지 않을 때 가장 잘 사유하게 된다.
>
> 을: 죽음은 우리에게 아무것도 아니라는 것에 익숙해져야 한다. 좋고 나쁨은 감각에 달려 있는데 죽음은 바로 모든 감각의 상실을 의미하기 때문이다.
>
> 병: 죽음은 현존재에게 던져진 끝으로서 반드시 찾아오는 것이며 타인이 대신할 수 없다. 죽음으로 미리 달려가 봄으로써 참된 실존을 깨달을 수 있다.

① 갑은 현실과 사후 세계를 구분할 수 없다고 본다.
② 을은 죽음 이후를 위해 선행을 해야 한다고 본다.
③ 병은 현존재인 우리는 죽음을 자각할 수 없다고 본다.
④ 갑은 을과 달리 죽음 이후에 참된 진리에 이를 수 있다고 본다.
⑤ 을은 병과 달리 죽음을 인간이 회피해야 할 고통이라고 본다.

| 모평 기출 응용 |

5 갑의 입장에서 을의 주장에 대해 제시할 적절한 견해만을 〈보기〉에서 있는 대로 고른 것은?

> 갑: 회생 불가능한 환자의 불필요한 고통을 없애는 방법에는 인위적 개입으로 죽음을 앞당기는 것과 연명 치료 중단으로 죽음에 이르게 두는 것이 있다. 전자는 살인이기에 금지되지만, 후자는 자연의 과정을 따르는 것이므로 허용될 수 있다.
>
> 을: 인간의 생명은 절대적인 가치를 지닌다. 인간 생명의 존엄성은 불필요한 고통을 없앤다는 명분으로도 훼손되어서는 안 된다. 인위적으로 죽음을 앞당기거나 연명 치료를 중단하는 것은 모두 인간 생명의 존엄성을 경시하므로 허용될 수 없다.

─ 보기 ─
ㄱ. 적극적 안락사는 허용되어야 한다.
ㄴ. 안락사가 허용되면 인간의 존엄성을 지킬 수 없다.
ㄷ. 환자가 회생할 가망이 없을 경우 연명 치료 중단이 가능하다.
ㄹ. 자연의 과정을 거스르지 않는 안락사 방법은 허용될 수 있다.

① ㄱ, ㄴ   ② ㄴ, ㄷ   ③ ㄷ, ㄹ
④ ㄱ, ㄴ, ㄹ   ⑤ ㄱ, ㄷ, ㄹ

| 학평 기출 응용 |

6 서양 사상가 갑, 을의 입장에서 자살이 비도덕적인 이유를 설명한 것으로 가장 적절한 것은?

> 갑: 네 자신의 인격에서나 다른 모든 사람의 인격에서 인간성을 단지 수단으로만 대하지 말고 항상 동시에 목적으로 대하라.
>
> 을: 인간은 자신의 존재를 보존하려는 경향을 가지고 있다. 그러므로 인간의 생명을 보존하고 죽음을 피하려는 행위는 자연법에 속한다.

① 갑: 사회적 유용성 증진에 장애가 되기 때문이다.
② 갑: 자율적 인간으로서의 의무에 위반되기 때문이다.
③ 을: 신에 대한 생명의 의무를 이행한 것이기 때문이다.
④ 을: 자신을 사랑하는 자연성에 따른 것이기 때문이다.
⑤ 갑, 을: 의무만을 이행하려는 행동이기 때문이다.

| 학평 기출 응용 |

7 갑, 을 사상가의 입장을 그림으로 표현할 때, A~C에 해당하는 적절한 진술만을 〈보기〉에서 있는 대로 고른 것은?

> 갑: 유전자 조작은 자연 질서에 위배되며, 유전자 조작 과정과 결과의 안정성도 확실하게 보장할 수 없다. 모든 유전자 조작은 허용되어서는 안 된다.
>
> 을: 유전자 조작은 인간을 도구화하는 것이므로 금지되어야 한다. 다만 생명 보존을 위한 유전자 조작은 자연 질서에 부합하므로 허용 가능하다.

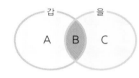

〈범례〉
A: 갑만의 입장
B: 갑, 을의 공통 입장
C: 을만의 입장

─ 보기 ─
ㄱ. A: 모든 유전자 조작은 자연 질서에 어긋난다.
ㄴ. B: 질병 치료를 위한 유전자 조작도 금지해야 한다.
ㄷ. B: 생명 연장을 위한 유전자 조작은 허용될 수 있다.
ㄹ. C: 자연 질서에 부합하는 유전자 조작은 허용될 수 있다.

① ㄱ, ㄷ   ② ㄱ, ㄹ   ③ ㄴ, ㄷ
④ ㄱ, ㄴ, ㄹ   ⑤ ㄴ, ㄷ, ㄹ

| 학평 기출 응용 |

8 (가) 사상가의 입장에서 (나)의 주장에 대해 제기할 수 있는 반론으로 가장 적절한 것은?

(가)	몇몇 포유류들은 믿음과 욕구, 지각과 기억, 미래에 대한 의식을 지니고 있으며, 쾌락과 고통 등의 감정을 느낄 수 있다. 이러한 동물들은 삶의 주체로서 도덕적 권리를 지닌다.
(나)	인간의 생명과 건강을 위해 동물 실험은 꼭 필요하다. 인간과 동물은 생물학적으로 유사할 뿐만 아니라, 동물 실험의 대안도 없다.

① 동물은 도덕적 고려의 대상이 될 수 없다.
② 모든 생명체는 똑같은 권리를 지니고 있다.
③ 인간의 권리보다 동물의 권리가 더 중요하다.
④ 모든 동물은 쾌고 감수 능력을 보유하고 있다.
⑤ 동물도 삶의 주체가 될 수 있으므로 권리를 갖는다.

5일 사랑과 성 윤리

📖키워드#9 사랑과 성의 관계

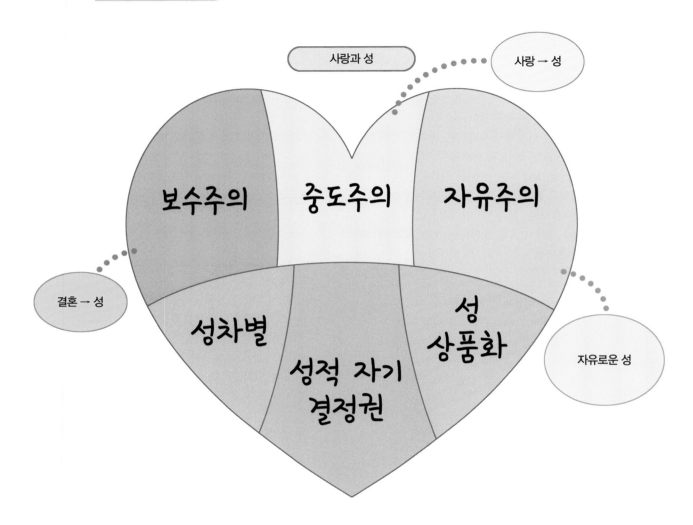

1 사랑❶과 성❷을 바라보는 관점

보수주의	결혼이라는 합법적 제도 안에서 출산, 양육에 대한 책임을 질 수 있는 성을 추구 ➡ 성은 개인적인 영역인 동시에 사회 안정, 질서 유지와 밀접한 관련
자유주의	성숙한 사람들의 상호 동의를 전제로 타인에게 해를 끼치지 않는 성을 추구 ➡ 결혼, 사랑과 결부되지 않아도 성적 관계는 정당화될 수 있음.
중도주의	인간의 고유한 인격을 유지할 수 있도록 사랑과 결합된 성을 추구 ➡ ☐☐과 결부되지 않아도 사랑을 동반한 성적 관계는 허용

2 성과 관련된 윤리적 문제

성차별	여성 혹은 남성이라는 이유로 부당한 대우를 하는 것 ➡ 남녀 간 차이 인정, 다양성과 개성을 인정하는 양성평등을 실현해야 함.
성적 자기 결정권	인간이 자신의 성적 행동을 스스로 결정할 수 있는 권리
성 상품화	성을 ☐☐처럼 사고팔거나, 다른 상품을 팔기 위해 성을 수단으로 이용하는 것

❶ 사랑에 대한 프롬의 입장
- 책임: 상대의 요구에 책임 있게 반응하는 것
- 이해: 상대의 독특한 개성을 알며 그를 깊이 이해하는 것
- 존경: 지배하고 소유하는 것이 아니라 상대를 있는 그대로 보는 것
- 보호: 사랑하는 사람의 생명과 성장에 적극적 관심을 갖고 보호하는 것

❷ 성의 가치
- 생식적 가치: 종족 보존, 생명 탄생의 원천 ➡ 책임 필요
- 쾌락적 가치: 인간의 감각적 욕구 충족 ➡ 절제 필요
- 인격적 가치 가치: 상호 간의 존중과 배려 실현 ➡ 존중 필요

📋 답 결혼, 상품

1 ☐ 안에 들어갈 알맞은 말을 쓰시오.

(1) 종족을 보존하고 생명을 탄생시키는 원천으로서 성이 지닌 가치를 ☐☐☐ 가치라고 한다.

(2) 성의 지닌 가치 중 인간의 감각적인 욕망의 충족을 추구할 때에는 ☐☐(이) 라는 도덕적 덕목이 요구된다.

(3) 프롬이 말한 사랑의 네 요소 중 상대방을 지배하고 소유하는 것이 아니라 있 는 그대로 보아야 한다는 것은 ☐☐이다.

2 ☐ 안에 들어갈 알맞은 말을 쓰시오.

성 상품화 찬성
• 자본주의 가치에 부합하는 이윤 추구 행위임. • 자신의 성적 매력을 표현하여 상품 화하는 것은 (1) ☐☐☐ ☐☐☐의 행사에 해당함.

VS.

성 상품화 반대
• 인간의 성을 돈을 벌기 위한 수단으로 전락시켜 물질적 가치로 환산하려 함. • 인간의 (2) ☐☐☐을/를 훼손하고 불평등을 야기함.

🐻 성 상품화와 관련된 문제 상황을 제시하고, 사상가의 입장 에서 문제 상황에 조언할 내용을 묻는 문제가 자주 출제되고 있어.

3 ☐ 안에 들어갈 알맞은 말을 쓰시오.

	성평등 관련 윤리
여성주의 윤리	여성이 남성과 동등한 지위와 권리를 가지고 직업과 생활 양식을 스스로 결 정할 수 있는 ☐☐☐☐ 지향 ➡ 여성의 지위 상승을 목표로 사회의 식 개혁 및 제도 개선 노력
배려 윤리	기존의 보편성, 합리성에 치중한 남성 중심적인 정의 윤리 보완 ➡ 사람들 사이의 관계, 타인의 감정 이해, 돌봄, 공감, 관계성 중시
밀	공리주의적 관점에서 성차별은 완전한 평등의 원리로 대체되어야 한다고 주장

🐻 여성주의 윤리 입장에서 제 기할 수 있는 비판을 묻는 문제가 자주 출제되고 있어.

5 일 사랑과 성 윤리

📖 키워드 #10   결혼과 가족의 윤리

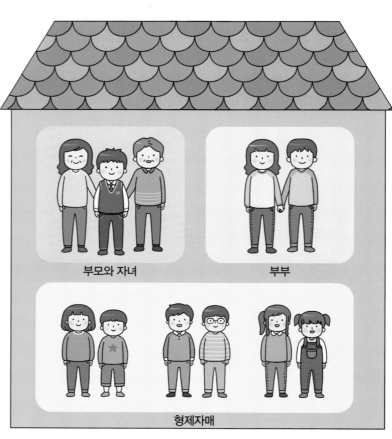

1 부부간의 윤리

음양론	음양은 서로 다르지만 서로 없어서는 안 될 존재이듯, 부부는 상호 보완적이며 대등한 관계
부부유별, 부부상경 ❶	동양에서는 부부유별(夫婦有別), 부부상경(夫婦相敬)을 중시함.
보부아르	남성뿐만 아니라 여성도 한 주체로서 존중해야 하며, 부부는 각 주체로서 ☐☐한 관계를 유지해야 함.
길리건	배려의 관계는 나와 다른 사람의 상호 의존성을 존중하면서 성립 → 부부도 서로 배려와 보살핌을 주고받는 관계를 유지해야 함.

2 가족 윤리

부모 자녀 관계 ❷	부자유친(父子有親), 부자자효(父子慈孝)
부부 관계	부부유별, 부부상경의 실천 → 부부는 차별적 관계가 아닌 구별된 역할 속에서 서로의 인격을 ☐☐해야 함
형제 관계	형우제공(兄友弟恭), 수족지의(手足之義)

┌─ 형은 동생에게 우애를 실천하고,   ┌─ 형제 관계는 손과 발처럼 세상에서
└─ 동생은 형을 공경해야 함.   └─ 가장 가까운 사이임.

📗 평등, 존중

❶ 부부유별과 부부상경

• 부부유별(夫婦有別): 부부간에는 해야 할 역할이 구분되어 있으므로 상호 존중해야 한다.

• 부부상경(夫婦相敬): 부부는 서로 공경하기를 손님같이 대해야 한다.

❷ 부자유친과 부자자효

• 부자유친(父子有親): 부모와 자녀 간에는 친밀함이 있어야 한다.

• 부자자효(父子慈孝): 부모는 자녀에게 자애를 실천하고, 자녀는 부모에게 효를 실천해야 한다.

1 괄호 안의 내용 중 옳은 것에 ○표 하시오.

(1) 부부간에는 해야 할 역할이 구분되어 있다고 보는 동양의 부부 윤리는 (부부유별, 형우제공)이다.

(2) 부부는 서로 공경하기를 손님같이 대해야 한다고 보는 동양의 부부 윤리는 (부부상경, 부자자효)이다.

(3) 부부의 관계도 나와 다른 사람의 상호 의존성을 존중하면서 성립하는 배려의 관계로 본 서양의 사상가는 (길리건, 데카르트)이다.

1주 5일

2 다음 설명에 해당하는 전통적 가족 윤리에 ✔표 하시오.

(1) 부부는 서로 존중하고 공경해야 한다.
　□ 부자자효　　□ 부부상경　　□ 수족지의

(2) 부모와 자녀 사이에는 친밀함이 있어야 한다.
　□ 부자유친　　□ 부부유별　　□ 수족지의

(3) 형은 동생을 우애 있게 대하고, 동생은 형을 공경해야 한다.
　□ 부부상경　　□ 부자자효　　□ 형우제공

3 □ 안에 들어갈 알맞은 말을 쓰시오.

음양론이 담긴 글을 제시하고, 음양론과 관련된 윤리가 무엇인지 묻는 문제가 자주 출제되고 있어.

음양론(陰陽論)

양(陽)이란 말은 원래 '햇볕', 음(陰)이란 말은 '그늘'을 뜻하였으나 후에 점점 발전되어 음양은 우주의 두 원리 또는 원동력으로 간주되었다. 즉, 양은 남성적인 것, 능동성, 더위, 밝음, 건조, 굳음 등을 나타내고 음은 여성적인 것, 수동성, 추위, 어둠, 습기, 부드러움 등을 뜻하게 되었다. 이 양대 원동력의 상호 작용으로 우주의 삼라만상이 발생하였다.

음양론에서는 음과 양은 대립되지만 서로가 없으면 존재할 수 없기 때문에 조화와 균형을 이루어야 하는 상호 의존적 관계에 있다고 보고, 남녀 역시 서로 존중해야 할 □□ □□적이고 대등한 관계로 여긴다.

답 1. (1) 부부유별 (2) 부부상경 (3) 길리건　2. (1) 부부상경 (2) 부자유친 (3) 형우제공　3. 상호 보완

5 일
사랑과 성 윤리

| 수능 기출 응용 |

1 다음 사상가의 입장으로 옳지 <u>않은</u> 것은?

> 어떤 사람은 환희의 경험보다 고통을 감수하는 희생이라는 의미에서 사랑을 주는 것을 덕으로 삼는다. 그들은 사랑에 대해 오해하고 있다. 생산적인 성격의 사람은 사랑을 주는 것이 잠재 능력의 최고 표현이며 생산적인 활동이라고 본다. 이것은 상대방의 생명과 성장에 적극적인 관심을 가지는 것이고, 자발적으로 책임지는 것이며, 착취 없이 존경하는 것이다.

① 사랑은 자신을 희생하여 상대방이 원하는 것을 들어주는 것이다.
② 사랑은 상대방의 요청에 성실하게 응답할 준비를 갖추는 것이다.
③ 사랑은 상대방이 자기 능력을 최대한 발휘하도록 돌보는 것이다.
④ 사랑은 상대방을 지배하는 것이 아니라 있는 그대로 보는 것이다.
⑤ 사랑은 능동적으로 활동하여 자신의 생동감을 고양하는 것이다.

| 학평 기출 응용 |

2 다음 입장에 대한 옳은 설명을 〈보기〉에서 고른 것은?

> 사랑이 있는 성은 다른 인격과 하나가 되는 경험을 제공함으로써 인간의 자아실현과 인격 완성에 중요한 역할을 한다. 반면 사랑이 없는 성은 인간을 짐승 또는 그 이하의 존재로 전락시키고, 인격을 파편화하여 인격의 통합성을 파괴한다. 그러므로 사랑은 인간의 성이 도덕적이기 위한 필요충분조건이다.

— 보기 —
ㄱ. 성의 본래적 가치는 생식적 가치에 있다고 본다.
ㄴ. 사랑만이 인간의 성을 존엄하게 만든다고 본다.
ㄷ. 성적 쾌락 그 자체로 순수한 가치를 지닌다고 본다.
ㄹ. 결혼이나 출산과 관련된 성도 도덕적이지 않을 수 있다고 본다.

① ㄱ, ㄴ   ② ㄱ, ㄹ   ③ ㄴ, ㄷ
④ ㄴ, ㄹ   ⑤ ㄷ, ㄹ

| 학평 기출 응용 |

3 갑이 을에게 제기할 수 있는 비판으로 가장 적절한 것은?

> 갑: 여성은 태어나는 것이 아니라 그렇게 만들어진다. 여성성과 남성성은 불평등한 사회화 과정에 의해 형성되는 것이지 원래부터 다른 것이 아니다.
> 을: 여성과 남성이 생각하고 지각하고 느끼는 방식은 근본적으로 다르다. 예를 들어 남성은 목표 지향적이지만, 여성은 관계 지향적이다.

① 여성과 남성의 생물학적 차이를 무시하고 있다.
② 여성과 남성의 성향 차이는 후천적인 것임을 간과하고 있다.
③ 여성과 남성 사이에 능력적인 우열이 있음을 간과하고 있다.
④ 여성과 남성의 성향에 자연적인 차이가 있음을 모르고 있다.
⑤ 여성과 남성 각자에게 고정불변의 역할이 있음을 모르고 있다.

| 학평 기출 응용 |

4 다음 사상가가 〈문제 상황〉의 A에게 제시할 수 있는 조언으로 가장 적절한 것은?

> 인격을 지닌 인간은 목적적 존재이며 소유할 수 있는 사물이 아니므로 자신의 의지대로 처분할 수 없다. 신체는 절대적 통일체인 인격의 일부이다.
> 〈문제 상황〉
> A는 금전적 보상을 대가로 사람들에게 성적 쾌락을 주는 일에 참여할 것인지 진지하게 고민하고 있다.

① 사람들의 다양한 성적 취향을 존중하렴.
② 자신을 인격체가 아닌 사물처럼 취급하지 않도록 하렴.
③ 어떤 경우에도 성적 욕망을 채우려 해서는 안 된다는 것을 생각하렴.
④ 성적 자기 결정권에 따라 어떤 성적 행동도 정당화된다는 것을 생각하렴.
⑤ 상호 동의하에 이루어진 모든 성적 활동은 정당화할 수 있다는 것을 고려하렴.

| 모평 기출 응용 |

5 다음 사상의 입장으로 가장 적절한 것은?

> 남자가 친히 아내를 맞이할 때 선물을 가지고 상견(相見)하는 것은 공경을 통해 부부유별을 밝히려는 것이다. 이처럼 남녀가 유별한 뒤라야 부자가 친하게 되고, 그런 다음에야 도의가 성립되며, 도의에 의해 예의가 제정되고, 그런 다음에야 만사가 안정된다. 만일 남녀의 구별이 분명하지 않고 도의가 성립하지 않는다면, 그것은 금수(禽獸)의 도(道)이다.

① 부부 예절은 성 역할 차이를 해소해야 시작된다.
② 금수에게도 사람의 남녀와 같이 분별적 도리가 있다.
③ 남녀가 부부의 연을 맺을 때 절차가 필요하지는 않다.
④ 부부는 두 사람의 관계보다 개별성을 중시해야 한다.
⑤ 부부간에도 공경하는 마음을 담아 예절의 형식을 따라야 한다.

| 학평 기출 응용 |

6 (가) 사상의 관점에서 (나)의 세로 낱말 (A)에 대한 설명으로 옳은 것은?

(가)	태극이 동(動)하면 양(陽)을 낳고 동이 극에 이르면 정(靜)하고, 정하면 음(陰)을 낳는다. 정이 극에 이르면 다시 동한다.
(나)	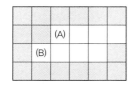 [가로 열쇠] (A): 부모와 자녀 간에는 친밀함이 있어야 함. (B): 여성도 한 주체로서 존중해야 한다고 주장한 서양 사상가 [세로 열쇠] (A): …… 개념

① 신뢰와 믿음을 바탕으로 하는 위계적 관계이다.
② 항렬과 촌수를 고려하여 정성을 다하는 관계이다.
③ 효와 자애를 주고받으며 사랑을 실천하는 관계이다.
④ 동등한 입장에서 서로를 보완하고 존중하는 관계이다.
⑤ 각자 삶의 영역을 구축해 간섭하지 않는 관계이다.

| 학평 기출 응용 |

7 다음 내용을 바르게 이해한 학생만을 〈보기〉에서 있는 대로 고른 것은?

> 효의 실천은 부모의 뜻을 단순히 받드는 것만 아니라 부모가 올바른 선택을 하고 바른길을 갈 수 있도록 간언하여 안내하는 것이다. 따라서 부모가 올바르지 않다면 자식은 공손한 태도로 간언하여 부모가 잘못을 저지르지 않도록 최선을 다해야 한다.

보기
ㄱ. 갑: 효는 호혜적이며 쌍방적인 성격을 지닌다.
ㄴ. 을: 참된 효는 예(禮)와 의(義)를 바탕으로 한다.
ㄷ. 병: 효자는 부모의 잘못에 대해 간언하면 안 된다.
ㄹ. 정: 가정 내에서 자기 역할을 온전히 수행할 때 바람직한 부모 자식 관계가 정립된다.

① ㄱ, ㄷ   ② ㄴ, ㄷ   ③ ㄷ, ㄹ
④ ㄱ, ㄴ, ㄹ   ⑤ ㄴ, ㄷ, ㄹ

| 학평 기출 응용 |

8 (가) 사상의 입장에서 (나)의 ㉠, ㉡에 대한 옳은 설명만을 〈보기〉에서 있는 대로 고른 것은?

(가)	어린아이도 그 어버이를 사랑할 줄 모르지 않고, 장성하여서는 그 형을 존경할 줄 모르지 않는다. 육친을 친애함이 인(仁)이요, 연장자를 공경함이 의(義)이다.
(나)	• ㉠ 은/는 동기간이고 뼈와 살을 나눈 가까운 친족이니, 서로 미워하거나 원망하여 하늘의 바른 뜻을 무너뜨려서는 안 된다. • 우리의 몸은 사지를 비롯해 모두 ㉡ (으)로부터 받은 것이니, 효의 시작은 이를 결코 상하지 않게 하는 것이다.

보기
ㄱ. ㉠의 관계에서 장유유서의 도리를 배울 수 있다.
ㄴ. ㉡은 자녀가 건강하게 성장하도록 도와야 한다.
ㄷ. ㉠과 ㉡ 사이에는 평등한 횡적 관계가 성립된다.
ㄹ. ㉠이 우애 있는 것은 ㉡의 은혜에 보답하는 것이다.

① ㄱ, ㄷ   ② ㄴ, ㄷ   ③ ㄷ, ㄹ
④ ㄱ, ㄴ, ㄹ   ⑤ ㄴ, ㄷ, ㄹ

누구나 100점 테스트

1 밑줄 친 'A 윤리학'에 대한 설명으로 옳은 것은?

> A 윤리학의 주된 목적은 인간이 어떻게 행위를 해야 하는가에 대한 보편적 원리를 탐구하는 것이다. 따라서 이러한 윤리학은 구체적인 도덕 판단의 타당성과 그 근거에 관하여 묻는다.

① 도덕적 풍습의 사실적 의미를 탐구한다.
② 도덕적 관습에 대해 객관적으로 기술한다.
③ 도덕적 개념이나 언어의 의미를 분석한다.
④ 도덕적 행위를 정당화하는 근거를 탐구한다.
⑤ 도덕적 문제에 대한 구체적인 해결책을 제시한다.

2 다음을 주장한 사상가의 입장으로 옳은 것은?

> 과학 기술의 발전 속도와 과학 기술의 영향에 대한 윤리적 성찰이 충분히 반영되지 못하여 윤리적 공백이 발생한다.

① 자연과 인간은 상호 간에 책임의 의무가 있다.
② 기존의 윤리로도 윤리적 공백을 극복할 수 있다.
③ 책임질 능력이 없어도 책임의 의무는 가져야 한다.
④ 책임의 대상을 자연과 미래 세대로 확장해야 한다.
⑤ 윤리적 성찰보다 과학 기술의 발전을 우선해야 한다.

3 다음 사상의 입장에서 〈문제 상황〉 속 A에게 제시할 조언으로 가장 적절한 것은?

> 윤리는 도덕적 추론이 아니라 도덕적 태도나 선에 대한 열망에서 시작되어야 한다. 남성 중심적 윤리의 문제점을 파악해야 하고, 인간관계, 책임, 헌신 등의 여성적 특성을 지닌 윤리에 주목해야 한다.

〈문제 상황〉

약속 시간에 늦었는데 도와 드려야 할까?

① 당신이 얻을 수 있는 이익을 고려하여 행동하세요.
② 상대방의 어려움을 공감해 무엇이 필요한지 살펴 행동하세요.
③ 동정심이 아닌 동의 가능한 합리적 판단에 따라 행동하세요.
④ 어떤 선택이 더 많은 사회적 효용을 낳을지 고려하여 행동하세요.
⑤ 타인을 배려하는 마음보다 도덕적 의무 의식에 따라 행동하세요.

4 ㉠에 대한 설명으로 가장 적절한 것은?

> 잠정적인 도덕 판단을 내렸다면 이를 뒷받침하는 도덕 원리가 적절한지 검토할 필요가 있다. 도덕 원리를 검토할 때는 반증 사례 검사법, ㉠ 역할 교환 검사법, 보편화 결과 검사법 등을 활용할 수 있다.

① 도덕 원리의 사회적 영향력을 확인하는 것이다.
② 보다 상위의 도덕 원리에 포함시켜 보는 것이다.
③ 도덕 원리를 모든 사람에게 적용해 보는 것이다.
④ 도덕 원리의 반대 사례가 있는지 확인하는 것이다.
⑤ 도덕 원리를 자기 스스로에게 적용해 보는 것이다.

5 밑줄 친 '어떤 학자들'이 범하고 있는 오류로 가장 적절한 것은?

> 어떤 학자들은 "A는 B이다."라는 일종의 사실 판단의 진술들을 통해 자신의 이론을 전개해 나간다. 그런데 사실 판단의 진술들을 바탕으로 최종적으로 "A는 B해야 한다."와 같은 일종의 당위의 주장을 펼치기도 한다.

① 도덕적 상상력을 지나치게 강조하고 있다.
② 사실 판단 없이 도덕적 판단을 내리고 있다.
③ 사실로부터 당위적인 판단을 도출하고 있다.
④ 당위의 주장을 통해 사실 판단을 도출하고 있다.
⑤ 도덕 판단 과정에서 배려적 사고를 과도하게 추구하고 있다.

6 ㉠, ㉡에 대한 설명으로 옳지 <u>않은</u> 것은?

> ㉠윤리적 성찰은 자신의 도덕적 경험을 바탕으로 반성적 사고를 하고, 도덕적 삶의 실천 방향을 결정하는 활동이다. ㉡도덕적 탐구는 도덕 문제의 해결 방안을 찾기 위해 도덕 원리와 사실 판단을 조사, 분석, 비교, 평가하며 타당한 결론을 내리는 과정이다.

① ㉠: 도덕적 주체의 도덕성에 중점을 둔다.
② ㉠: 개인의 도덕성과 도덕적 정체성 함양을 돕는다.
③ ㉡: 윤리 문제에 대한 이해 및 분석에 중점을 둔다.
④ ㉡: 현상의 원인과 결과를 관찰과 실험을 통해 설명한다.
⑤ ㉠, ㉡: 도덕적 행위의 실천이라는 지향점을 추구한다.

7 갑, 을 사상가들의 입장으로 옳은 내용을 〈보기〉에서 있는 대로 고른 것은?

> 갑: 고통을 느낄 줄 아는 동물들이 우리의 종에 속하지 않는다는 이유로 동물의 이해관계를 무시하는 것은 종 차별주의에 해당한다.
> 을: 도덕적 행위자나 도덕적 무능력자가 고유한 가치를 갖는 것은 그들이 모두 삶의 주체이기 때문이다. 그러므로 동물도 삶의 주체로 간주해야 한다.

> **보기**
> ㄱ. 갑: 모든 동물의 이익을 동등하게 고려해야 한다.
> ㄴ. 갑: 동물도 도덕적으로 고려받을 권리를 지닌다.
> ㄷ. 을: 삶의 주체인 존재들은 그 자체로 목적으로 대우해야 한다.
> ㄹ. 을: 지각, 기억, 믿음, 자기의식 등의 능력을 가진 동물은 삶의 주체가 될 수 있다.

① ㄱ, ㄴ ② ㄴ, ㄷ ③ ㄷ, ㄹ
④ ㄱ, ㄴ, ㄹ ⑤ ㄴ, ㄷ, ㄹ

8 갑의 주장에 대해 을이 제기할 수 있는 적절한 비판만을 〈보기〉에서 있는 대로 고른 것은?

> 갑: 인간은 자신의 성적 매력을 발휘할지 결정할 수 있는 권리와 성적 매력을 표현할 수 있는 자유를 가지고 있습니다. 그러므로 상품의 판매를 위해 성적 매력을 이용하는 것도 가능합니다.
> 을: 인간의 성은 상품처럼 사고팔거나, 다른 상품을 팔기 위한 수단이 될 수 없습니다. 성 상품화는 그 자체로 소중한 성의 가치와 의미를 변질시킬 뿐만 아니라 외부의 강요 없이 스스로 자신의 성적 행동을 결정할 수 있는 권리를 침해합니다.

> **보기**
> ㄱ. 성이 지닌 인격적 가치를 훼손해서는 안 된다.
> ㄴ. 성을 이용한 자유로운 이윤 추구를 허용해야 한다.
> ㄷ. 성적 자기 결정권을 바르게 행사할 수 있어야 한다.
> ㄹ. 성적 이미지나 상징을 상품 판매의 도구로 사용해서는 안 된다.

① ㄱ, ㄴ ② ㄱ, ㄹ ③ ㄴ, ㄷ
④ ㄱ, ㄷ, ㄹ ⑤ ㄴ, ㄷ, ㄹ

생명의 출생과 죽음에 인간이 개입하는 것은 정당한가?

쟁점 ❶ 출생에 대한 인간의 개입

생식 보조술의 등장

난임 부부가 자녀를 임신할 수 있게 돕는 의료 시술로, 인공 수정 시술과 시험관 아기 시술이 있다. 이는 난임 부부의 고통을 덜어 주고 행복을 증진하며 출산율을 높여 사회를 존속시키는 데 이바지한다고 평가되기도 하지만, 생명체의 탄생 과정에 인간이 인위적으로 개입한다는 윤리적 비판을 받기도 한다.

인간 복제 가능성

인간 복제의 종류에는 치료용 인간 복제와 생식용 인간 복제가 있다. 치료용 인간 복제는 인간의 질병을 치료하기 위해 인간을 복제하는 것으로, 세포 이식 치료나 노화 문제 해결 또는 절단된 팔을 재생시키기 위한 인간 복제 등이 여기에 속한다. 생식용 인간 복제는 아기를 출생하기 위한 인간 복제로, 핵을 제공하는 사람과 유전 형질이 같은 인간이 복제된다.

인간 복제, 괜찮을까?

쟁점 ❷ 죽음에 대한 인간의 개입

자살의 증가

자살은 자신의 소중한 생명을 훼손하는 것이다. 인간은 어떤 상황에서도 생명을 소중히 여겨야 한다.

안락사 기술의 적용

안락사를 찬성하는 입장에서는 환자의 삶의 질과 자율성을 강조한다. 안락사를 반대하는 입장에서는 죽음의 과정에 인간이 개입되어서는 안 된다고 강조한다.

뇌사의 인정

뇌 기능이 정지한 이후에도 인간의 심장과 폐의 기능이 일정하게 유지되기도 한다. 따라서 뇌의 정지를 죽음으로 볼 수 있는가, 또는 뇌사자의 장기를 적출할 수 있는 것인가에 대해 많은 논쟁이 있다.

죽음을 앞두고 나의 진심을 편지로 전합니다.

유전자 조작 기술에 대한 기대와 우려

유전자 조작으로 개발된 많은 농산물이 시중에 이미 생산·유통되고 있어요.

전 세계 유전자 변형 작물 재배 지도

캐나다
1100만
헥타르

중국
370만
헥타르

파키스탄
290만
헥타르

인도
1160만
헥타르

미국
7090만
헥타르

대서양

남아공
230만
헥타르

대서양

태평양

브라질
4220만
헥타르

파라과이
360만
헥타르

인도양

아르헨티나
2450만
헥타르

우루과이
140만
헥타르

🥜 콩　🌽 옥수수
🌿 목화　❀ 카놀라

유전자 조작 기술의 필요성

· 유전자 조작 기술은 난치병을 치료하거나 의약품을 개발하는 데 활용할 수 있다. 예컨대 세포에 유전자 조작을 가해 암세포만 선택적으로 공격함으로써 암을 치료하거나, 유전자 조작 기술로 당뇨병 환자를 치료할 수도 있다.

· 유전자 조작 기술은 식량 생산의 증대를 가져옴으로써 인류의 식량난 해결에 도움을 줄 수 있다. 유전자 조작 기술은 수확량이 많고 병충해에 강한 농축산물을 생산하는 데 활용할 수 있다.

유전자 조작 기술의 위험성

· '모든 생물 종은 자신의 현재 환경에 어울리는 유전자를 갖고 있으며, 유전자는 적응과 도태라는 충분히 오랜 시행착오를 거쳐 진화한 결과'라는 점에 비추어 볼 때, 유전자가 조작된 생물 종은 현재 환경에 적합하지 않다.

· 유전자 조작은 사회 정의를 해친다. 유전자 조작 기술을 개발하려면 엄청난 재원이 필요하다. 소수의 다국적 기업이 이 기술을 독점하고 전 세계 농산물의 생산·유통·소비를 주도할 수 있게 되므로, 식량의 안정적 공급 또는 식량 안보가 위협을 받을 것이다.

너 혹시 '유전자 가위'라는 말 들어 봤어?

아니, 유전자를 자르는 가위 같은 것 아닐까?

맞아, 원하는 유전자를 찾아내어 자르는 기술이야. 앞으로 인간의 유전자도 잘라 낼 수 있을 거야.

그런데 그렇게 사용해도 문제는 없을까?

특강 창의·융합·코딩

빈출 자료 ❶ 이론 윤리학과 실천 윤리학

┌─ 윤리학은 윤리 문제를 명료하게 파악하고, 해결책을 모색하며, 윤리적
│ 결과를 숙고할 수 있는 사실적·규범적 근거를 연구한다.

· 토론 주제: 윤리학, 그 주요 탐구 과제는 무엇인가?

> 저는 "이론 없는 실천은 맹목적이다."라고 생각합니다. 윤리학의 본질은 어떤 원리가 도덕적 실천을 위한 근본 원리로 성립할 수 있는지를 연구하는 데 있습니다.

> 저는 "실천 없는 이론은 공허하다."라고 생각합니다. 윤리학은 도덕 원리를 실천적 문제에 적용하여 현대 사회의 다양한 도덕 문제를 해결하는 데 주력해야 합니다.

갑

을

┌─ 이론 윤리학의 주된 특징이다. 이론 윤리학은 도덕 원리나 도
│ 덕적 정당화의 이론적 근거를 제시하는 데 주된 관심을 둔다.

┌─ 실천 윤리학의 주된 특징이다. 실천 윤리학은 이론
│ 윤리학에서 제공하는 도덕 원리를 토대로 다양한
│ 윤리 문제를 해결하는 데 주된 관심을 둔다.

> 현대 사회의 윤리 문제를 해결하기 위해 제기된 여러 윤리학의 입장을 이해해야 해요!
> 특히 이론 윤리학과 실천 윤리학의 특징을 묻는 문제가 자주 출제됩니다.

대표 예제와 기출 선택지

을의 입장에 대한 설명으로 옳은 것에 모두 ○표 하시오.

① 도덕적 행위를 정당화하는 객관적 도덕 법칙을 정립한다. ( )
② 사실 명제로부터 당위 명제가 연역 가능한지 탐구해야 한다. ( )
③ '옳다', '유덕하다' 같은 도덕적 술어의 의미를 검증해야 한다. ( )
④ 기후 변화 등 새로운 쟁점에 대한 윤리적 해법을 모색해야 한다. ( )
⑤ 도덕규범의 현실적인 적용과 구체적인 대안의 실천을 강조한다. ( )

🔑 답 ④, ⑤

빈출 자료 ❷ 현대 윤리 문제에 대한 동양 윤리의 접근

┌─ 정명은 자신의 지위와 신분에 맞는
│ 책임과 역할을 다하는 모습이다.

갑: 정치는 이름을 바로잡는 것[正名]에서 시작된다. 이름이 바로잡히지 않으면 예악(禮樂)이 세워지지 않고, 예악이 세워지지 않으면 형벌의 집행이 공정하게 되지 않는다.

을: 선비가 머물러야 할 곳은 어디인가? 바로 인(仁)이다. 선비가 걸어야 할 길은 어디에 있는가? 바로 의(義)이다. 인에 머물며 의를 따르면 대인(大人)의 일이 이루어진다.

┌─ 유교에서 강조한 사회 규범이다.

┌─ 맹자는 이상적 인간상으로 대인,
│ 대장부 등을 제시하였다.

🔍 자료 분석

갑은 공자, 을은 맹자이다. 공자는 인간의 타고난 내면적 도덕성인 인(仁) 사상을 제시하면서 정명(正名)과 덕치(德治)를 강조하였고, 맹자는 사단(四端), 즉 인의예지(仁義禮智)라는 선한 마음이 누구에게나 주어져 있다고 보았다.

> 현대 윤리 문제와 관련해 유교, 불교, 도교의 윤리적 입장을 묻는 문제가 번갈아 가며 출제됩니다.

대표 예제와 기출 선택지

자료를 읽고 갑, 을의 입장에 해당하는 것에 모두 ○표 하시오.

① 예(禮)는 인간의 도덕적 삶에 필수적인 사회 규범이다. ( )
② 군자는 자신의 이익보다는 형벌의 공정함을 우선시한다. ( )
③ 어진 사람은 선한 사람과 악한 사람을 분별없이 사랑한다. ( )
④ 왕도 정치는 백성의 생업 문제 해결에서 시작되어야 한다. ( )
⑤ 불로장생의 신선이 되기 위해 양생(養生)의 수련을 해야 한다. ( )

🔑 답 ①, ②, ④

빈출 자료 ③ 규칙 공리주의적 접근과 담론 윤리적 접근

행위의 규칙에 유용성의 원리를 적용해 "어떤 규칙이 최대의 유용성을 가져오는가?"를 중시한 사상은 규칙 공리주의이다.

(가) 어떤 행위는 타당한 행위 규칙에 일치하면 옳고, 그 규칙을 위반하면 그르다. 행위 규칙의 타당성을 결정하는 척도는 유용성이다. 윤리적 의사 결정은 더 큰 유용성을 산출하는 규칙에 근거해야 한다.

(나) 어떤 행위 규범은 관련된 모든 당사자들이 자유롭고 평등한 담론을 통해 동의할 수 있는 것이어야 정당화될 수 있다. 규범적으로 정당한 실천적 담론은 의사소통의 일반적 전제 조건들에 근거해야 한다.

윤리 문제의 해결을 위해 자유로운 의견 주장, 상호 존중과 이해가 바탕이 된 대화와 합의를 강조한 사상은 담론 윤리이다. 담론 윤리적 입장에서는 도덕을 이성적 존재들 사이의 상호 작용에 관한 규범 체계로 본다.

자료 분석

(가)는 현대 윤리 문제에 대한 규칙 공리주의적 접근이고, (나)는 하버마스의 담론 윤리적 접근이다. 공리주의적 접근의 특징은 행위의 결과에 초점을 두고 유용성의 원리에 따라 윤리적 규칙을 도출한다는 것이다.

현대 윤리 문제에 대한 의무론적 접근과 공리주의적 접근을 비교하거나 공리주의적 접근과 현대 윤리학적 접근, 즉 덕 윤리·담론 윤리·배려 윤리 등과 비교하는 문제가 자주 출제됩니다.

대표 예제와 기출 선택지

자료의 (가) 입장으로 적절한 것에 모두 ○표 하시오.

① 어떤 규칙이 최대 유용성을 산출하는지는 알 수 있다. ( )
② 담론의 참여자들은 서로의 주장을 비판해서는 안 된다. ( )
③ 최대 행복을 가져오는 규칙을 행위의 기준으로 삼는다. ( )
④ 유용성의 원리는 행위 규칙이 아니라 개별 행위에 적용된다. ( )
⑤ 결과에 대한 고려 없이 규칙이나 규범의 타당성을 판단해야 한다. ( )

답 ①, ③

빈출 자료 ④ 아퀴나스의 자연법 윤리

아퀴나스가 제시한 자연법 원리이다. 아퀴나스는 자연법은 모든 인간에게 자연적으로 주어진 보편적인 법이므로 자연법 원리에서 도출되는 도덕적 의무를 준수해야 한다고 주장하였다.

인간에게는 자신의 고유한 본성에 따라 선으로 향하는 성향이 내재되어 있다. 그러므로 우리는 신이 인간에게 부여한 본성에서 나온 "선을 추구하고 악을 피하라."라는 원리에 따라야 한다.

〈문제 상황〉

A는 현대 의학으로는 치료 불가능한 병으로 3개월 이내에 사망할 것이라는 진단을 받았다. 이런 상황에서 A는 연명 의료에 대한 의향서 작성을 고민하고 있다.

치료 효과는 없고 환자의 목숨을 겨우 이어 가게 하는 처치나 시술을 말한다.

자료 분석

아퀴나스의 자연법 윤리는 칸트의 의무론과 더불어 현대 윤리 문제에 대한 의무론적 접근 방식이다. 아퀴나스는 자연의 질서에 어긋나는 행위를 비도덕적인 행위로 간주한 반면 칸트는 의무 의식에서 비롯되지 않은 행위는 도덕적 행위라고 할 수 없다고 보았다.

현대 윤리 문제의 접근 방식 중 하나 이상의 입장과 구체적인 상황을 제시하고, 해당 입장에서는 상황 속 인물에게 어떤 조언을 할 것인지 묻는 문제가 자주 출제됩니다.

대표 예제와 기출 선택지

자료에 제시된 사상가의 입장에서 〈문제 상황〉 속 A에게 제시할 적절한 조언에 모두 ○표 하시오.

① 환자에 대한 동정심을 바탕으로 결정하세요. ( )
② 인간이 갖는 자기 보존의 자연적 성향을 고려하여 판단하세요. ( )
③ 이상적인 담화 상황에서 합의된 결과를 고려하여 판단하세요. ( )
④ 자신의 이익과 가족의 이익을 합리적으로 계산하여 판단하세요. ( )
⑤ 스스로 수립한 도덕 법칙이 아닌 자연법의 원리에 따라 판단하세요. ( )

답 ②, ⑤

빈출 자료 ⑤ 도가의 죽음관과 불교의 죽음관

┌─── 신인(神人), 천인(天人)과 더불어 도가
│   에서 제시하는 이상적인 인간상이다.
│   ┌─── 도가의 무위자연(無爲自然)을 말한다.

갑: 지인(至人)은 무위(無爲)하다. 도(道)에는 시작도 끝도 없지만 만물에는 죽음
도 있고 삶도 있다. 근본에서 보자면 삶이란 기(氣)가 모인 것이다.

을: 이것이 있기 때문에 저것이 있다. 이를 일컬어 인연법(因緣法)이라고 한다. 삶
이 있으므로 늙음과 죽음이 있고, 삶을 떠나서는 늙음과 죽음도 없다.

┌─── 장자는 "삶은 기(氣)의 모임이고
│   죽음은 기의 흩어짐이다."라고 정
│   의하였다.

"모든 현상은 원인인 인(因)과 조건인 연(緣)이 상호 관계하여 성립하
며, 인연이 없으면 결과도 없다."라는 불교의 연기(緣起) 사상이다.

자료 분석

갑은 장자(도가), 을은 석가모니(불교)이다. 도교에서는 삶과 죽음은 자연스럽고 필연적인 과정이므로 삶에 집착하거나 죽음을 걱정하고 두려워할 필요가 없다고 한다. 한편 불교에서는 죽음은 윤회의 과정으로, 현세의 업보가 죽은 이후의 삶을 결정한다고 본다.

동서양 사상가들의 죽음에 대한 다양한 관점을 비교하는 문제가 자주 출제됩니다.

자료를 읽고 갑의 입장에 해당하는 것에 ○표 하시오.

① 죽음에 대한 성찰과 애도(哀悼)의 의무를 강조한다. （　）

② 연기(緣起)에 대한 깨달음을 추구하는 삶을 강조한다. （　）

③ 삶과 죽음을 분별하여 고통에서 벗어날 것을 강조한다. （　）

④ 죽음은 기가 모이고 흩어지는 과정의 일부임을 강조한다. （　）

⑤ 죽음은 영혼이 육체에서 벗어나 참된 진리를 얻는 계기라고 주장한다. （　）

답 ④

빈출 자료 ⑥ 뇌사의 윤리적 쟁점

┌─── 뇌사를 인정하는 입장이다.

심장과 폐가 활동한다 해도, 뇌의 기능이 불가역적으로 상실된 사람은 살아 있는
존재로 볼 수 없다. 생명체의 활동에 있어서 뇌가 결정적 기능을 담당하기 때문이
다. 뇌사를 죽음의 기준으로 인정하게 되면 당사자의 사전 동의를 통해 뇌사자로
부터 장기 이식을 받아 보다 많은 인명을 구할 수 있으므로 공익의 실현에 기여하
게 된다. 일부에서는 뇌사의 오판 가능성을 제기하지만, 뇌사 판정 위원회를 통해
이를 최소화할 수 있다.

└─── 뇌사 인정을 주장하는 근거이다. 또 다른 근거로는 뇌사자의 존엄하게
　　 죽을 권리를 존중해야 한다는 주장이 있다.

자료 분석

뇌사를 인정하는 입장에서는 뇌 기능이 정지한 때를, 뇌사를 인정하지 않는 입장에서는 심폐 기능이 정지한 때를 사망 시점으로 본다. 뇌사를 인정하지 않는 사람들은 장기 이식을 위해 뇌사를 인정하는 것은 인간 생명을 수단으로 여기는 것이라고 비판한다.

죽음과 관련된 윤리적 쟁점으로서 뇌사, 자살, 안락사 등을 둘러싼 논쟁이 꾸준히 문제로 출제됩니다.

제시된 글의 입장에서 긍정의 대답을 할 질문에 모두 ○표 하시오.

① 인간의 인격은 뇌가 아니라 심장에 의존하는가? （　）

② 뇌사 인정은 인간 생명의 존엄성을 침해할 수 있는가? （　）

③ 뇌사 판정의 오류를 줄일 수 있는 제도적 절차가 있는가? （　）

④ 뇌사자의 장기 이식은 사회적 유용성의 증진을 저해하는가? （　）

⑤ 뇌사를 죽음의 기준으로 인정하는 것은 정당화될 수 있는가? （　）

답 ③, ⑤

빈출 자료 ⑦ 사랑과 성을 바라보는 관점

결혼이라는 합법적 제도 안에서 출산, 양육에 대한 책임을 질 수 있는 성을 추구할 것을 주장한다.

성적 관계의 정당화 요건으로서 결혼이라는 합법적인 제도를 요구하지 않는다.

성의 자연적 목적은 출산이며, 부부간의 신뢰와 사랑을 전제로 할 때만 성적 관계는 정당화될 수 있습니다.

아닙니다. 혼인 관계 여부와 상관없이 인격적인 사랑을 전제로 한 성적 관계는 도덕적으로 허용되어야 합니다.

사랑과 결합된 성의 추구를 주장한다.

갑

을

📕 자료 분석

갑은 보수주의, 을은 중도주의(온건적 자유주의)의 입장이다. 보수주의의 입장에서 성은 개인의 영역인 동시에 사회 안정, 질서 유지와 밀접한 관련이 있다. 한편 자유주의(급진적 자유주의)의 입장은 성숙한 사람들의 상호 동의를 전제로 타인에게 해를 끼치지 않는 성적 관계는 정당하다고 본다.

사랑과 성에 대한 세 가지 관점, 즉 보수주의, 중도주의, 자유주의를 비교하는 문제가 자주 출제됩니다.

대표 예제와 기출 선택지

대화를 읽고 을의 입장으로 적절한 것에 모두 ○표 하시오.

① 성적 쾌락만을 추구하는 성을 부정적으로 본다. ( )
② 성적 관계는 도덕적 가치 판단의 대상이 아니다. ( )
③ 성의 생식적인 가치보다 쾌락적인 가치가 더 중요하다. ( )
④ 결혼을 전제로 하지 않는 성적 관계는 모두 비도덕적이다. ( )
⑤ 사랑이 결여된 성적 관계는 도덕적으로 정당화될 수 없다. ( )

답 ①, ⑤

빈출 자료 ⑧ 양성평등에 대한 입장

성차별이 개인의 자아실현을 방해하고 있다고 인식한다.

○○신문   ○○○○년 ○○월 ○○일

칼 럼

남성과 여성 간 지적 능력의 차이는 사회적이고 환경적인 요인에 의한 것이다. 여성으로 태어난 것이 사회적 지위를 결정하거나 다양한 직업으로의 진출을 방해하는 이유가 되어서는 안 된다. 가정 속에서 여성이 평등한 권리를 누리고 남성이 여성을 존중하게 되면 인간 본성에도 유익한 영향을 줄 것이다. 여성이 자신의 생각을 피력할 수 있게 되면 사회 전체의 생각과 감정을 발전시킬 것이다. 인간으로서의 기본권을 누리지 못하고 있는 여성에 대해 차별이 지속되는 것은 사회 전체의 손실이 아닐 수 없다.

성차별이 사회적으로도 손실이라고 인식한다. 이는 인류의 발전을 저해하는 성차별은 완전한 평등의 원리로 대체되어야 한다고 주장한 밀의 공리주의적 관점과도 일치한다.

성평등과 관련해 여성주의 윤리, 배려 윤리, 공리주의와 결합해 출제되기도 하고 예시된 자료처럼 독해 형태의 문제도 출제됩니다.

대표 예제와 기출 선택지

신문 칼럼의 입장으로 옳은 것에 모두 ○표 하시오.

① 여성들을 존중하는 태도를 통해 도덕성을 함양시킬 수 있다. ( )
② 사회적 역할은 남녀의 본성에 따라 적합하게 부여되어야 한다. ( )
③ 차별적인 관습과 제도로부터 여성을 해방시키는 것이 필요하다. ( )
④ 여성의 자유권 확대와 사회 전체의 이익 증진은 양립이 가능하다. ( )
⑤ 여성에게 표현의 자유를 보장하면 사상의 발전에 기여할 수 있다. ( )

답 ①, ③, ④, ⑤

2주에는 무엇을 공부할까? ❶

[관련 단원] Ⅲ. 사회와 윤리

배울
내용

1 일 | 직업과 청렴의 윤리 _52

2 일 | 사회 정의와 윤리 ❶ _58

3 일 | 사회 정의와 윤리 ❷ _64

4 일 | 사회 정의와 윤리 ❸ _70

5 일 | 국가와 시민 윤리 _76

수능 생활과 윤리 빈출 키워드#

키워드#11 **동서양의 직업관**
키워드#12 **직업 윤리와 청렴**

✏️ **공부할 내용 추측해 보기** ↻ 관련 페이지 54쪽
직업과 관련된 윤리적 쟁점을 아는 대로 적어 보자.

키워드#13 **개인 윤리와 사회 윤리**
키워드#14 **사회 정의**

✏️ **공부할 내용 추측해 보기** ↻ 관련 페이지 58쪽
개인 윤리와 사회 윤리에 대해 아는 대로 적어 보자.

3^일

키워드#15 롤스의 정의론
키워드#16 노직의 정의론

✏️ **공부할 내용 추측해 보기** ↪ 관련 페이지 64쪽, 66쪽
롤스와 노직의 정의론을 아는 대로 적어 보자.

4^일

키워드#17 교정적 정의와 형벌관
키워드#18 사형 제도의 윤리적 쟁점

✏️ **공부할 내용 추측해 보기** ↪ 관련 페이지 70쪽
형벌, 사형과 관련된 윤리 이론을 아는 대로 적어 보자.

5^일

키워드#19 국가의 권위와 시민에 대한 의무
키워드#20 시민 불복종

✏️ **공부할 내용 추측해 보기** ↪ 관련 페이지 76쪽
국가의 권위와 관련된 윤리 이론을 아는 대로 적어 보자.

1 _일 직업과 청렴의 윤리

📖 키워드 #11 동서양의 직업관

1 동양 사상가들의 직업관

공자	자신의 직분에 충실해야 한다는 <u>정명(正名)</u> 사상 주장
맹자 ❶	• 일정한 생업(恒産)이 있어야 바른 마음(恒心)을 지닐 수 있음. • 정신노동과 육체노동의 구분과 상보성 강조 → 사회적 분업 인정
순자 ❷	각자의 적성과 능력에 따라 직업을 맡아야 한다는 □□ 분담론 주장
실학자	신분적 질서에서 벗어나, 사회 분업에 따라 직업을 직능적으로 파악

> 임금은 임금답고, 신하는 신하답고, 아버지는
> 아버지답고, 자식은 자식다워야 함.

> 실학자들은 능력에 따라
> 직업을 구분할 것을 주장함.

2 서양 사상가들의 직업관

플라톤 ❸	각 계층이 고유한 덕(德)을 발휘하여 직분에 충실해야 함.
칼뱅	• 직업은 신이 부여한 소명(김命) • 직업적 성공을 거두고 부를 축적하는 것은 구원의 징표임.
마르크스	• 인간은 노동을 통해 자기 본질을 실현해야 함. • 자본주의적 분업이 생산 과정에서 노동력 착취와 노동의 □□ 문제 초래

❶ 맹자의 노동 구분
맹자는 정신노동과 육체노동을 구분하며, 마음을 수고롭게 하는 사람인 노심자(勞心者)가 몸을 수고롭게 하는 사람인 노력자(勞力者)를 배려할 것을 강조하였다.

❷ 순자의 직업관
순자는 인간은 본래 이기적인 존재이므로 예(禮)를 통해 욕망을 적절하게 절제해야 한다고 보았다.

❸ 플라톤의 직업관
플라톤은 능력에 따른 사회적 역할 분담을 강조하고, 육체노동을 정신노동보다 열등한 것으로 간주하였다.

답 역할, 소외

1 □ 안에 들어갈 알맞은 말을 쓰시오.

(1) 순자는 □의 제도와 규범으로 적성과 능력에 따라 사회적 직분을 분담하여 역할을 수행하도록 하였다.

(2) 조선의 실학자들은 신분이 아니라 □□에 따라 직업을 구분할 것을 주장하였다.

(3) 능력에 따른 사회적 역할 분담을 강조한 플라톤은 육체노동이 정신노동보다 □□하다고 보았다.

2
주

1일

2 □ 안에 들어갈 알맞은 말을 쓰시오.

동양 사상가의 글을 제시하고, 해당 사상가의 직업관을 묻는 문제가 자주 출제되고 있어.

대인이 할 일이 있고 소인이 할 일이 따로 있으며, 어떤 사람은 마음을 수고롭게 하고, 어떤 사람은 몸을 수고롭게 한다.

각 분야에 능한 사람을 가려 그 분야를 이끌어 가도록 해야 국부가 넉넉해질 수 있다.

▲ 맹자

▲ 순자

맹자는 백성이 도덕적 마음을 지니려면 □□이/가 필요하다고 보고, 공동체의 질서 유지를 위해 분업을 중시한다. 순자는 질서 유지를 위해 분업이 필요하다고 보고, 역할 분담의 기초로 □을/를 중시한다.

3 □ 안에 들어갈 알맞은 말을 쓰시오.

프로테스탄트의 글을 제시하고, 프로테스탄트와 관련된 직업관을 묻는 문제가 자주 출제되고 있어.

인간은 구원을 예정해 놓은 신의 부르심에 노동을 통해 응답해야 한다. 신은 여러 가지 삶의 양식을 구분해 놓음으로써 각 개인이 해야 할 일을 정해 두었기 때문이다. 신은 만사가 혼란에 빠지지 않도록 우리에게 각각의 소명을 지정하였다. 우리는 신의 축복에 의해 양육되고, 우리의 노동도 신의 축복에 의해 번성한다.

▲ 칼뱅

칼뱅을 비롯한 프로테스탄트는 노동을 □의 명령으로 보고, 금욕과 절제를 강조하였다. 또한 부의 축적을 구원의 징표로 정당화하여 자본주의 발달에 영향을 주었다.

답 1. (1) 예 (2) 능력 (3) 열등 2. (1) 직업(생업) (2) 예 3. 신

1일 직업과 청렴의 윤리

📖 키워드 #12   직업 윤리와 청렴

기업가 윤리   근로자 윤리   전문직 윤리   공직자 윤리

1 다양한 직업 윤리

기업가 윤리	근로자의 권리❶를 존중, 합법적 이윤을 추구, 사회적 ☐☐ 이행
근로자 윤리	자신의 책임과 역할 수행, 잠재력 발휘, 기업가와 협력 추구
전문직 윤리	전문직은 사회적 영향력이 크기 때문에 직업적 양심과 수준 높은 책임 의식이 요구됨.
공직자 윤리	공직자는 국가 기관이나 공공 단체의 일을 맡아보기 때문에 청렴, 봉공, 봉사의 자세가 더욱 필요함.

❶ 근로자의 권리, 노동 3권
단결권, 단체 교섭권, 단체 행동권

2 부패 방지와 청렴

부패의 의미	개인의 이익을 위해 자신의 직위를 이용하는 위법 행위
부패의 문제	시민 의식 발달 저해, 개인 권리의 침해, 국가 신인도 하락 등
청렴의 의미	뜻과 행동이 맑고〔淸〕 염치를 알아〔廉〕 탐욕을 부리지 않음.
청렴의 자세❷	• 견리사의(見利思義): 이익보다 ☐☐을 중시함. • 청백리(淸白吏) 정신: 청렴하게 살고, 국가의 일에 충실함.

❷ 청렴을 위한 제도적 노력
내부 공익 신고 제도, 청렴도 측정 제도, 청렴 계약제, 시민 단체의 감시 활동, 청탁 금지법 등

📘 책임, 옳음

1 ☐ 안에 들어갈 알맞은 말을 쓰시오.

(1) 기업가는 근로자의 권리를 존중하고 ☐☐적인 이윤을 추구해야 한다.

(2) ☐☐☐은/는 국가 기관이나 정부의 예산에 의해 운영되는 공공 단체의 일을 맡아보기 때문에 높은 사명감과 책임감이 요구된다.

(3) 부패는 시민 의식의 발달을 저해하고, 개인의 권리를 부당하게 침해하며 국가 ☐☐☐을/를 하락시키는 등의 문제점이 있다.

2주 1일

2 ☐ 안에 들어갈 알맞은 말을 쓰시오.

기업의 사회적 책임의 범위에 관한 글을 제시하고, 이윤 추구 중시와 관련된 견해인지 사회적 책임 강조와 관련된 견해인지 묻는 문제가 자주 출제되고 있어.

기업의 사회적 책임의 범위에 관한 입장	
이윤 추구 중시	사회적 책임 강조
• 기업의 사회적 책임을 합법적인 이윤 추구에 (1)☐☐해야 함. • 프리드먼: 기업의 사회적 책임은 속임수나 기만행위 없이 공개된 자유 경쟁에 참여하라는 게임의 규칙 안에서 기업 이윤을 늘리는 활동을 하는 것이다. 주주의 이익에 봉사하는 것을 넘어서는 사회적 책임이 있다는 견해는 자유 경제의 본질을 오해하는 것이다.	• 사회적 책임의 적극적 이행은 장기적으로 기업에게도 (2)☐☐이/가 됨. • 보겔: 기업은 이윤을 추구하는 것뿐만 아니라 도덕적 의무를 다해야 한다. 기업은 공익을 위한 활동에도 최선을 다해야 한다. 기업은 앞으로 더 책임 있게 행동하게 될 것이다. 책임 있게 경영하는 기업은 그렇지 못한 경쟁자들에 비해 비즈니스 위험에 덜 노출될 것이다.

3 ☐ 안에 들어갈 알맞은 말을 쓰시오.

정약용의 글을 제시하고, 정약용이 강조한 청렴이 무엇인지 묻는 문제가 자주 출제되고 있어.

▲ 정약용

청렴함은 천하에서 '큰 장사'이다. 그러므로 크게 장사하려는 사람은 반드시 청렴해야 한다. 청렴한 자는 청렴함을 편안하게 여기고 지혜로운 자는 청렴함을 이롭게 여긴다.

정약용은 『목민심서』에서 공직자는 자신의 사사로운 이익을 넘어 ☐☐의 자세를 지녀야 함을 강조하고 있다.

📋 1. (1) 합법 (2) 공직자 (3) 신인도 2. (1) 한정 (2) 이익 3. 청렴

직업과 청렴의 윤리

| 모평 기출 |

1 다음 동양 사상가의 입장으로 가장 적절한 것은?

> • 만약 백성에게 살아갈 수 있는 일정한 재산이나 생업[恒産]이 없으면 순수하고 변함없는 마음[恒心]을 유지하기 어려우며, 그러한 마음이 없으면 편벽되고 악해질 것이다.
> • 사람은 남에게 차마 하지 못하는 마음[不忍人之心]이 있다. 그러한 선한 마음은 직업 활동을 통해 확충될 수 있다. 예를 들어 갑옷을 만드는 사람은 날마다 자신이 만든 갑옷으로 사람 살리는 일에 관심을 갖게 되니 선한 마음을 지켜 나갈 수 있다. 그러므로 직업을 선택할 때에는 신중하지 않을 수 없다.

① 직업을 선택할 때 생계유지 문제는 중요하지 않다.
② 직업의 역할 분담은 공동체를 위해 없어져야 한다.
③ 직업 선택의 기준에서 경제적 보상을 가장 중시해야 한다.
④ 직업을 선택할 때에는 인격에 미치는 영향을 고려해야 한다.
⑤ 직업 선택에서 사회적 기여보다 개인의 출세를 더 중시해야 한다.

| 학평 기출 응용 |

2 동양 사상가 갑, 을의 입장으로 적절한 것만을 〈보기〉에서 있는 대로 고른 것은?

> 갑: 선비와 달리 백성은 일정한 생업[항산(恒産)]이 없으면, 일정한 마음[항심(恒心)]을 가질 수 없다.
> 을: 농부는 밭일에, 상인은 장사에, 목수는 그릇 만드는 일에 능통하나 수장(首長)은 될 수 없다. 오직 예(禮)에 정통한 사람만이 수장이 될 수 있다.

— 보기 —
ㄱ. 갑: 직업인에게 항산보다 항심을 강조하면 안 된다.
ㄴ. 갑: 노심(勞心)하는 이는 노력(勞力)하는 이를 배려해야 한다.
ㄷ. 을: 예(禮)를 통해 욕망을 절제하는 것이 중요하다.
ㄹ. 갑, 을: 노동은 각자의 능력에 따라 사회적 역할을 분담하는 활동이다.

① ㄱ, ㄴ   ② ㄱ, ㄹ   ③ ㄷ, ㄹ
④ ㄱ, ㄴ, ㄷ   ⑤ ㄴ, ㄷ, ㄹ

| 학평 기출 응용 |

3 (가)를 주장한 사상가의 입장에서 볼 때, (나)의 ㉠에 대한 적절한 설명만을 〈보기〉에서 있는 대로 고른 것은?

(가)	신은 각 사람이 해야 할 일의 순서를 정하고, 소명(召命)으로 주셨으므로 각자는 자신의 위치를 신의 초소로 여겨야 한다.
(나)	㉠ 은/는 생계유지와 자아실현을 위한 노동 활동일 뿐만 아니라 사회에 이바지하는 수단이 될 수 있다.

— 보기 —
ㄱ. 노동을 통해 신의 영광을 드러내기 위한 수단이다.
ㄴ. 금욕과 절제를 통해 수행해야 할 신성한 활동이다.
ㄷ. 신으로부터 부여받은 자기의 몫에 해당하는 일이다.
ㄹ. 부의 축적을 삶의 궁극적인 목적으로 추구하는 활동이다.

① ㄱ, ㄴ   ② ㄱ, ㄹ   ③ ㄷ, ㄹ
④ ㄱ, ㄴ, ㄷ   ⑤ ㄴ, ㄷ, ㄹ

| 모평 기출 응용 |

4 갑, 을의 입장으로 옳은 것은?

> 갑: 프로테스탄트의 금욕은 향락과 낭비를 막는다. 금욕을 바탕으로 한 영리 활동이 근대 기업가의 소명이라면, 노동은 근대 노동자의 소명이다.
> 을: 임금은 임금답고 신하는 신하다워야 한다. 임금은 백성들을 사랑해야 한다. 신하는 먼저 맡은 직분을 경건히 수행하고 녹봉은 그 다음에 생각해야 한다.

① 갑: 금욕에 의한 재화의 획득은 타락의 징표이다.
② 갑: 프로테스탄트의 금욕적 태도는 자본주의 정신의 뿌리가 될 수 있다.
③ 을: 직업을 통해 최대한의 이익을 추구해야 한다.
④ 을: 경제적으로 부유한 자에게는 노동이 필요 없다.
⑤ 갑, 을: 금욕은 부의 축적을 궁극적으로 정당화하는 근거이다.

5 갑, 을 사상가들의 입장에 대한 설명으로 적절하지 <u>않은</u> 것은?

> 갑: 노동을 '신이 규정한 삶의 최고 목적'으로 보는 입장에서, 청교도는 소명을 인식하고 소명에 따라 노동하였다. 이러한 노동이 영리 추구와 결합하고 금욕적 절약을 통해 자본을 형성하여 자본주의 정신의 토대가 되었다.
> 을: 노동은 인간이 자신의 힘을 사용하여 자연과 관계를 맺는 하나의 과정이다. 하지만 자본주의에서는 노동자가 생산 수단을 사용하는 것이 아니라 생산 수단이 노동자를 사용하는 왜곡이 일어난다.

① 갑은 청교도가 노동을 신의 명령으로 여긴다고 본다.
② 갑은 청교도가 노동을 통해 덕의 실현을 추구했다고 본다.
③ 을은 자본주의의 노동 분업이 노동 소외의 원인이라고 본다.
④ 을은 자본주의에서는 노동자의 자아실현이 불가능하다고 본다.
⑤ 갑은 소명 정신, 을은 노동 착취를 자본 축적의 원천으로 본다.

| 학평 기출 |

6 ㉠에 들어갈 내용으로 가장 적절한 것은?

> 기업 경영자들과 노동조합 지도자들이 주주와 노동조합원들의 이익에 봉사하는 것을 넘어서서, 사회적 책임을 져야 한다는 견해가 확산되고 있다. 그러나 나는 이러한 견해가 _____㉠_____고 생각한다. 시장 경제에서 기업이 지는 사회적 책임은 오로지 한 가지뿐이다. 그것은 게임의 규칙을 준수하는 한에서 기업 이익의 극대화를 위해 자원을 활용하고 이를 위한 활동에 매진하는 것이다.

① 기업의 목적을 이윤 추구로 지나치게 제한한다
② 자유 시장 경제의 본질을 근본적으로 오해한다
③ 공정한 분배 실현과 기업의 공공적 성격을 경시한다
④ 기업의 영리 추구와 윤리 경영의 상관성을 무시한다
⑤ 기업의 이윤이 사회에 환원되어야 한다는 점을 간과한다

| 모평 기출 응용 |

7 그림의 강연자가 부정의 대답을 할 질문으로 가장 적절한 것은?

> 기업이 자유 시장에서 이윤 극대화만을 추구해야 한다는 주장은 환경 오염 같은 외부 효과, 즉 시장 실패로 그 부당성이 입증되었습니다. 환경 오염의 처리 비용을 당사자인 기업이 아닌 시민이나 미래 세대가 부담해야 한다는 것은 부당합니다. 설령 이윤이 감소하더라도 기업은 사회적 문제에 대해 적극적 책임을 지는 것이 마땅합니다.

① 기업의 이윤 추구는 공동선에 의해 제약을 받아야 하는가?
② 기업은 미래 세대의 삶의 질 문제에 관심을 가져야 하는가?
③ 기업의 시장 실패는 지역 사회에 불이익을 초래하게 되는가?
④ 기업은 외부 효과의 증대를 위해 이윤 추구에만 충실해야 하는가?
⑤ 기업은 맑은 공기와 같은 공공재에 대한 책무를 수용해야 하는가?

| 수능 기출 응용 |

8 다음 한국 사상가의 입장으로 가장 적절한 것은?

> 청렴하지 않고서 수령 노릇을 제대로 한 사람은 지금까지 한 명도 없었다. 수령이 청렴하지 않으면 백성들이 그를 도적이라 욕하며 원성이 드높을 것이니, 부끄러운 일이다. 청렴은 큰 장사[賈]이다. 그래서 포부가 큰 사람은 반드시 청렴하고자 한다.

① 포부가 크고 지혜로운 목민관에게 부패는 불가피하다.
② 청렴은 목민관의 모든 과오를 면책시키는 덕목이다.
③ 청렴한 목민관에게 청백리는 관직 상승의 수단이다.
④ 백성들이 알지 못하는 사사로운 청탁은 문제되지 않는다.
⑤ 목민관의 청렴은 애민과 봉공을 위한 필수적인 덕목이다.

2 ^일 사회 정의와 윤리 ①

📖 키워드 #13 개인 윤리와 사회 윤리

1 개인 윤리

원인	개인의 그릇된 이기심, 비양심
해결	☐☐의 양심·합리성 등을 회복
한계	계층 간 갈등, 빈부 격차, 인종 차별, 부패 등은 개인의 도덕성 함양만으로 해결이 어려움. → 사회 윤리의 등장

2 사회 윤리

원인	부도덕한 사회 구조와 제도
해결	개인의 도덕성 함양 + ☐☐ 구조와 제도 개선
니부어❶	• 사회 집단은 충동을 억제할 합리적 능력이 부족 → 개인보다 비도덕적 • 집단에 속한 개인은 이기적으로 행동하기 쉬움. → 도덕적 개인으로 구성된 집단 ≠ 도덕적 집단 → 개인의 도덕성과 집단(사회)의 도덕성 구분 필요 • 개인 윤리의 도덕적 이상은 이타성 실현, 사회 윤리의 도덕적 이상은 정의 • 문제 해결: 도덕적이고 합리적인 조정·설득 + 정치적 강제력에 의한 방법

❶ 니부어
미국의 사회 윤리학자로, 정의 추구를 위해서는 이기심, 반항, 강제력, 원한 등 도덕성이 높은 개인이 승인하기 어려운 방법도 사용할 수 있다고 주장하였다.

🔑 개인, 사회

1 □ 안에 들어갈 알맞은 말을 쓰시오.

(1) 개인의 도덕성 회복을 통한 윤리 문제 해결을 강조하는 입장은 □□ 윤리에 해당한다.

(2) 사회 구조와 제도의 개선을 통해 윤리 문제 해결을 강조하는 입장은 □□ 윤리에 해당한다.

(3) □□□은/는 사회 집단 간 힘의 불균형과 집단 이기주의로 인한 갈등은 개인의 도덕성에만 호소해서는 해결이 불가능하다고 본다.

2 괄호 안의 내용 중 옳은 것에 ○표 하시오.

(1) 니부어는 사회 윤리의 도덕적 이상은 (정의, 이타성 실현)(이)라고 본다.

(2) 니부어는 개인과 사회 집단 가운데 (개인, 사회 집단)이 더 비도덕적이라고 본다.

3 □ 안에 들어갈 알맞은 말을 쓰시오.

갑	아무런 제한 없이 선하다고 생각할 수 있는 것은 오직 선의지뿐이다. 지성, 용기, 결단성 등은 많은 의도에서 선하고 바람직하지만, 이런 천부적인 자질들을 이용하는 의지가 선하지 않다면 극도로 악하고 해가 될 수 있다.
을	자연은 인류를 고통과 쾌락이라는 두 주인에게 지배받도록 만들었다. 공리의 원칙은 이러한 복종 관계를 인식시켜 주고, 이성과 법률의 손길로 행복의 틀을 짜는 목적을 지닌 체계의 기초이다.
병	집단의 도덕은 자연적 충동에 버금갈 만한 사회 세력을 형성하기 어렵기 때문에 개인의 도덕에 비해 열등하다. 집단과 집단 사이의 관계는 항상 윤리적이기보다는 지극히 정치적이다. 모든 도덕주의자는 인간의 집단행동이 지닌 야수적 성격과 모든 집단적 관계들에 있는 집단적 이기주의의 힘에 대한 이해를 결여하고 있다. 그들은 사회적 갈등이 인류 역사에서 불가피한 것임을 제대로 인식하지 못한다.

갑은 칸트, 을은 벤담의 글이에요. 칸트와 벤담은 개인 윤리적 입장의 사상가예요.

병은 니부어예요. 니부어는 사회 문제 해결을 위해서는 개인의 도덕적 선의지 함양뿐만 아니라 정치적 □□□이/가 필요하다고 주장해요.

니부어의 글을 제시하고, 니부어의 입장에서 긍정 혹은 부정의 대답을 할 질문을 묻는 문제가 자주 출제되고 있어.

2^일 사회 정의와 윤리 ❶

📖 키워드 #14 사회 정의

> 얘들아, 축구 대회 우승 상금으로 10만 원이 나왔어. 어떻게 나눌까?

> 모두 똑같이 나눠 가져요.

> 축구를 제일 잘하는 친구가 받아야죠.

> 제일 노력한 친구가 받아야죠.

> 가장 골을 많이 넣은 친구가 받아야죠.

> 돈이 가장 필요한 친구가 받아야 해요.

1 사회 정의의 의미

동양 ❶	천리(天理)에 부합하는 '올바름' 또는 올바른 도리, 의로움
서양 ❷	'올바름' 또는 '공정함'

2 분배적 정의의 기준

기준	장점	한계
절대적 평등	기회·혜택의 균등	생산 의욕·책임 의식 약화
능력	☐☐에 대한 합당한 보상	평가 기준 모호, 선천적 영향 개입
노력	성실성·책임 의식 향상	측정 기준 애매
업적	생산성 증가와 객관적 평가 가능	과열 경쟁과 약자 배려 부족
필요	인간다운 삶 보장, 경제 불평등 완화	재화의 양 한정과 효율성 저하
공리주의	사회 전체 ☐☐의 총량 극대화	경제적 불평등, 약자 고려 결여

❶ 동양 사상가의 정의
- 공자: 이익을 보면 의리를 생각하는 견리사의(見利思義)의 자세 강조
- 맹자: 옳고 그름을 분별하는 판단 기준으로 의로움 제시

❷ 서양 사상가의 정의
- 소크라테스: 질서가 잘 잡힌 영혼이 추구하는 본성
- 플라톤: 지혜, 용기, 절제가 완전한 조화를 이룰 때 나타나는 최고 덕목
- 아리스토텔레스: 각자가 자기의 것을 취하며 법이 정하는 대로 따르는 것

📋 답 능력, 이익

1 ☐ 안에 들어갈 알맞은 말을 쓰시오.

(1) 동양에서는 정의를 '올바름'과 함께 '의로움'으로 설명하고, 서양에서는 '☐☐☐'(으)로 설명한다.

(2) 사회 정의를 지혜, 용기, 절제가 완전한 조화를 이룰 때 나타나는 최고 덕목으로 본 서양 사상가는 ☐☐☐(이)다.

(3) ☐☐(으)로 분배적 정의의 기준을 삼으면 성실성과 책임 의식이 향상된다는 장점이 있지만 측정 기준이 애매하다는 한계가 있다.

2 ☐ 안에 들어갈 알맞은 말을 쓰시오.

정의는 합법적이며 공정한 것을 의미한다. 특수한 정의의 한 종류는 명예, 금전 등의 분배에 관련되는 것이고, 다른 종류는 사람들 간의 거래에 관련되는 것이다. 사회적 재화의 분배는 기하학적 비례에, 시민들 간의 분쟁 해결은 산술적 비례에 합치해야 한다. 정의는 본성상 정치적 동물인 사람들 사이에서 같은 것은 같게, 다른 것은 다르게 분배할 것을 요구한다. 분배적 정의는 가령 사람 a와 b가 각각 물건 c와 d를 얻기 전과 후의 비율이 동등할 때 성립한다는 점에서 기하학적 비례를 추구한다.

▲ 아리스토텔레스

정의는 도덕과 입법의 원리인 최대 다수의 최대 행복을 위해 유용성을 극대화할 것을 요구한다.

▲ 벤담

분배적 정의에 대한 서로 다른 글을 제시하고, 각 입장에 맞는 설명을 묻는 문제가 자주 출제되고 있어.

개인의 타고난 능력이 불평등하다는 점, 따라서 생산 능력도 타고난 특권임을 승인하는 것은 부당하다. 분배는 필요에 따라, 노동은 능력에 따라 이루어지는 사회가 필연적으로 도래할 것이다. 그러면 노동은 더 이상 소외되지 않을 것이다. 능력에 따라 일하고 필요에 따라 분배받는 사회에서 인간 각자는 진정으로 노동의 긍정적 모습에 따라 자아가 실현되는 상황에 이르게 된다.

▲ 마르크스

　아리스토텔레스는 분배적 정의는 기하학적 비례를 추구한다고 본다. 벤담은 최대 다수의 최대 행복이 분배 기준이 되어야 한다고 본다. 마르크스는 능력에 따라 일하고 ☐☐에 따라 분배받아야 한다고 주장한다.

답 1. (1) 공정함 (2) 플라톤 (3) 노력　2. 필요

2 ^일 사회 정의와 윤리 ❶

| 모평 기출 |

1 갑, 을 사상가들 중 적어도 한 사람이 긍정의 대답을 할 질문만을 〈보기〉에서 있는 대로 고른 것은?

> 갑: 모든 집단은 사회적 조화를 이룰 수 있다. 개인의 이기심은 합리성이나 선의지의 성장에 의해 점진적으로 견제되고 있으며, 이러한 과정은 계속 진행될 것이기 때문이다.
> 을: 어떤 집단적 힘이 약자를 착취할 때, 대항 세력이 견제하지 않는 한 그 힘은 사라지지 않을 것이다. 집단 간의 관계는 지극히 정치적이므로 항상 윤리적인 것은 아니다.

보기
> ㄱ. 사회 갈등의 원인이 개인의 이기심에 있는가?
> ㄴ. 사회 갈등의 해법이 권력 불균형 유지에 있는가?
> ㄷ. 사회 정의의 실현을 위해 선의지의 함양이 필요한가?
> ㄹ. 사회 정의의 실현을 위해 강제력의 사용이 필요한가?

① ㄱ, ㄴ   ② ㄴ, ㄹ   ③ ㄷ, ㄹ
④ ㄱ, ㄴ, ㄷ   ⑤ ㄱ, ㄷ, ㄹ

| 모평 기출 응용 |

2 갑 사상가의 입장에서 을에게 제기할 수 있는 반론으로 가장 적절한 것은?

> 갑: 개인적 차원에서 집단적 차원으로 이행할수록 이기적 충동에 비해 합리성이나 선의지의 비중이 줄어든다. 따라서 이러한 충동적 경향이 심각하게 확대될 경우 이에 대항할 사회적 억제력이 필요하다.
> 을: 개인적 차원은 물론, 집단적 차원에서도 합리성과 선의지는 언제나 이기적 충동을 억제할 수 있다. 따라서 이기적 충동이 합리성과 선의지에 의해 견제되어 모든 집단들이 조화를 이룰 것이다.

① 문제 해결을 위해 강제력이 필요함을 간과한다.
② 개인의 도덕성이 사회 집단보다 중요함을 무시한다.
③ 개인과 집단의 목적이 선의지의 실현임을 간과한다.
④ 개인과 사회의 도덕적인 이상이 동일함을 간과한다.
⑤ 정의 실현을 위해 정치적 방법을 지나치게 강조한다.

| 수능 기출 |

3 다음 서양 사상가가 긍정의 대답을 할 질문으로 옳은 것은?

> 집단과 집단 사이의 관계는 항상 윤리적이기보다는 지극히 정치적이다. 모든 도덕주의자들은 인간의 집단행동이 지닌 야수적 성격과 모든 집단적 관계들에 있는 집단적 이기주의의 힘에 대한 이해를 결여하고 있다. 그들은 사회적 갈등이 인류 역사에서 불가피한 것임을 제대로 인식하지 못한다.

① 개인 윤리적 이타성과 사회 윤리적 정의는 항상 상호 배타적인가?
② 개인들의 자발적 타협이 사회 정의를 실현하는 유일한 방법인가?
③ 개인의 도덕적 선의지 함양은 사회 정의 실현의 충분조건인가?
④ 개인 간 갈등은 도덕적이고 합리적인 방법으로 조정될 수 있는가?
⑤ 개인의 합리적 도덕성은 개인이 속한 집단의 도덕성보다 열등한가?

| 모평 기출 응용 |

4 다음 사상가의 입장으로 옳은 것은?

> 집단은 개인이나 다른 집단과의 관계에서 상대의 이익에 주목하기보다 자기 집단의 이익을 관철하려는 경향을 강하게 나타낸다. 왜냐하면 개인들의 이기적인 충동은 개별적으로 나타날 때보다 하나의 공통된 충동으로 결합되어 나타날 때 더 강하게 표출되기 때문이다. 그 결과, 인간은 개인적으로는 도덕적이지만 집단적으로는 비도덕적인 특성을 나타낸다.

① 집단 간 힘의 차이를 강제적으로 조정하면 안 된다.
② 개인과 사회의 최고의 도덕적 이상 간의 모순은 절대적이다.
③ 집단 규모가 커질수록 충동을 제어하는 이성의 힘은 커진다.
④ 올바른 정치적 도덕성은 합리성에 부합하는 강제력을 권고한다.
⑤ 집단 간 관계는 각 집단의 요구를 합리적으로 수용하여 수립된다.

| 모평 기출 |

5 다음 사상가의 입장으로 옳지 **않은** 것은?

사회의 요구와 개인적 양심의 요청 사이에는 여간 해서 화합하기 힘든 지속적인 모순과 갈등이 존재한다. 왜냐하면 사회는 정의를 최고의 도덕적 이상으로 삼지만, 개인은 이타성을 최고의 도덕적 이상으로 삼기 때문이다. 그래서 사회는 양심적인 사람들로부터 도덕적 승인을 받지 못하는 방법을 사용해서라도 정의를 추구해야 한다.

① 사회 부정의는 외적 강제력을 통해 타파되어야 한다.
② 개인의 양심적 통찰은 사회 정의를 실현하는 데 기여한다.
③ 집단들 간의 관계는 윤리적이라기보다는 매우 정치적이다.
④ 개인들이 양심적이더라도 사회가 항상 도덕적인 것은 아니다.
⑤ 개인들의 이기적 충동들은 집단 속에서 약화된 형태로 나타난다.

| 학평 기출 응용 |

6 ㉠에 들어갈 말로 가장 적절한 것은?

분배적 정의와 관련해 제시할 수 있는 올바른 기준은 업적을 기준으로 하는 것이다. 그런데 어떤 사람들은 필요에 따른 분배가 가장 바람직하다고 주장한다. 나는 그들의 이와 같은 분배 방식에 문제가 있다고 보는데, 그 이유는 그 방식이 ㉠

① 노동 의욕과 경쟁을 지나치게 강조하기 때문이다.
② 사회적 약자에 대한 배려를 결여하고 있기 때문이다.
③ 개인의 능력과 역량만을 지나치게 강조하기 때문이다.
④ 각자가 지닌 자연적 재능만을 기준으로 하기 때문이다.
⑤ 개인의 성취에 대한 실질적 보상을 부정하기 때문이다.

| 학평 기출 |

7 ㉠에 들어갈 적절한 내용만을 〈보기〉에서 있는 대로 고른 것은?

고대의 어느 사상가는 "정의는 일종의 비례이며, 비례는 비율의 동등성이다. 사람들이 나누어야 하는 몫은 그들의 관계에 비례할 때 정의롭다."라고 주장하였다. 이에 의하면 A와 B가 맺는 관계가 C와 D가 맺는 관계와 같다고 할 때, 이를 치환하면 A와 C가 맺는 관계는 B와 D가 맺는 관계와 같다. 그래서 A와 C의 합과 B와 D의 합은 그 관계가 같다. 나는 분배적 정의에 관한 이 사상가의 입장을 지지한다. 그런데 재화를 나눔에 있어 어떤 사람들은 응분의 몫보다 더 많이 취하고 어떤 사람들은 더 적게 취하는 경우가 있다. 이러한 경우는 ㉠ 옳지 않다.

보기

ㄱ. 기하학적 비례에 따라 몫을 분배하지 않으므로
ㄴ. 사람들에게 재화를 동일하게 분배하지 않으므로
ㄷ. 산술적 비례에 따라 모두가 중간의 몫을 갖지 못하므로
ㄹ. 가치에 비례하는 몫을 누리지 못하는 사람이 발생하므로

① ㄱ, ㄷ   ② ㄱ, ㄹ   ③ ㄴ, ㄹ
④ ㄱ, ㄴ, ㄷ   ⑤ ㄴ, ㄷ, ㄹ

| 학평 기출 응용 |

8 다음 사상가의 입장으로 옳은 것은?

개개인의 행복은 사회 전체의 행복으로 연결된다. 더 많은 사람에게 더 많은 행복을 가져다주는 행위가 옳은 행위이다.

① 절차가 공정하면 결과도 평등한 것이 정의인가?
② 가치와 공적을 기준으로 하는 분배가 정의인가?
③ 국가에 의한 재분배를 부정하는 것이 정의인가?
④ 사회 전체의 효용을 극대화하는 것이 정의인가?
⑤ 소유에 관한 개인의 권리를 절대시하는 것이 정의인가?

3 일 사회 정의와 윤리 ②

📖 키워드 #15 롤스의 정의론

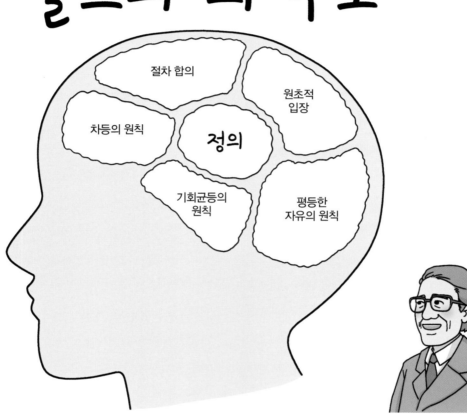

1 절차적 정의와 원초적 입장

공정으로서의 정의	☐☐한 절차를 통해 합의된 것이라면 정의롭다고 봄. ➡ 순수 절차적 정의
원초적 입장	• 정의의 원칙을 도출하기 위한 최초의 가상적 상황 • 사람들은 타인의 이해관계에 무관심하고, 자신의 이익을 합리적으로 추구 • 무지의 베일❶을 씀. ➡ 자신이 불리한 상황에 놓일 가능성을 고려해 정의의 원칙 도출

2 정의의 원칙

└─ 롤스는 최대 다수의 최대 행복을 개인의 자유나 권리보다 중시하는 공리주의에 반대함.

제1원칙❷	모든 사람은 기본적 자유에서 평등한 권리를 지님. ➡ 평등한 ☐☐의 원칙
제2원칙❸	• 사회적·경제적 불평등은 최소 수혜자에게 최대 이익을 보장해야 하고, 그 불평등이 모든 사람에게 이익이 되리라는 것이 합당하게 기대되어야 함. ➡ 차등의 원칙 • 불평등의 계기가 되는 지위는 공정한 기회균등의 원칙에 따라 모든 사람에게 개방되어야 함. ➡ (공정한) 기회균등의 원칙

❶ 무지의 베일
이해관계에 영향을 미칠 수 있는 자신의 사회적 지위나 능력, 재능, 소속된 세대, 가치관 등을 모르는 상태

❷ 자유의 우선성
제1원칙은 제2원칙보다 선행한다.

❸ 정의의 우선성
기회균등의 원칙이 차등의 원칙보다 우선한다.

🔑 공정, 자유

1 괄호 안의 내용 중 옳은 것에 ○표 하시오.

(1) 롤스는 사회적 재화의 분배 문제와 관련하여 (분배의 결과, 공정한 절차)를 강조한다.

(2) 롤스가 제시한 정의의 원칙에서 가장 우선시하는 가치는 (자유, 분배)라고 할 수 있다.

(3) 롤스는 최대 다수의 최대 행복을 개인의 자유나 권리보다 중시하는 (공리주의, 자본주의)에 반대한다.

2 롤스의 정의관에 부합하는 내용을 〈보기〉에서 모두 골라 쓰시오.

> ─ 보기 ─
> ㉠ 최소 수혜자를 위한 재분배 정책은 정당화될 수 있다.
> ㉡ 기본 제도가 공정해야 사회 구성원의 자발적 협동이 가능하다.
> ㉢ 사회적·경제적 불평등을 허용해도 분배 정의는 실현될 수 있다.

3 ☐ 안에 들어갈 알맞은 말을 쓰시오.

▲ 롤스

> 정의는 최소 수혜자를 포함한 모든 사람에게 이익이 되도록 절차적 공정성을 보장할 것을 요구한다. 정의는 권리와 의무를 할당하고 사회적 이익을 적절하게 분배하는 원칙들의 역할에 의해 규정된다. 공리주의는 개인의 선택 원칙을 사회로 확대하지만, 나의 정의론은 정의의 원칙을 원초적 합의 대상으로 본다. 이 원칙은 자유롭고 합리적인 사람들이 평등한 최초 입장에서 공동체의 기본 조건을 규정한 것이다. …… 개인의 타고난 재능은 응분의 것이 아닌 사회 공동의 자산으로 간주해야 한다. 더 불운한 자들의 선에 도움이 되는 한에서만 그 행운으로부터 이익을 취할 수 있다.

롤스는 최대 다수의 최대 행복을 개인의 자유나 권리보다 중시하는 공리주의에 반대하고, ☐☐적 정의를 주장한다. 또한 사회적·경제적 불평등을 최소 수혜자에게 이익이 되는 한에서 허용해야 한다고 본다. 그러나 롤스는 부와 자본을 사후적으로 재분배하는 복지 국가에서는 소수의 자본가가 간접적으로 정치적 삶을 통제할 수 있다고 비판하며 처음부터 부와 자본의 광범위한 소유를 보장하는 사회를 더 정의로운 사회로 제시한다.

🐻 롤스와 다른 사상가의 글을 제시하고, 롤스의 입장으로 옳은 설명을 묻는 문제가 자주 출제되고 있어.

답 1. (1) 공정한 절차 (2) 자유 (3) 공리주의   2. ㉠, ㉡, ㉢   3. 절차

📖 키워드 #16 노직의 정의론

노직의 뇌 구조

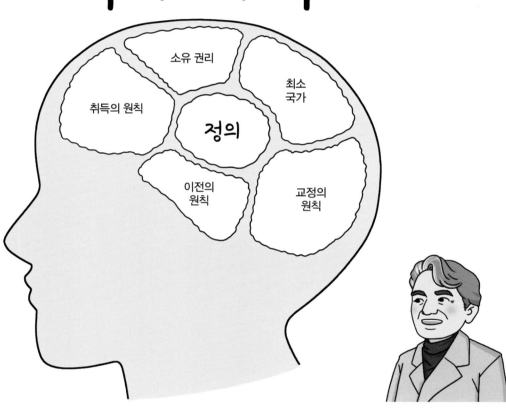

소유 권리

최소 국가

취득의 원칙

정의

이전의 원칙

교정의 원칙

1 소유 권리로서의 정의

분배 ❶	모든 사람이 자신의 소유물에 대해 [ ][ ] 권리를 가지는 것이 정의로운 분배 ➡ 재화의 취득·이전·교정의 절차가 정당해야 함.
정의	개인의 권리를 보호·존중하는 것이 정의 ➡ 국가에 의한 재분배는 개인의 소유권을 침해하므로 부당(근로 소득에 대한 과세는 강제 노동과 같음.)
국가관	개인의 소유 권리를 강도, 절도, 사기 등에서 보호하는 최소 국가가 정당 ➡ 무정부주의에는 반대

2 정의의 원칙 ❷

취득의 원칙	취득에서의 정의의 원리에 따라 소유물을 취득한 자는 그것의 소유 권리가 있음.
이전의 원칙	소유물에 대한 소유 권리가 있는 자로부터 이전에서의 정의의 원리에 따라 그 소유물을 취득한 자는 그것의 소유 권리가 있음.
교정의 원칙	취득의 원칙과 이전의 원칙이 반복적으로 적용되지 않은 부당한 취득은 [ ][ ]해야 함.

❶ 불평등에 대한 노직의 견해
노직은 정당한 소유 권리가 유지된다면 사회적·경제적 불평등이 문제라고 보지 않는다.

❷ 롤스와 노직의 공통점
• 절차적 정의 주장
• 사회 복지를 위해 개인의 기본적 자유가 침해되는 것을 인정하지 않음 (자유주의).
• 정의로운 사회에서의 불평등 인정
• 정의 실현을 위한 국가의 역할 인정

📋 소유, 교정

1 ☐ 안에 들어갈 알맞은 말을 쓰시오.

(1) 노직은 국가에 의한 재분배는 개인의 ☐☐☐을/를 침해한다고 본다.

(2) 노직이 제시한 정의의 원칙 가운데 정의로운 취득과 이전이 적용되지 않은 부당한 취득은 바로잡아야 한다는 것은 ☐☐의 원칙이다.

(3) 롤스와 노직은 모두 사회 ☐☐을/를 위해 개인의 기본적 자유가 침해되는 것을 인정하지 않는다.

2
주

3일

2 노직의 정의관에 부합하는 내용을 〈보기〉에서 모두 골라 쓰시오.

┌─ 보기 ─────────────────────────────
㉠ 최소 국가에서 분배적 정의가 실현될 수 있다.
㉡ 최소 국가보다 기능이 확대된 국가의 도덕적 정당화도 가능하다.
㉢ 롤스에게 개인들의 소유 권리가 역사적인 과정을 거쳐 형성됨을 간과하고 있다고 비판할 것이다.
└────────────────────────────────────

3 ☐ 안에 들어갈 알맞은 말을 쓰시오.

┌╌╌╌╌╌╌╌╌╌╌╌╌╌╌╌╌╌╌╌╌╌╌╌╌╌╌╌╌╌╌╌╌╌
공리주의는 개인의 권리를 부차적 위치에 두지만, 나의 정의론은 개인의 권리를 절대적 존중의 대상으로 본다. 최소 국가는 개인의 권리를 존중하므로 타인의 이익을 위해 개인의 권리가 침해되는 것을 용납하지 않는다. 개인의 타고난 자산이 도덕적 관점에서 볼 때 임의적이건 아니건 간에, 개인은 그 자산에 대한 소유 권리를 지닌다. 또한 이로부터 나오는 것에 대해서도 그러하다. …… 고정된 정형적 원칙은 개인의 선택의 자유를 침해할 수밖에 없다. 따라서 비정형적인 정의의 원칙에 입각한 소유 권리론만이 개인의 자유를 침해하지 않는다.
╌╌╌╌╌╌╌╌╌╌╌╌╌╌╌╌╌╌╌╌╌╌╌╌╌╌╌╌╌╌╌╌╌

▲ 노직

🐻 노직의 주장을 제시하고, 노직의 입장에서 긍정의 대답을 할 질문을 묻는 문제가 자주 출제되고 있어.

노직은 롤스와 같이 공리주의에 반대하고 절차적 정의를 주장하지만, 정당한 소유 권리가 유지된다면 사회적·경제적 불평등이 문제라고 보지 않는다. 또한 노직은 강압, 절도, 사기, 강제 계약의 발생을 막는 일 이상의 역할을 하지 않는 ☐☐ 국가를 정당하다고 본다.

📋 1. (1) 소유권 (2) 교정 (3) 복지 2. ㉠, ㉢ 3. 최소

사회 정의와 윤리 ②

| 학평 기출 응용 |

1 다음 사상가의 주장만을 〈보기〉에서 있는 대로 고른 것은?

> • 사회 정의의 원칙은 사회 체제를 선정하고, 적절한 분배의 몫에 합의하는 데 필요한 원칙들의 체계를 요구한다.
> • 정의는 사회 제도의 제1덕목이다. 법이나 제도가 아무리 효율적이고 정연하다고 하더라도, 그것이 정당하지 못하다면 개선되거나 폐기되어야 한다.

— 보기 —
ㄱ. 정의의 기본 원칙들은 우선성에 의한 서열이 있다.
ㄴ. 사회·경제적 불평등은 공정한 절차를 준수하게 되면 발생하지 않는다.
ㄷ. 각 개인이 갖는 자유는 다른 개인들이 갖는 자유의 체계와 양립해야 한다.
ㄹ. 천부적 재능의 우연한 분포에 의한 불평등의 완화를 위한 재분배는 허용되어야 한다.

① ㄱ, ㄴ ② ㄱ, ㄷ ③ ㄴ, ㄹ
④ ㄱ, ㄷ, ㄹ ⑤ ㄴ, ㄷ, ㄹ

| 모평 기출 |

2 서양 사상가 갑, 을의 입장에 대한 설명으로 옳은 것은?

> 갑: 개인은 타인의 이익을 존중할 수 있다는 점에서 도덕적이지만, 사회는 이기심을 합리적으로 통제하기 어려우므로 비도덕적이다.
> 을: 원초적 입장에서 타인의 이익에 무관심한 합리적 개인은 자신의 능력이나 사회적 지위 등을 모른 채 정의의 두 원칙을 선택하게 된다.

① 갑은 개인의 선의지가 없어도 사회 정의가 확립될 수 있다고 본다.
② 을은 취득 및 양도 절차가 공정하면 그 결과도 공정하다고 본다.
③ 갑은 을과 달리 개인보다 사회가 도덕성 측면에서 우월하다고 본다.
④ 을은 갑과 달리 정당한 강제력으로 사회 문제를 해결해야 한다고 본다.
⑤ 갑, 을은 정의를 사회가 추구해야 할 최고의 도덕적 이상으로 본다.

| 학평 기출 응용 |

3 갑, 을 사상가의 입장으로 옳은 것만을 〈보기〉에서 있는 대로 고른 것은?

> 갑: 사회적 재화의 분배는 기하학적 비례를, 시민 간 분쟁 해결은 산술적 비례를 실현해야 한다.
> 을: 정의의 원칙은 원초적 상황에서 평등한 개인들에 의한 합의의 대상이어야 한다.

— 보기 —
ㄱ. 갑: 기하학적 비례의 기준은 가치나 공적이다.
ㄴ. 을: 사회적 약자를 위한 재분배는 소유권 침해이다.
ㄷ. 을: 평등한 자유의 원리를 가장 우선시해야 한다.
ㄹ. 갑, 을: 정의로운 사회에도 경제적 불평등이 있다.

① ㄱ, ㄴ ② ㄴ, ㄷ ③ ㄷ, ㄹ
④ ㄱ, ㄴ, ㄹ ⑤ ㄱ, ㄷ, ㄹ

| 모평 기출 응용 |

4 (가)의 갑, 을, 병 사상가들의 정의에 대한 입장을 (나) 그림으로 표현할 때, A~D에 해당하는 적절한 진술만을 〈보기〉에서 있는 대로 고른 것은?

(가)	갑: 본성상 정치적 동물인 사람들 사이에서 같은 것은 같게, 다른 것은 다르게 분배해야 한다. 을: 최대 다수의 최대 행복을 위해 유용성을 극대화해야 한다. 병: 최소 수혜자에게 최대의 이익을 보장해야 한다.
(나)	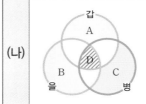 〈범례〉 A: 갑만의 입장 B: 을만의 입장 C: 병만의 입장 D: 갑, 을, 병의 공통 입장

— 보기 —
ㄱ. A: 분배 정의는 기하학적 비례의 동등을 추구한다.
ㄴ. B: 분배의 옳고 그름은 쾌고의 계산으로 결정된다.
ㄷ. C: 최소 수혜자의 이익만을 우선해야 정의롭다.
ㄹ. D: 분배 정의는 사회적·경제적 불평등을 허용한다.

① ㄱ, ㄴ ② ㄱ, ㄷ ③ ㄷ, ㄹ
④ ㄱ, ㄴ, ㄹ ⑤ ㄴ, ㄷ, ㄹ

5 다음 사상가가 부정의 대답을 할 질문으로 옳은 것은?

> 최초의 정당한 취득 행위에 이어 자발적인 교환 행위로 재산의 정당한 이전(移轉)이 잇따르게 된다면, 사람들이 정확히 자신의 것만을 소유하게 되는 정당한 결과가 나온다. 하지만 현실의 역사는 강자가 약자의 소유물을 빼앗아 온 역사이기도 하다. 따라서 그간 부당하게 발생한 이전들을 보상함으로써 교정이 이루어지게 해야 한다. 이상의 내용을 하나의 원칙으로 표현하면, '각자는 자신이 선택한 대로 주고, 각자는 자신이 선택한 대로 받는다.'가 된다.

① 최소 국가만이 유일하게 정의로운 국가인가?
② 근로 소득에 대한 과세는 강제 노동과 동등한가?
③ 나의 천부적 재능은 공동 자산이 아니라 나의 소유인가?
④ 모든 우연성이 배제된 상태에서 계약이 이루어져야 하는가?
⑤ 사회적 약자를 위한 분배는 오직 개인의 자유에 맡겨야 하는가?

6 갑, 을 사상가 모두 긍정의 대답을 할 질문으로 옳은 것만을 〈보기〉에서 있는 대로 고른 것은?

> 갑: 사회의 기본 구조에 대한 정의의 원칙들이 원초적 합의의 대상이다.
> 을: 각 개인은 자기 소유물을 합법적 수단으로 취득할 경우 그에 대한 소유 권리를 갖는다.

─ 보기 ─
ㄱ. 천부적 자질은 개인의 소유이면서 공동 자산인가?
ㄴ. 전체의 선을 위한 기본적 자유의 제한은 부당한가?
ㄷ. 최소 국가만이 개인의 권리를 가장 잘 보호하는가?
ㄹ. 정의 실현을 위한 절차가 공정하면 그 결과는 정당성을 갖는가?

① ㄱ, ㄴ ② ㄱ, ㄷ ③ ㄴ, ㄹ
④ ㄱ, ㄷ, ㄹ ⑤ ㄴ, ㄷ, ㄹ

7 다음 사상가가 긍정의 대답을 할 질문으로 옳은 것은?

> 나의 정의론은 개인의 권리를 절대적 존중의 대상으로 본다. 최소 국가는 개인의 권리를 존중하므로 타인의 이익을 위해 개인의 권리가 침해되는 것을 용납하지 않는다.

① 공리의 극대화를 위한 자유의 제한은 정의로운가?
② 공동체 구성원의 필요를 충족하는 것이 정의인가?
③ 최대 다수에게 좋은 것은 정의의 합당한 기준인가?
④ 최소 국가는 개인 간 계약 이행에 개입할 수 있는가?
⑤ 원초적 합의는 심리학적 사실에 대한 지식을 포함하는가?

8 다음 사상가의 입장에서 긍정의 대답을 할 질문만을 〈보기〉에서 있는 대로 고른 것은?

> • 우리는 어떤 것을 소유함으로써 타인의 처지를 악화시키지 않는 한 그 소유물을 취득할 응분의 권한을 갖는다.
> • 취득하거나 양도할 때 과오나 그릇된 절차에 의한 소유가 발생하게 되면, 이를 바로잡아야 한다.

─ 보기 ─
ㄱ. 차등의 원칙은 구성원 모두에게 이익이 되는가?
ㄴ. 부의 불평등 해소에 기여하는 재분배만이 정당화될 수 있는가?
ㄷ. 사회적 약자를 위한 세금 부과는 개인의 정당한 소유권을 침해하는가?
ㄹ. 국가는 강압, 절도, 사기, 강제 계약을 막는 등의 최소 역할만을 해야 하는가?

① ㄱ, ㄴ ② ㄱ, ㄷ ③ ㄷ, ㄹ
④ ㄱ, ㄴ, ㄹ ⑤ ㄴ, ㄷ, ㄹ

1 교정적 정의

의미	사람 사이의 동등하지 않은 관계를 바로잡거나 위반 혹은 침해를 일으킨 사람에 대해 형벌을 가함으로써 ☐☐함을 확보하는 것 ➡ 법적 정의와 관련됨.
종류	• 배상적 정의: 손해를 동등한 가치로 회복해 주는 것 • 형벌적 정의: 범죄 행위를 공정하게 처벌하는 것

2 처벌의 정당화 근거

응보주의	• 처벌의 목적은 범죄 행위의 심각성에 비례한 응분의 처벌 • ☐☐을 통해 도덕적 형평성을 회복
응보주의적 관점의 한계	범죄 예방과 범죄자 교화를 간과함.
공리주의	• 처벌은 고통을 가하므로 해악이지만 더 큰 사회적 이익을 증진(해악 제거)하면 정당 • 처벌의 목적은 범죄자의 행동 통제와 교화, 잠재적 범죄자의 범죄 예방
공리주의적 관점의 한계	• 처벌을 각오한 범죄를 설명하기 어렵고, 처벌의 범죄 예방 효과를 입증하기 곤란함. • 인간을 사회적 이익 증진을 위한 수단으로 보아 인간 존엄성을 훼손할 수 있음.

🔁 공정, 처벌

1 ▢ 안에 들어갈 알맞은 말을 쓰시오.

(1) ▢▢▢▢ 정의란 다른 사람의 권리나 사회의 공익을 침해하는 행위로 발생하는 사회적 불균형을 바로잡는 것이다.

(2) 처벌의 사회적 효과를 강조하는 공리주의적 관점은 인간의 ▢▢▢을/를 훼손할 수 있다는 비판을 받는다.

2 다음 내용이 처벌 근거와 관련해 응보주의적 관점에 해당하면 '응', 공리주의적 관점에 해당하면 '공'이라고 쓰시오.

(1) 범죄자는 자신의 행위에 책임을 져야 한다. (　　　)

(2) 더 큰 악의 제거와 사회의 이익을 증진할 수 있다면 정당하다. (　　　)

(3) 누군가의 범죄로 다른 사람의 권리가 침해되어 발생한 도덕적 불균형을 회복하기 위해 필요하다. (　　　)

3 ▢ 안에 들어갈 알맞은 말을 쓰시오.

응보주의 입장과 공리주의 입장의 주장을 제시하고, 서로에게 제기할 수 있는 반론을 묻는 문제가 자주 출제되고 있어.

형벌은 단지 범죄자가 범죄를 저질렀기 때문에 부과되어야 한다. 인간의 생득적 인격성은 그가 시민적 인격성을 상실할 선고를 받아도 물건으로 취급되지 않도록 보호한다. 형벌은 범죄자 자신이나 시민 사회를 위해서 어떤 다른 선을 촉진하기 위한 수단으로서가 아니라 범죄자가 범죄를 저질렀기 때문에 가해지지 않으면 안 된다.

▲ 칸트

형벌의 주목적은 범죄자와 그 밖의 사람들의 행위를 통제하는 것이다. 공리의 원리에 따라 범죄자에 대한 형벌은 목적 달성에 필요한 정도 이상으로 가해져서는 안 된다. 모든 법이 공통으로 가져야 하는 일반적 목적은 공동체의 전체 행복을 증가시키는 것이다. 그러므로 우선 행복을 감소시키는 해악을 제거해야 한다. 형벌은 오직 그것이 더 큰 악을 제거할 것이라고 보장하는 한에서만 허용되어야 한다.

▲ 벤담

(1) ▢▢은/는 응보주의 입장, (2) ▢▢은/는 공리주의 입장이다. 응보주의는 자신의 행위에 책임을 질 수 있는 자율적 주체를 전제하고, 자율적 행위자가 자신이 저지른 범죄에 합당한 책임을 지게 하는 것을 처벌의 목적으로 본다. 공리주의는 사회 전체의 효용 증진을 처벌의 목적으로 보므로 최대 다수의 최대 행복을 위해 죄가 없는 사람도 처벌할 수 있다.

답 1. (1) 교정적 (2) 존엄성　2. (1) 응 (2) 공 (3) 응　3. (1) 칸트 (2) 벤담

4일 사회 정의와 윤리 ③

키워드 #18 사형 제도의 윤리적 쟁점

1 사형 제도의 찬반 논거

찬성 입장	반대 입장
• 사형제는 범죄 억제 효과가 매우 큼. • 국민의 법 감정은 사형제를 지지하고 있음. • 종신형 제도는 경제적인 부담이 크고 비인간적일 수 있음.	• 사형제의 범죄 억제 효과가 미미함. • 사형제는 범죄자의 ☐☐ 가능성 부정, 오판 가능성 있음. • 정치적으로 악용될 가능성이 있음.

2 사형 제도에 대한 사상가들의 견해 ❶

벤담	'유용성의 원리'에 근거해서 사형 제도의 존폐를 판단해야 한다고 봄.
루소	사형제 존치: 사회 ☐☐에 따르면 계약자는 자신의 생명 보존을 위해 살인자의 사형에 동의한 것임.
칸트	사형제 존치: 사형은 동등성의 원리에 근거한 것이며, 사형은 살인한 범죄자의 인격을 존중하는 것임.
베카리아	사형제 폐지: 사형은 공익에 이바지하는 바가 적으며, 사형보다 종신 노역형이 사회 이익에 부합함.

❶ 사형 제도에 관한 입장 비교

루소, 칸트
• 루소: 사회 계약설적 관점에서 사형 동의   • 칸트: 응보주의적 관점에서 사형 제도 찬성

↕

베카리아
사회 계약설적·공리주의적 관점에서 사형 제도 반대

🔁 교화, 계약

1 다음 내용이 사형 제도 찬성 논거에 해당하면 '찬', 반대 논거에 해당하면 '반'이라고 쓰시오.

(1) 사회 일반의 법 감정에 부합한다. (　　　)

(2) 사형은 인도적 차원에서 잔혹한 형벌이다. (　　　)

(3) 사회 방위를 위해서는 흉악범의 완전 격리가 필요하다. (　　　)

(4) 범죄자뿐만 아니라 일반인에게도 범죄를 예방하는 효과가 크다. (　　　)

2 ☐ 안에 들어갈 알맞은 말을 쓰시오.

루소, 칸트, 베카리아의 사형에 대한 입장을 제시하고, 사형에 대한 견해를 비교하는 문제가 자주 출제되고 있어.

시민의 생명 보존이 사회 계약의 목적이다. 우리의 신체와 모든 능력은 공동의 것이며, 이것은 일반 의지의 최고 감독하에 있는 것이다. 시민 사회에서 타인의 생명을 희생시킨 사람은 자신의 생명도 포기해야 한다. 법은 공공의 이익을 지향하는 일반 의지를 반영해야 한다.

▲ 루소

공적 정의 앞에서 최상의 균형자는 사형이다. 누구든지 그가 형벌을 의욕했기 때문이 아니라, 형벌을 받아야 할 행위를 의욕했기 때문에 형벌을 받는 것이다. 사형은 살인범의 인간성을 훼손할 수 있는 모든 가혹 행위로부터 살인범의 인격을 존중하는 것이다.

▲ 칸트

범죄에 대한 형벌은 오직 법을 통해서만 가능하며, 이러한 권한은 사회 계약으로부터 나온다. 형벌은 강도보다 지속성을 중시해야 한다. 법은 특수 의사의 종합인 일반 의사를 대표한다. 인간은 자신을 죽일 권리가 없는 이상, 그 권리를 사회에 양도할 수 없다. 사형은 한 시민의 존재를 파괴하는 부적절한 전쟁 행위이므로 종신 노역형으로 대체되어야 한다.

▲ 베카리아

　　루소는 사회 계약의 계약자가 자신의 생명을 보존하고자 사형에 동의했다고 보고, 칸트는 사형이 살인자의 인격을 ☐☐(으)로 대하는 것이 아니라 존중하는 것이라고 보며 사형에 찬성한다. 베카리아는 아무도 자신의 생명을 빼앗을 권리를 양도할 수 없으므로 사형은 사회 계약에 포함되지 않는다고 주장한다.

1. (1) 찬 (2) 반 (3) 찬 (4) 찬　2. 수단

| 학평 기출 응용 |

1 갑, 을이 서로에 대해 제기할 반론만을 〈보기〉에서 있는 대로 고른 것은?

> 갑: 형벌은 범죄에 상응해야 하며, 도덕적 형평성의 회복을 목적으로 해야 합니다.
> 을: 그렇지 않습니다. 형벌은 범죄자를 교화하고, 범죄를 예방해야 합니다.

─ 보기 ─
ㄱ. 갑 → 을: 형벌의 응보적 성격을 무시하고 있습니다.
ㄴ. 갑 → 을: 형벌이 계약의 공정한 이행이어야 함을 무시하고 있습니다.
ㄷ. 을 → 갑: 형벌이 공동체의 선을 증진해야 함을 간과하고 있습니다.
ㄹ. 을 → 갑: 형벌이 동등성의 원리를 따라야 함을 간과하고 있습니다.

① ㄱ, ㄴ ② ㄱ, ㄷ ③ ㄴ, ㄹ
④ ㄱ, ㄷ, ㄹ ⑤ ㄴ, ㄷ, ㄹ

| 학평 기출 응용 |

2 (가)의 사상가 갑, 을의 입장을 (나)의 그림으로 탐구할 때 A~C에 해당하는 질문으로 옳은 것은?

(가)	갑: 법의 일반 목적은 공동체의 행복이며, 공리의 원리를 따라야 한다. 을: 법의 목적은 적은 고통을 주면서, 새로운 해악을 입힐 가능성을 방지하는 것이다.
(나)	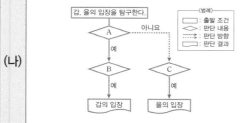

① A: 형벌은 본보기를 통한 지속적 효과가 목적인가?
② B: 형벌은 범죄를 원래 상태로 돌리는 것이 목적인가?
③ B: 형벌에 의한 범죄자의 고통은 응보적 의미인가?
④ C: 형벌은 공동체의 선을 실현하는 수단인 것인가?
⑤ C: 형벌은 정언 명령으로서 공적 정의 실현하는가?

| 모평 기출 응용 |

3 (가)의 갑, 을 사상가들의 입장을 (나) 그림으로 표현할 때, A~C에 해당하는 적절한 진술만을 〈보기〉에서 있는 대로 고른 것은?

(가)	갑: 사회 계약의 목적은 계약자의 생명 보존에 있다. 살인을 저질러 계약을 위반한 자는 공공의 적으로 간주되어야 한다. 을: 쾌락과 고통은 계산할 수 있다. 형벌이 허용될 수 있는 경우는 그것을 통해 더 큰 악을 제거하는 것이 보장될 때뿐이다.
(나)	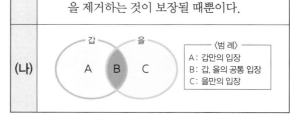

─ 보기 ─
ㄱ. A: 사형은 사회 계약의 목적 달성을 위한 수단이다.
ㄴ. B: 살인범에 대한 응당한 보복이 사형의 목적이다.
ㄷ. C: 형벌은 공리의 원리에 따라 시행되어야 한다.
ㄹ. C: 살인을 저지른 자는 반드시 사형에 처해야 한다.

① ㄱ, ㄴ ② ㄱ, ㄷ ③ ㄴ, ㄷ
④ ㄱ, ㄷ, ㄹ ⑤ ㄴ, ㄷ, ㄹ

| 모평 기출 응용 |

4 갑은 부정, 을은 긍정의 대답을 할 질문으로 옳은 것은?

> 사형과 같은 형벌의 남용은 인간을 개선시키지 못합니다. 사형보다는 종신 노역형이 범죄 억제력이 큽니다.

> 사형은 살인에 상응하는 보복을 위한 것으로서, 인간성을 해치는 죄책감으로부터 사형수를 해방시켜 줍니다.

갑   을

① 형벌의 목적은 응분의 보복이 아닌 범죄 예방인가?
② 범죄자는 응분의 보복을 바랐기 때문에 처벌받는가?
③ 사형은 사회 계약의 일반 의지에 위배되는 형벌인가?
④ 사형은 동등성의 원리에 따른 공적 정의의 실현인가?
⑤ 사형은 유용성과 인간 존중의 이념에 위배되는가?

5 갑은 긍정, 을은 부정의 대답을 할 질문으로 옳은 것은?

> 갑: 형벌로서 사형은 인격인 살인범의 인간성을 훼손할 수 있는 모든 가혹 행위로부터 그의 인격을 존중해 주는 것이다.
>
> 을: 형벌은 살인범이 지속적으로 비참한 상태에 놓인 것을 보여 줌으로써 사람들에게 오랫동안 본보기의 역할을 해야 하기 때문에 사형을 시켜서는 안 된다.

① 형벌은 범죄 예방을 위한 응보적 성격을 갖는가?

② 사형은 종신 노역형을 대체할 유일한 합법적 형벌인가?

③ 형벌은 사회적 이익 감소에 대한 보복적 성격을 갖는가?

④ 형벌은 사회적 효용이 아닌 범죄 그 자체에만 근거해야 하는가?

⑤ 사형은 살인범의 인격권보다 공동선의 실현을 위해 집행되어야 하는가?

6 갑, 을 사상가의 입장에 대한 설명으로 옳은 것만을 〈보기〉에서 있는 대로 고른 것은?

> 갑: 사람은 생명 보존을 위해 계약을 맺으며, 살인자가 사형을 받는 것에 동의하는 이유는 자신이 살인자의 희생물이 되는 것을 피하기 위해서이다.
>
> 을: 형벌에서 공적 정의란 동등성의 원리이고, 따라서 오직 보복법만이 형벌과 양과 질을 규정한다.

── 보기 ──

ㄱ. 갑은 사형의 근거가 일반 의지에 규정된 계약의 위반에 있다고 본다.

ㄴ. 을은 사형을 시민 사회의 선(善)을 실현하기 위해 필요하다고 본다.

ㄷ. 을은 갑과 달리 범죄 예방을 위해 종신형보다 사형이 효과적이라고 본다.

ㄹ. 갑, 을은 살인자에 대한 사형을 공적 정의의 실현으로 본다.

① ㄱ, ㄴ　　② ㄱ, ㄹ　　③ ㄷ, ㄹ

④ ㄱ, ㄴ, ㄷ　　⑤ ㄴ, ㄷ, ㄹ

7 갑, 을 사상가들의 입장으로 가장 적절한 것은?

> 갑: 필요 이상의 잔혹한 형벌은 사회 계약의 본질과 상반된다. 사회에 끼친 손해를 노동으로 속죄하는 것을 오래 보여 주는 형벌이 사형보다 효과적인 범죄 억제책이다.
>
> 을: 살인범에게 법적으로 집행되는 사형 외에는 범죄와 보복의 동등성은 없다. 시민 사회가 모든 구성원들의 동의로 해체되었을 때에도 감옥에 있는 살인범은 처형되어야 한다.

① 갑: 종신형은 사형보다 형벌의 실효성이 적다.

② 갑: 살인범에게 생명 박탈 이외의 다른 대안은 없다.

③ 을: 사형 제도는 살인범의 인격을 수단으로 대우한다.

④ 을: 평형의 원리에 입각해 처벌의 양과 질을 결정해야 한다.

⑤ 갑, 을: 처벌의 최종 목적을 범죄 예방과 교화에 두어야 한다.

8 갑, 을, 병 사상가의 입장에 대한 설명으로 옳지 <u>않은</u> 것은?

> 갑: 살인자는 누구든 사형에 처해져야 한다. 이것이 사법권의 이념으로서 정의가 선험적으로 정초된 보편적인 법칙들에 따라 의욕하는 바이다.
>
> 을: 형벌의 정도는 위법 행위에서 얻는 이득의 가치를 능가하기에 충분해야 한다. 형벌과 위법 행위 간의 비례의 규칙은 공리의 원리에 근거해야 한다.
>
> 병: 종신 노역형이 인간 정신에 미치는 효과가 사형에 비해 크다. 처벌이 지속적 효과를 가질 때 범죄를 더 잘 예방할 수 있다.

① 갑은 형벌의 정도가 범죄에 비례해야 한다고 본다.

② 을은 형벌의 강도는 강하면 강할수록 좋다고 본다.

③ 병은 사형이 범죄 억제를 위한 최선의 형벌은 아니라고 본다.

④ 을은 갑과 달리 살인자라도 사형시키지 않을 수 있다고 본다.

⑤ 갑은 을, 병과 달리 사형은 동해 보복의 차원에서 이루어져야 한다고 본다.

5일 국가와 시민의 윤리

📖키워드#19 국가의 권위와 시민에 대한 의무

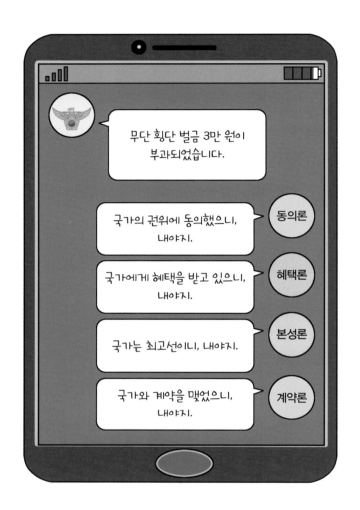

1 국가 권위의 정당화 근거❶

동의론	국가에 복종하기로 ☐☐했기 때문에 국가에 복종해야 할 의무가 성립함.
혜택론	국가로부터 여러 가지 ☐☐을 받았기 때문에 국가에 복종해야 함.
본성론	국가는 인간 본성에 따라 성립되는 최고선이므로 권위를 지님.
계약론	계약을 통해 국가 수립 ➡ 동의론과 혜택론의 관점을 모두 포함함.

2 시민에 대한 국가의 의무

동양	• 유교: 백성은 나라의 근본 ➡ 위민(爲民)과 민본주의(民本主義) 강조 • 묵자: 차별 없는 사랑(兼愛)과 상호 이익(交利)을 강조 • 한비자: 엄격한 법에 따라 상벌을 적절하게 제공하여 사회 질서 유지 • 정약용: 백성들의 건강한 삶을 위해 통치자의 헌신과 배려 강조
서양❷	• 소극적 국가관: 개인의 권리와 자유를 최대한 보장하고자 국가의 간섭이나 개입 ☐☐화 ➡ 빈부 격차 심화, 최소한의 인간다운 삶을 보장하지 못함. • 적극적 국가관: 국가의 개입을 확대해 시민의 기본 욕구를 충족시키고 복지 제공 ➡ 국가 기능 비대화와 비효율성, 복지 과잉으로 인한 도덕적 해이

❶ 국가 권위 정당화 근거의 한계
• 동의론: 동의 여부가 불명확하다.
• 혜택론: 혜택과 의무의 비례가 성립하지 않는다.
• 본성론: 본성의 명확한 정의가 어렵다.
• 계약론: 자연 상태는 비역사적이고 가상적이다.

❷ 서양에서의 국가의 역할
• 사회 계약설(홉스, 로크, 루소): 자연 상태에서 안전하게 보장받기 어려운 생명, 재산, 자유 등을 보호
• 밀: 시민이 타인에게 해악을 끼칠 경우를 제외하고 기본권 보장
• 롤스: 정의의 원칙에 따르는 질서 정연한 사회 구현

🔲 동의, 혜택, 최소

1 괄호 안의 내용 중 옳은 것에 ○표 하시오.

(1) (도교, 유교)에서는 백성은 나라의 근본이라고 여겨 위민(爲民)과 민본주의 (民本主義)를 강조하였다.

(2) 국가는 적절한 상벌로 백성을 통제하여 질서를 유지해야 한다고 본 사상가는 (묵자, 한비자)이다.

2 ☐ 안에 들어갈 알맞은 말을 쓰시오.

🐻 아리스토텔레스, 흄, 로크 등의 사상가의 국가 정당화 근거를 제시하고, 각 사상가의 입장을 묻는 문제가 자주 출제되고 있어.

인간은 자연스럽게 가족과 마을을 형성하고, 마지막으로 최종적이고 완전한 결사체에 도달하게 되는데, 그것이 바로 국가이다. 그러므로 인간은 본성적으로 국가에 속하도록 되어 있다. 국가에 속하지 않은 고립된 자는 동물이거나 아니면 신일 것이다.

▲ 아리스토텔레스

국가에 대한 복종의 의무는 우리가 오직 국가로부터 얻는 이득에서 유래한다. 이 이득 때문에 우리는 자신이 국가에 저항하는 경우에도 반감을 느끼며 다른 사람이 국가에 대해 저항하는 경우에도 불쾌감을 느낀다.

▲ 흄

국가는 자유롭고 평등한 개인들 간의 계약에 의해 성립된다. 개인들은 자연권을 확실히 보장받기 위해 자연권의 일부를 국가에 양도하는 계약에 동의한다. 이 자발적 동의에 의한 계약이 국가에 복종할 의무와 저항할 권리의 근거가 된다.

▲ 로크

아리스토텔레스는 본성론의 입장이고, 흄은 혜택론의 입장이다. 로크는 흄과 같이 국민의 평화와 안전 보장을 국가의 임무로 중시하면서도 계약에 대한 ☐☐을/를 국가에 대한 복종의 이유로 여긴다. 또한 그는 인간에게 생명, 자유, 재산 등 자연법이 부여하는 천부적 자연권이 있다고 본다.

🔑 1. (1) 유교 (2) 한비자   2. 동의

국가와 시민의 윤리

📖 **키워드 #20** 시민 불복종

양심에 비추어 잘못된 법이면 바로잡아야지.

정의의 원칙에 어긋난다면 저항해야 해. 단, 몇 가지 조건이 있어.

소로

롤스

1 시민 불복종 ❶❷

소로	헌법을 넘어선 개인의 ☐☐이 저항의 최종 판단 근거임.
롤스	사회적 다수의 정의관이 저항의 기준이 되어야 함.
드워킨	헌법 정신에 위배된 법률에 대해서 시민은 저항할 수 있음.
싱어	시민 불복종이 산출할 이익과 손해, 성공 가능성을 고려해야 함.

2 롤스의 시민 불복종 정당화 조건

사회 정의 실현	특정 집단의 이익이 아닌 사회 ☐☐를 실현하기 위한 목적일 것
공개성	다수의 공개적인 활동으로 수행할 것
비폭력성	폭력적인 방법을 사용하지 않을 것 — 소로는 롤스와 다르게 최후의 수단성을 요구하지 않음.
최후의 수단	개선을 위한 합법적 시도가 효과 없을 때 선택할 것
처벌 감수	위법 행위에 대한 처벌을 감수할 것

❶ **시민 불복종의 의미**
부당한 법이나 정부 정책을 변화시키려는 목적으로 행하는 의도적인 위법 행위

❷ **시민 불복종의 사례**
- 소로의 납세 거부 운동: 노예제와 멕시코 전쟁에 반대
- 간디의 소금법 거부 운동: 영국의 식민 통치에 저항
- 킹 목사의 흑인 차별 철폐 운동: 인간의 존엄성을 훼손하는 법에 불복종

📋 양심, 정의

1 □안에 들어갈 알맞은 말을 쓰시오.

(1) 롤스는 사회 다수의 □□□이/가 저항의 기준이 되어야 한다고 본다.

(2) 드워킨은 □□ 정신에 반하는 법률에 대한 시민의 저항을 정당하다고 본다.

(3) 롤스는 시민 불복종은 비폭력적이고 공개적인 방법으로 이루어지고, □□의 수단으로 선택해야 한다고 주장한다.

2 다음 내용이 소로의 주장에 해당하면 '소', 롤스에 주장에 해당하면 '롤'이라고 쓰시오.

(1) 시민 불복종에서 개인의 양심을 중시한다. (　　)

(2) 시민 불복종의 의도는 공표되어야 한다고 본다. (　　)

(3) 시민 불복종의 주체는 체제의 합법성을 인정하는 시민이다. (　　)

(4) 시민 불복종의 정당화 조건으로 최후 수단성을 요구하지 않는다. (　　)

3 □안에 들어갈 알맞은 말을 쓰시오.

소로와 롤스의 글을 제시하고, 두 사상가의 시민 불복종에 대한 입장을 비교하는 문제가 자주 출제되고 있어.

법에 대한 존경심 때문에 선량한 사람이 불의의 하수인이 되어서는 안 된다. 내가 떠맡아야 할 유일한 책무는 내가 옳다고 생각하는 일을 행하는 것이다. 시민은 한 순간이라도 자신의 양심을 입법자에게 맡겨야 하는가? 우리는 먼저 인간이어야 하고 그다음에 국민이어야 한다. …… 법에 대한 존경심보다는 먼저 정의에 대한 존경심을 길러야 한다. 법에 대한 존경심 때문에 선량한 사람조차도 불의의 하수인이 될 상황이라면 그 법을 어겨라. 양심에 따라 그 법에 저항하라.

▲ 소로

시민 불복종은 신중하고 양심적인 정치적 신념의 표현인 청원의 한 형태이므로 공개 석상에서 이루어지며, 어떤 개인적 도덕 원칙이나 종교적 교설이 아닌 공유된 정의관에 의거해야 한다. 시민 불복종은 법이나 정부의 정책에 변혁을 가져올 목적으로 행해지는, 공공적이고 비폭력적이며 양심적이긴 하지만 법에 반하는 정치적 행위이다. …… 시민 불복종은 '법에 대한 충실성'의 한계 내에서 법에 대한 불복종을 표현한다.

▲ 롤스

　소로는 시민 불복종에서 □□을/를 중시하고, 롤스와 달리 시민 불복종의 정당화 조건으로 최후 수단성을 요구하지 않는다. 롤스는 시민 불복종은 거의 정의로운 사회에서 공유된 정의관에 의거해서 이루어져야 한다고 주장한다. 또한 그는 시민 불복종은 국가 체제의 변혁이 아니라 정부 정책의 변혁을 목적으로 삼아야 한다고 여긴다.

🔒 1. (1) 정의관 (2) 헌법 (3) 최후　2. (1) 소 (2) 롤 (3) 롤 (4) 소　3. 양심

국가와 시민의 윤리

| 학평 기출 응용 |

1 갑은 긍정, 을은 부정의 대답을 할 질문으로 옳은 것은?

> 갑: 정부의 권위에 대한 복종의 동기는 이익 이외에 어떤 원리도 아니다. 이익이 현저히 중단될 때 복종의 책임도 중단된다.
> 을: 정부의 권위에 대한 복종의 동기는 명시적 또는 묵시적 동의이다.

① 국가에 대한 정치적 의무는 중단될 수 있는가?
② 국가에 대한 정치적 의무는 혜택에 의해 발생하는가?
③ 국가에 대한 정치적 의무는 계약에 의해 발생하는가?
④ 국가에 대한 정치적 의무는 본성에 의해 발생하는가?
⑤ 국가에 대한 정치적 의무는 동의에 의해 발생하는가?

| 학평 기출 응용 |

2 (가)의 사상가 갑, 을의 입장을 (나)의 그림으로 탐구할 때 A~C에 해당하는 옳은 질문만을 〈보기〉에서 있는 대로 고른 것은?

(가)	갑: 사회에 들어가겠다는 어떤 사람의 명시적 동의가 그를 그 사회의 완전한 구성원이자 그 정부의 신민으로 만든다. 을: 국가 또는 정치 공동체는 다른 공동체보다 더 큰 최고선을 목적으로 성립한다.

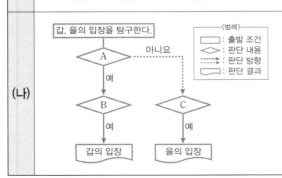

― 보기 ―
ㄱ. A: 자연 상태를 벗어나고자 국가가 수립되었는가?
ㄴ. B: 국가는 완전하고 자족적인 정치 공동체인가?
ㄷ. B: 국가에 대한 복종은 혜택에 의해서 성립하는가?
ㄹ. C: 국가에 대한 복종은 인간 본성에서 비롯되는가?

① ㄱ, ㄷ ② ㄱ, ㄹ ③ ㄴ, ㄹ
④ ㄱ, ㄴ, ㄷ ⑤ ㄴ, ㄷ, ㄹ

| 학평 기출 응용 |

3 다음 사상가가 긍정의 대답을 할 질문에만 모두 '✓' 표시를 한 학생은?

> 군주는 백성의 생업을 마련해 주는데, 반드시 위로는 부모를 섬기기에 충분하게 하고, 아래로는 처자를 먹여 살리기에 부족함이 없게 하여, 풍년에는 언제나 배부르고 흉년에는 죽음을 면하게 해야 한다.

질문＼학생	갑	을	병	정	무
군주는 백성을 정치의 근본으로 삼아야 하는가?	✓	✓		✓	
군주는 백성을 경제적으로 안정시켜 주어야 하는가?	✓			✓	✓
국가는 백성의 생명과 재산을 기본권으로 보장해야 하는가?		✓	✓		✓
국가에 대해 백성이 갖는 의무는 군주의 권력으로부터 유래하는가?			✓	✓	✓

① 갑 ② 을 ③ 병 ④ 정 ⑤ 무

| 학평 기출 응용 |

4 (가)의 동양 사상가 갑, 을의 입장을 (나)의 그림으로 표현할 때, A~C에 해당하는 진술로 옳은 것만을 〈보기〉에서 있는 대로 고른 것은?

(가)	갑: 정치란 경제, 군사, 그리고 백성들의 신뢰에 기초한다. 이 중에서 두 가지를 버려야 한다면, 그것은 군사와 경제이다. 을: 정치란 천하의 해악은 제거하고, 천하에 이익을 주는 것이다. 또한 모두를 이롭게 하고, 모두를 사랑하는 것이다.

(나)	〈범례〉 A: 갑만의 입장 B: 갑, 을의 공통 입장 C: 을만의 입장

― 보기 ―
ㄱ. A: 백성의 이기심을 상벌로 조종해야 한다.
ㄴ. B: 정치란 백성을 사랑하고 위하는 것이다.
ㄷ. C: 도덕적 군주가 덕으로 정치를 펼쳐야 한다.
ㄹ. C: 정치란 백성을 차별 없이 사랑하는 것이다.

① ㄱ, ㄴ ② ㄱ, ㄷ ③ ㄴ, ㄹ
④ ㄱ, ㄷ, ㄹ ⑤ ㄴ, ㄷ, ㄹ

5 갑, 을 사상가들의 입장으로 옳은 것을 〈보기〉에서 고른 것은?

> 갑: 시민은 한순간이라도 자신의 양심을 입법자에게 맡겨야 하는가? 우리는 먼저 인간이어야 하고 그 다음에 국민이어야 한다.
>
> 을: 시민들의 부정의한 법에 대한 불복종은 거의 정의로운 국가에서 체제의 합법성을 인정하는 시민들에 의해서만 생긴다. 특히 평등한 기본적 자유 원칙의 침해는 굴종이 아니면 반항을 부른다.

보기
ㄱ. 갑: 개인은 법에 우선해 양심에 따라 행동해야 한다.
ㄴ. 을: 시민 불복종은 법에 대한 충실성을 거부하는 정치 행위이다.
ㄷ. 을: 시민 불복종의 대상은 일부의 부정의한 법이나 정책들에 한정된다.
ㄹ. 갑, 을: 정의감에 호소하는 시민 불복종이 비폭력적일 필요는 없다.

① ㄱ, ㄷ   ② ㄱ, ㄹ   ③ ㄴ, ㄷ
④ ㄴ, ㄹ   ⑤ ㄷ, ㄹ

6 다음 서양 사상가가 부정의 대답을 할 질문으로 가장 적절한 것은?

> 거의 정의롭지만 정의에 대한 심각한 위반이 발생하기도 하는 사회에서 시민 불복종이 성립한다. 시민 불복종은 신중하고 양심적인 정치적 신념의 표현인 청원의 한 형태이므로 공개 석상에서 이루어지며, 어떤 개인적 도덕 원칙이나 종교적 교설이 아닌 공유된 정의관에 의거해야 한다.

① 시민 불복종은 체제의 합법성을 인정해야 하는가?
② 시민 불복종의 의도는 시민들에게 공표되어야 하는가?
③ 시민 불복종은 공동체의 정의감에 호소하는 정치 행위인가?
④ 시민 불복종의 목적에서 정부 정책의 개혁은 제외되어야 하는가?
⑤ 시민 불복종은 어떠한 합법적 방법도 효과가 없을 때 행해져야 하는가?

7 갑, 을 사상가들의 입장으로 옳은 것은?

> 갑: 법이나 정책은 원초적 입장에서 합의한 정의의 원칙을 위반해서는 안 된다. 시민 불복종은 제1원칙인 평등한 자유의 원칙이나 제2원칙 중 공정한 기회 균등의 원칙에 대한 현저한 위반에 국한되어야 한다.
>
> 을: 법에 대한 존경심보다는 먼저 정의에 대한 존경심을 길러야 한다. 법에 대한 존경심 때문에 선량한 사람조차도 불의의 하수인이 될 상황이라면 그 법을 어겨라. 양심에 따라 그 법에 저항하라.

① 갑: 불복종이 공개적으로 이루어질 필요가 없다.
② 갑: 불복종에 따른 처벌을 감수하는 것이 옳지 않다.
③ 을: 양심에 어긋나는 모든 법에 불복종해야 한다.
④ 을: 공동체의 정의감이 불복종 정당화의 최종 근거이다.
⑤ 갑, 을: 불복종은 정의의 실현을 위한 합법적 행위이다.

8 다음 사상가가 긍정의 대답을 할 질문으로 옳은 것은?

> 시민 불복종은 법이나 정부의 정책에 변혁을 가져올 목적으로 행해지는, 공공적이고 비폭력적이며 양심적이긴 하지만 법에 반하는 정치적 행위이다. 이러한 행위를 통해서 우리는 공동 사회의 다수자가 갖고 있는 정의감을 드러내고, 자유롭고 평등한 개인들 사이에서 정의의 원칙이 존중되고 있지 않음을 보여 준다.

① 시민 불복종은 정치 체제를 변혁하기 위한 폭력 행위인가?
② 시민 불복종은 공개적으로 주목받아야 할 위법 행위인가?
③ 시민 불복종은 처벌을 피하고자 하는 정치적 행위인가?
④ 시민 불복종은 다수자의 정의감을 거부하는 행위인가?
⑤ 시민 불복종은 정의의 원칙을 위반하는 행위인가?

1 다음 사상가의 입장에서 긍정의 대답을 할 질문으로 가장 적절한 것은?

> 대인이 할 일이 있고, 소인이 할 일이 따로 있으며, 어떤 사람은 마음을 수고롭게 하고, 어떤 사람은 몸을 수고롭게 한다. 한 사람이 모든 일을 하게 하는 것은 모두를 지치게 만든다.

① 정신노동과 육체노동을 구분할 필요가 없는가?
② 정신노동보다 육체노동의 가치를 더 강조해야 하는가?
③ 모든 사람에게 선택의 자유가 보장될 때 직업의 사회적 의미가 실현되는가?
④ 직업을 통한 사회적 역할 분담은 국가가 아닌 개인이 결정해야 할 사항인가?
⑤ 사회 구성원 각자가 역할을 충실히 수행할 때 사회가 안정적으로 유지되는가?

2 다음을 주장한 사상가가 긍정의 대답을 할 질문으로 옳은 것은?

> 저마다 타고난 성향에 따라 한 가지 일에 배치되어야만 된다. 이는 각자가 한 가지 일에 종사함으로써 여럿이 아닌 하나가 되도록 하고, 나라 전체가 자연적으로 여럿이 아닌 '한 나라'로 되도록 하기 위해서이다. 따라서 국가는 구성원 각자가 자신의 직분에 충실하면서 서로 조화를 이룰 때 정의롭게 되며, 사물의 참모습을 인식한 철학자가 통치해야 한다.

① 분업의 원리에 따르는 것이 바람직한가?
② 국가의 모든 계층이 재산을 공유해야 하는가?
③ 구성원들 간에 자유로운 역할 교환이 가능한가?
④ 개인들에게 스스로 직업을 선택할 자유가 있는가?
⑤ 모든 직업인들이 지켜야 할 도덕적 덕목은 없는가?

3 전문직에게 더 높은 윤리적 자세가 요청되는 이유를 〈보기〉에서 고른 것은?

> **보기**
> ㄱ. 전문직은 업무의 효율성만 중시하기 때문이다.
> ㄴ. 전문적인 기술을 통해 부를 더 많이 축적해야 하기 때문이다.
> ㄷ. 사회 지도층은 사회에 대한 더 높은 도덕성을 요구받기 때문이다.
> ㄹ. 전문직은 사회적 영향력이 크며, 그에 따른 책임 의식이 요구되기 때문이다.

① ㄱ, ㄴ   ② ㄱ, ㄷ   ③ ㄴ, ㄷ
④ ㄴ, ㄹ   ⑤ ㄷ, ㄹ

4 다음 입장에서 지지할 주장으로 적절하지 <u>않은</u> 것은?

> 부패를 조장하는 관행을 법적 제재로 없애려 해도 성공하기 어렵습니다. 관행을 없애기 위해서는 정직성과 투명성을 정착시키는 사회적 자본이 무엇보다 중요합니다. 이것은 주로 신뢰, 규범, 관용 등 도덕적 자원들로 구성됩니다. 사회적 자본의 축적은 공공 문제에 대한 자발적 참여와 협력을 증진시키고, 시민 결사체들을 통해 의견 대립을 긍정적으로 승화시킵니다. 그 결과 반칙과 부패는 감소하고, 호혜성과 생산성은 증가합니다.

① 사회적 신뢰는 사회적 자본 형성을 촉진한다.
② 사회적 자본을 쌓으면 시민 간 호혜성이 늘어난다.
③ 시민 결사체 간 갈등은 항상 부정적 결과만을 낳는다.
④ 사회적 자본의 증대는 사회적·경제적 효율성 증진에 기여한다.
⑤ 시민의 참여 의식은 부패 관행의 제거에 중요한 동인(動因)이다.

5 다음은 분배 정의의 장단점을 정리한 내용이다. 적절하지 않은 것은?

	기준	장점	단점
①	절대적 평등	모두에게 기회와 혜택을 골고루 분배함.	생산 의욕과 책임 의식이 약화됨.
②	필요	사회적 약자를 보호하는 도덕의식에 부합함.	효율성이 저하됨.
③	능력	생산성이 향상됨.	우연적이고 선천적인 영향의 배제가 어려움.
④	업적	객관적 평가와 측정이 용이함.	사회적 약자를 배려하기 어려움.
⑤	노력	책임 의식이 향상됨.	생산 의욕이 저하됨.

6 갑, 을 사상가들의 입장으로 옳은 것은?

> 갑: 모든 인간은 목적으로 대우받아야 한다. 사형은 살인범의 인간성을 훼손할 수 있는 모든 가혹 행위로부터 살인범의 인격을 존중하는 것이다.
> 을: 모든 사람들에게 살인범의 끝없는 비참한 상태를 보여 주는 것이 사형보다 범죄 예방에 더 효과적이다. 형벌의 강도보다 지속성이 사람들에게 더 큰 영향을 준다.

① 갑: 사형은 범죄 억제를 위한 수단이다.
② 갑: 사형은 살인죄에 대한 정당한 처벌이 아니다.
③ 을: 사형은 살인범의 인격을 존중하는 형벌이다.
④ 을: 사형은 종신형에 비해 사회적 효용이 낮은 형벌이다.
⑤ 갑, 을: 사형은 국가가 저지르는 범죄 행위이므로 폐지되어야 한다.

7 다음 사상가의 입장으로 가장 적절한 것은?

> 사회 계약의 목적은 계약자의 생명 보존에 있다. 이를 위해 각자는 모든 것을 공동체에 양도함으로써 일반 의지의 감독하에 둔다. 살인을 저질러 계약을 위반한 자는 공공의 적으로 간주되어야 한다.

① 사형의 목적은 살인범에 대한 응당한 보복이다.
② 사형제는 인간 존엄성을 훼손하는 부당한 제도이다.
③ 살인범을 사형하는 것은 공적으로 정의를 침해하는 것이다.
④ 살인범을 사형하는 것은 그를 국가의 적으로 간주하는 것이다.
⑤ 사형을 사회 계약의 목적 달성을 위한 수단으로 보아서는 안 된다.

8 (가)의 갑, 을 사상가의 입장을 (나)의 그림으로 탐구할 때, A~C에 해당하는 질문으로 옳은 것은?

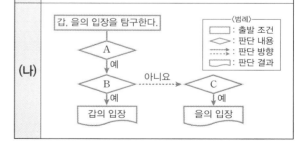

(가)	갑: 만인이 만인과 상호 신의 계약을 체결함으로써 모든 인간이 하나의 동일한 인격으로 결합하게 되는데, 이것이 리바이어던이다. 을: 오직 자유인들의 동의만이 그들을 그 정부의 구성원으로 만든다. 동의 이외에 지상의 권력에 그를 복종시킬 어떤 것도 없다.

① A: 국가의 역할은 개인의 생명과 재산 보호인가?
② B: 국가의 권위에 대한 복종 근거는 계약에 있는가?
③ B: 국가는 정의의 원칙에 따르는 질서 정연한 사회를 구현할 책무가 있는가?
④ C: 국가는 타고난 선한 본성의 실현을 위해 필요한가?
⑤ C: 국가는 자연 상태에서 필연적인 전쟁을 피하기 위한 수단인가?

부익부 빈익빈, 정의로운 것일까?

부자에게 세금을 중과해야 한다

롤스는 어느 누가 부유한 가정에서 특별한 재능을 가지고 태어났다는 사실은 도덕적 가치를 가질 수 없는 우연한 사실이므로, 이 우연한 사실에 의해 발생하는 사회적·경제적 불평등은 부당한 것이라고 보았다. 따라서 사회적으로 소외되어 미약한 혜택을 얻을 수밖에 없는 최소 수혜자들에게 최대 이익을 보장하는 공정한 시스템을 정비해야 한다고 주장하였다. 롤스는 자유주의를 전제로 하되, 최소 수혜자들에게 균등한 기회를 제공해야 한다는 평등주의를 더하였다. 이러한 롤스의 사상은 이후 자유 민주주의를 표방하는 나라에서 실시되는 대부분의 복지 정책의 기반이 되었다. 최소 수혜자인 독거노인들에게 생활비를 지급한다든가, 대학에서 농어촌 학생에 대한 특별 전형을 시행한다든가 하는 것들은 모두 롤스의 정의론에 입각한 것이다.

정당한 과정을 통해 습득한 부는 부당한 것이 아니다

노직은 같은 하버드 대학교의 동료이자 선배인 롤스의 정의론을 강하게 비판하면서 자신의 정의 이론을 전개하였다. 노직에 따르면, 롤스가 주장하는 분배적 정의는 부유한 사람들에 대해 부당한 세금을 부과함으로써 개인이나 기업의 권리를 침해한다는 것이다. 노직은 개인은 단순한 수단이 아니라 목적이라는 칸트의 관점을 채택하여, 개인은 그 자체로 목적이며 누구도 침범할 수 없는 특정한 자연적 권리를 가진다고 주장한다. 즉, 인간은 천부적이며 보편적인 어떤 권리들을 가지고 있으며, 개인이나 단체 그리고 국가를 포함한 누구라도 이 권리들을 절대로 침해해서는 안 된다는 것이다. 대표적으로 인간은 생명, 자유, 재산에 대한 권리를 가지며, 그 누구도 타자를 위한다는 명목으로 희생되어서는 안 된다고 노직은 말한다.

부의 편중 현상에 대해 어떤 사람들은 부자들에게 세금을 부과하여 가난한 사람들을 위한 복지 정책을 실시해야 한다고 주장해요.

반대 의견을 가진 사람들은 재산 취득에서 강요나 사기가 없었고, 시장 경제에서 자유로운 선택으로 부를 얻었다면, 아무리 많은 부를 소유하게 되었다고 하더라도 그 부는 부당하지 않고 존중받아야 한다고 주장해요.

시민 불복종이 정당화되려면?

민주 시민의 참여

시민 불복종의 정당화 조건

첫째, 시민 불복종은 공동선을 위해 다수자에게 공공적으로 호소하는 행위이다. 따라서 그것은 개인이나 특정 집단의 목적을 달성하기 위한 것이어서는 안 된다.

둘째, 시민 불복종은 비폭력적이어야 한다. 타인의 기본권을 침해할 가능성이 있는 행동이나 폭력을 수반하는 행위는 시민 불복종과 양립할 수 없다. 그러한 행위는 많은 사람의 정의감에 호소할 수 없기 때문이다.

셋째, 시민 불복종은 최후의 수단이어야 한다. 시민 불복종은 정의롭지 못한 법이나 제도를 개선하기 위해 합법적인 방법으로 노력하였음에도 불구하고 아무런 소용이 없을 때, 마지막 수단으로 사용해야 한다.

명백히 정의롭지 않은 사회 제도가 시행되어 개선의 여지가 매우 적을때 이러한 제도를 의도적으로 거부하는 시민 저항 운동이 등장하는데, 이를 시민 불복종이라고 해요.

시민 불복종이 다른 불복종 행위와 다른 점

혁명과 다른 점
혁명은 체제를 전복하기 위한 것으로서 공동체의 삶을 근본적으로 변화시키며, 사회를 불안하게 한다. 더욱이 많은 사람을 다치게 하고, 심각한 재산상의 손해를 가져오기도 한다.

폭동과 다른 점
폭동이 정당한 것으로 평가되는 때가 있다고 하더라도 기본적으로 폭동은 시민의 안전을 위협하고, 재산상의 피해를 발생시키며, 국가의 혼란을 가져온다.

양심적 병역 거부와 다른 점
양심적 병역 거부는 양심이나 종교 같은 개인적 신념에 따른 것이지만, 시민 불복종은 공적인 정치적 원리, 즉 정의의 원리에 호소하는 것이다.

시민 불복종은 정의롭지 못한 법이나 정부 정책을 변화시키려는 목적으로 행해지는 의도적인 위법 행위로서, 법체계와 사회 체제에 대한 존중을 기반으로 하기 때문에 다른 저항 행위와는 달라요.

특강 창의·융합·코딩

빈출 자료 ① 맹자와 마르크스의 직업관

서술형 평가

생업(직업)의 수행은 윤리적 인격과 정서적 안정의 조건으로 보았음을 알 수 있다.

◎ **문제** 사상가 갑, 을의 직업 노동에 대한 입장을 비교하여 서술하시오.

맹자 —

갑: 모든 것을 손수 만들어 사용해야 한다면, 그것은 천하의 사람들을 바쁘게 만드는 것이다. 어떤 사람은 마음을 수고롭게 하고[勞心], 어떤 사람은 몸을 수고롭게 한다[勞力]. 백성은 항산(恒産)이 없다면 항심(恒心)도 없게 된다.

└ 정신노동과 육체노동을 구분한 것으로, 사회적 분업을 인정하였음을 알 수 있다.

마르크스 —

을: 노동이 분업에 의한 방식으로 바뀌면서 고용주는 자본가가 되어 지휘와 감독, 조절 기능을 담당한다. 분업은 특수한 기능에 적합한 부분 노동자를 양산하며, 노동자는 작업장의 부속물로서 자본의 소유물이 된다.

└ 분업은 노동자가 '노동으로부터 소외'되는 결과를 가져온다는 내용으로, 분업에 대해 매우 비판적인 태도를 보이고 있다.

직업에 대한 다양한 관점은 거의 매년 출제되는데, 최근 들어서는 동양 사상의 직업관을 묻는 문제가 자주 출제되고 있습니다.

대표 예제와 기출 선택지

제시된 문제에 대한 학생 답안으로 옳은 것에 모두 ○표 하시오.

① 갑은 직업을 통해 백성의 생활 기반이 마련되어야 한다고 주장한다. ( )
② 갑은 직업에는 대인과 소인의 역할 분담이 있으므로 각자의 역할에 충실해야 한다고 본다. ( )
③ 을은 노동자는 생산 수단이 없으므로 생계를 위해 자본가에게 예속된다고 본다. ( )
④ 을은 노동자는 노동을 통해 자아를 실현하고 행복을 누릴 수 있어야 한다고 주장한다. ( )
⑤ 갑, 을 모두 인간은 분업에 참여함으로써 인간다움을 실현해야 한다고 주장한다. ( )

답 ①, ②, ③, ④

빈출 자료 ② 기업의 사회적 책임

기업의 사회적 책임을 합법적인 이윤 추구에 한정해야 한다는 입장으로, 이와 같은 주장을 한 대표적인 사상가는 프리드먼과 스미스이다.

어떤 경제 활동이 당사자가 아닌 다른 사람에게 의도하지 않은 손해나 비용을 발생시키는 것을 말한다. 반대로 의도하지 않은 혜택이나 편익을 제공하는 것은 긍정적 외부 효과이다.

"기업은 자유 시장에서 이윤 극대화 이외의 사회적 책임을 지지 않아도 된다."라는 주장은 시장 실패를 통해 그 부당성이 입증될 수 있습니다. 시장 실패의 대표적 사례는 기업 활동으로 인한 환경 오염과 같은 부정적 외부 효과입니다. 이에 따른 문제의 핵심은 환경 오염의 처리 비용을 당사자인 기업이 아니라 일반 시민이나 미래 세대 같은 제삼자가 부담해야 한다는 사실입니다. 그러나 이는 분명 잘못입니다. 윤리적 관점에서 볼 때, 부정적 외부 효과 발생의 책임은 해당 기업이 져야 합니다. 설령 이윤이 감소하더라도 기업은 사회적 문제에 대한 적극적 책임을 지는 것이 마땅합니다.

└ 사상가 보겔이나 애로와 같이 기업의 사회적 책임을 강조하는 입장이다. 이들은 기업이 사회적 책임을 적극적으로 이행하는 것은 기업에게도 이익이 된다고 주장한다.

기업의 사회적 책임과 관련해서는 어느 범위까지 인정해야 하는가에 대한 입장을 분석하는 문제가 자주 출제됩니다.

대표 예제와 기출 선택지

그림의 강연자가 긍정의 대답을 할 질문에 모두 ○표 하시오.

① 기업은 깨끗한 공기와 같은 공공재에 대한 책무를 인정해야 하는가? ( )
② 기업은 외부 효과 방지를 위해 이윤 극대화 활동에 전념해야 하는가? ( )
③ 기업은 미래 세대의 생존과 삶의 질 문제에 관심을 기울여야 하는가? ( )
④ 기업은 공공선을 위해 이윤 추구에 대한 제약을 받아들여야 하는가? ( )
⑤ 기업은 시장 실패가 지역 사회의 불이익을 초래한다고 보아야 하는가? ( )

답 ①, ③, ④, ⑤

빈출 자료 ③ 공직자의 청렴의 의무

조선 시대의 실학자인 정약용이 당시 지방을 다스리던 목민관들의 폭정을 비판하면서 지방 관리가 지켜야 할 지침을 저술한 『목민심서』를 풀어 쓴 글이다.

청렴하지 않고서 수령 노릇을 제대로 한 사람은 지금까지 한 명도 없었다. 수령이 청렴하지 않으면 백성들이 그를 도적이라 욕하며 원성이 드높을 것이니, 부끄러운 일이다. 청렴은 큰 장사[賣]이다. 그래서 포부가 큰 사람은 반드시 청렴하고자 한다. 청렴하지 못한 것은 지혜가 모자라기 때문이다. 뇌물을 주고받는 일을 몰래 하지 않겠는가마는 밤에 한 일도 아침이면 드러난다. 선물이 아무리 하찮은 것이라도 신세지는 정[恩情]이 맺어지면 이미 사사로움[私]이 행해진 것이다.

'청렴'이란 뜻과 행동이 맑고 염치를 알아 탐욕을 부리지 않는 상태를 말하며 반부패, 투명성, 책임성과 연결된다. 오늘날 청렴을 위한 제도적 노력으로서 흔히 '내부 고발'이라 불리는 내부 공익 신고 제도와 청탁 금지법 등이 시행되고 있다.

청렴이라는 가치를 선택하는 것이 부패를 선택하는 것보다 더 많은 선을 가져올 수 있음을 강조한 것이다.

공직자 윤리는 정약용의 글을 제시하며 '청렴'의 의무와 관련지어 자주 출제됩니다. 오늘날 우리 사회에서 이와 관련된 논의가 활발하게 이루어지는 만큼 앞으로도 출제될 가능성이 높습니다.

대표 예제와 기출 선택지

제시된 자료의 한국 사상가의 입장으로 적절한 것에 모두 ○표 하시오.

① 수령이 뇌물과 사적인 정에 얽매여서는 안 된다고 본다. ( )
② 포부가 원대하고 지혜로운 목민관은 부패를 저지르기 마련이다. ( )
③ 청렴한 목민관에게 청백리(淸白吏) 칭호는 관직 상승의 수단이다. ( )
④ 백성들의 원성을 사지 않는다면 사사로운 청탁(請託)은 가능하다. ( )
⑤ 목민관의 청렴은 애민(愛民)과 봉공(奉公)을 위해 필요한 덕목이다. ( )

답 ①, ⑤

빈출 자료 ④ 니부어의 사회 윤리

개인 윤리에 해당한다. 개인 윤리적 관점에서는 윤리 문제의 원인을 개인의 이기심, 비양심에서 찾으며, 문제의 해결책으로 개인의 도덕성 함양, 실천 의지 강화 등을 제시한다. 칸트, 벤담 등의 입장이다.

니부어의 사회 윤리이다. 사회 윤리적 관점에서는 윤리 문제는 부도덕한 사회 구조와 제도에서 비롯되고, 이를 해결하려면 개인의 도덕성 함양과 더불어 사회 구조와 제도의 개선이 이루어져야 한다고 본다.

○○ 선생님께

지난 편지에서 선생님께서는 개인의 이기심이 선의지에 의해 견제되고 있어 모든 집단은 조화를 이룰 것이라 하시며, 개인의 선의지 함양을 권고하였습니다. 하지만 제 생각은 다릅니다. 선생님께서는 집단 이기주의가 갖는 힘, 범위, 지속성을 깨닫지 못하고 있습니다. 개인 간의 관계는 순전히 합리적인 조정과 설득에 의해 확립하는 일은 불가능하지는 않을 것입니다. 그러나 집단 간의 관계는 윤리적이기보다는 정치적이기 때문에, 개인의 양심은 집단 간의 갈등을 부분적으로 억제할 수는 있겠지만, 완전히 해결하지는 못합니다.

니부어의 사회 윤리는 구체적인 내용을 묻기도 하고 개인 윤리와의 차이점을 묻기도 하는 등 꾸준히 출제되는 주제입니다.

대표 예제와 기출 선택지

제시된 가상 편지를 쓴 사상가가 지지할 입장을 모두 ○표 하시오.

① 사회가 지향할 최고의 도덕적 이상은 이타성이다. ( )
② 선의지는 정의 실현을 위한 비합리적 수단을 통제해야 한다. ( )
③ 사회 정의는 사회적 억제와 힘을 통해 실현되어서는 안 된다. ( )
④ 사회적 협력이 아무리 확대되어도 사회적 분쟁은 불가피하다. ( )
⑤ 집단 간 관계는 각 집단이 가지는 힘의 비율에 따라 수립된다. ( )

답 ②, ④, ⑤

빈출 자료 5 롤스와 노직의 분배 정의론

> 개인의 소유 권리를 침해하는 강도, 절도, 사기 등을 말한다.

> 소유 권리로서의 정의를 주장한 것으로, 국가에 의한 재분배는 개인의 소유권을 침해하여 부당하다고 본다.

갑: 개인이 정당한 노동으로 취득한 소득에는 침해할 수 없는 소유권이 인정된다. 국가는 범죄로부터 시민을 보호하고 계약 이행을 감시하는 최소 국가의 역할을 담당해야 한다.

을: 개인들은 원초적 상황에서 합리적 선택을 통해 공정으로서의 정의관에 기초한 원칙들을 합의하게 된다. 이 원칙들은 사회 기본 구조의 원리가 된다.

> 평등한 자유의 원칙, 차등의 원칙, (공정한) 기회균등의 원칙들을 말한다.

〈사례〉

A 국가는 일정 소득 수준 이하인 사회적 약자의 교육 기회를 확대하기 위해 상속 세율과 비례적 소비세율을 인상하여 교육 예산을 증대하였다.

> 경제적 불평등을 완화하기 위한 국가의 복지 정책 중 하나이다.

자료 분석

갑은 재화의 분배를 전적으로 개인에게 위임해야 한다고 주장한 노직, 을은 재화를 분배할 때 사회적 약자를 배려해야 한다고 주장한 롤스이다. 노직은 재화의 취득·이전·교정의 절차가 정당하기만 하면 해당 재화에 대한 소유 역시 정당하다고 본다.

> 분배적 정의와 관련해 롤스와 노직의 주장을 비교하는 문제가 자주 출제됩니다.

대표 예제와 기출 선택지

자료를 읽고 〈사례〉에 대한 갑의 입장에 해당하는 것에 모두 ○표 하시오.

① 재분배를 강요하는 차등의 원칙은 소유 권을 침해한다. ( )

② 국가가 개인의 권리를 침해하는 정책이 므로 반대한다. ( )

③ 사회적 우연성에 따른 불평등을 완화하 므로 지지한다. ( )

④ 기회의 공정성보다 결과의 평등을 지향 하므로 지지한다. ( )

⑤ 구성원 간의 기본적 자유의 평등을 부정 하므로 반대한다. ( )

답 ①, ②, ⑤

빈출 자료 6 분배적 정의에 대한 여러 사상가들의 입장 비교

(가)

갑: 정의는 본성상 정치적 동물인 사람들 사이에서 같은 것은 같게, 다른 것은 다르게 분배할 것을 요구한다. ── 아리스토텔레스

을: 정의는 도덕과 입법의 원리인 최대 다수의 최대 행복을 위해 유용성을 극대화할 것을 요구한다. ── 벤담

병: 정의는 최소 수혜자를 포함한 모든 사람에게 이익이 되도록 절차적 공정 성을 보장할 것을 요구한다. ── 롤스

(나)

> 아리스토텔레스만의 주장이 들어가야 한다.

> 벤담만의 주장이 들어가야 한다.

> 롤스만의 주장이 들어가야 한다.

> 아리스토텔레스, 벤담, 롤스의 공통된 주장이 들어가야 한다.

갑

A

D

B   C

을   병

A: 갑만의 입장
B: 을만의 입장
C: 병만의 입장
D: 갑, 을, 병의 공통 입장

대표 예제와 기출 선택지

제시된 자료에서 (나)의 D에 해당하는 적 절한 진술에 모두 ○표 하시오.

① 누구에게도 이익이 되지 않는 분배는 정 의롭지 않다. ( )

② 사적 소유권이 폐지된 사회에서 분배의 평등이 실현된다. ( )

③ 분배의 옳고 그름은 쾌락과 고통의 총합 에 의해 결정된다. ( )

④ 분배 정의는 기하학적 비례의 동등함을 추구하는 것이다. ( )

⑤ 사회적·경제적 불평등을 허용해도 분배 정의는 실현 가능하다. ( )

> 그래프나 순서도를 활용해 정의로운 분배가 무엇인가에 대한 여러 사상가들의 입장을 비교하는 문제가 자주 출제됩니다.

답 ①, ⑤

빈출 자료 7 칸트와 베카리아의 형벌관

> 처벌의 근거로 '동등성의 원리'를 제시한다. 처벌은 자신의 자율적인
> 행위에 대한 응분의 책임이라는 것이다.

갑: 누구든 그가 처벌받아야 할 행동을 원했기 때문에 처벌받는 것이다. 아무리
고통이 가득한 삶이라도 삶과 죽음은 같은 종류의 것이다. 법정의 심판대 앞
에서 살인죄에 대한 최상의 균형자는 사형이다. ── 사형제 찬성의 입장이다.

을: 누구든 자신의 생명을 빼앗을 권한을 기꺼이 양도하지 않을 것이다. 사회 계
약의 목적은 공리, 즉 최대 다수의 최대 행복이며, 이것이 인간적 정의의 기
초이다. 사형보다 종신 노역형이 공리에 부합하다.

> 처벌의 근거를 사회 계약·공공의   사형제 폐지의 입장이다.
> 이익에서 찾는다.

자료 분석

범죄 행위에 대해 갑은 응보주의적 관점에서 처벌해야 한다고 주장한 칸트, 을은 사회 계약설적·공리주의적 관
점에서 처벌해야 한다고 주장한 베카리아이다.

> 형벌에 대한 칸트, 루소, 벤담, 베카리아 등의 입장을 비교하는 문제가 자주 출제됩니다.

대표 예제와 기출 선택지

**자료를 읽고 갑의 입장으로 적절한 것에
모두 ○표 하시오.**

① 생명의 위임은 사회 계약의 내용이 아니
라고 본다. ( )

② 사형은 살인한 범죄자의 인격을 존중하
는 것이라고 본다. ( )

③ 범죄자는 범행이 아닌 처벌을 원했기 때
문에 처벌받는 것이다. ( )

④ 형벌은 사적인 보복이 아니라 공적인 정
의를 실현해야만 한다. ( )

⑤ 종신 노역형은 비공개로 집행하는 것이
범죄 예방에 효과적이다. ( )

2주

답 ②, ④

빈출 자료 8 롤스의 시민 불복종 사상

> 시민 불복종이 정당화되기 위한 전제 조건이다. 롤스는 부정한 사회를
> 정의로운 사회로 만들기 위한 시민 불복종은 시민의 정당한 권리라고
> 주장한다.

거의 정의롭지만 정의에 대한 심각한 위반이 발생하기도 하는 사회에서 시민
불복종이 성립한다. 시민 불복종은 신중하고 양심적인 정치적 신념의 표현인 청
원의 한 형태이므로 공개 석상에서 이루어지며, 어떤 개인적 도덕 원칙이나 종교
적 교설이 아닌 공유된 정의관에 의거해야 한다. 정당한 시민 불복종이 시민 화
합을 해치는 것으로 보이면, 그 책임은 불복종하는 자들이 아니라 권위와 권력을
남용한 자들에게 있는 것이다.

공개성과 목적의 정당성은 롤스가 제시한 시민 불복종의 정당화 조건에 해당한다. 롤스는
시민 불복종이 정당화되기 위해서는 이 밖에도 최후의 수단성, 비폭력성, 타인의 기본권 보
호, 불복종 행위에 따르는 처벌·제재의 감수 등의 조건을 갖추어야 한다고 주장한다.

자료 분석

어떤 사회를 설명하면서 '거의 정의로운'이라는 표현을 주로 사용한 사상가는 롤스이다. 롤스는 시민은 평등한
자유의 원칙이나 공정한 기회균등의 원칙 등 정의의 원칙에 어긋나는 법이나 정책에 대해 저항할 수 있다며 시
민 불복종의 근거를 제시한다.

> 시민 불복종은 매년 출제되고 있는 주제로, 롤스의 사상만을 묻거나 소로의 사상과 비교
> 하는 형태로 자주 출제됩니다.

대표 예제와 기출 선택지

**자료를 읽고 해당 사상가가 긍정의 대답
을 할 질문에 모두 ○표 하시오.**

① 시민 불복종은 처벌을 피하고자 하는 정
치적 행위인가? ( )

② 시민 불복종의 주체는 체제의 합법성을
인정하는 시민인가? ( )

③ 시민 불복종의 의도는 동료 시민들에게
공표되어야 하는가? ( )

④ 시민 불복종은 공동체의 정의감에 호소
하는 정치 행위인가? ( )

⑤ 시민 불복종의 목적에서 정부 정책의 개
혁은 제외되어야 하는가? ( )

답 ②, ③, ④

3주에는 무엇을 공부할까? ❶

[관련 단원] Ⅳ. 과학과 윤리

배울 내용

1일 | 과학 기술과 윤리 ❶ _94

2일 | 과학 기술과 윤리 ❷ _100

3일 | 정보 사회와 윤리 ❶ _106

4일 | 정보 사회와 윤리 ❷
　　　～ 자연과 윤리 ❶ _112

5일 | 자연과 윤리 ❷ _118

수능 생활과 윤리 빈출 키워드#

1일

키워드 #21 과학 기술을 바라보는 관점
키워드 #22 과학 기술의 가치 중립성에 관한 입장

✏️ **공부할 내용 추측해 보기** ↪ 관련 페이지 96쪽
과학 기술의 가치 중립성에 대해 아는 대로 적어 보자.

_____

2일

키워드 #23 요나스의 책임 윤리
키워드 #24 과학 기술에 대한 책임

✏️ **공부할 내용 추측해 보기** ↪ 관련 페이지 102쪽
과학 기술의 사회적 책임에 대해 아는 대로 적어 보자.

_____

3 일

키워드 #25 정보 사회의 장단점과 저작권 문제
키워드 #26 사생활 침해·표현의 자유·사이버 폭력

✍ **공부할 내용 추측해 보기** ↻ 관련 페이지 108쪽
정보 사회에서 필요한 윤리를 아는 대로 적어 보자.

4 일

키워드 #27 현대인에게 요구되는 매체 윤리
키워드 #28 인간 중심주의와 동물 중심주의

✍ **공부할 내용 추측해 보기** ↻ 관련 페이지 112쪽
현대 사회의 매체 윤리 대해 아는 대로 적어 보자.

5 일

키워드 #29 생명 중심주의와 생태 중심주의
키워드 #30 동양의 자연관과 미래 세대에 대한 책임

✍ **공부할 내용 추측해 보기** ↻ 관련 페이지 120쪽
미래 세대에 대한 책임에 대해 아는 대로 적어 보자.

3 주

이런 로봇이 나왔으니, 이제 모든 문제를 해결할 수 있어!

이런 로봇이 나오다니, 인간은 로봇에게 지배당하고 말 거야.

1 과학 기술의 성과와 한계

성과	물질적 풍요와 편리한 삶, 건강 증진과 생명 연장, 환경적·시공간적 제약 극복 등
한계	비인간화 현상, 인간 존엄성 약화, 인권과 사생활 침해, 환경 문제 등

2 과학 기술 지상주의

기본 입장	과학 기술을 이용하여 사회의 모든 문제를 해결하고 무한한 부와 행복을 누릴 수 있다는 입장
문제점	• 과학 기술의 ☐☐적 측면 간과 ❶ • 반성적 사고 능력 훼손

— 과학 기술의 긍정적 측면과 부정적 측면을 모두 고려하여 과학 기술을 성찰하는 비판적 자세를 지녀야 함.

3 과학 기술 혐오주의

기본 입장	☐☐ ☐☐의 비인간적·비윤리적 측면을 부각하고 과학의 합리성 자체에 문제가 있다고 보는 입장 ❷
문제점	• 과학 기술의 가치 불인정 • 과학 기술의 혜택과 성과 부정 ➡ 현실을 반영하지 못함.

❶ 과학 기술 지상주의
과학 기술 지상주의의 입장에서는 과학 기술의 발전에 따른 부작용도 과학 기술의 힘으로 해결할 수 있다고 믿는다.

❷ 과학 기술 혐오주의 사례
러다이트 운동은 18~19세기 영국에서 노동자들이 산업 혁명의 결과로 발명된 새로운 기계의 보급을 실업의 원인으로 파악해 기계를 파괴한 운동이다.

🔲 부정, 과학 기술

1 ☐안에 들어갈 알맞은 말을 쓰시오.

(1) 과학 기술에 대해 낙관적인 사람들은 과학 기술의 발전에 따른 부작용도 ☐☐ ☐☐의 힘으로 해결할 수 있다고 믿는다.

(2) 기계 파괴 운동으로 잘 알려진 러다이트 운동은 과학 기술 ☐☐☐☐의 대표적 사례이다.

(3) 인류에게 많은 혜택과 부정적인 영향을 동시에 가져오는 과학 기술에 대해 반성하고 성찰하는 ☐☐☐ 자세가 필요하다.

2 다음 설명에 해당하는 과학 기술을 바라보는 관점에 ✔표 하시오.

(1) 현실을 반영하지 못한다는 한계를 지닌다.
　☐과학 기술 지상주의　☐과학 기술 혐오주의

(2) 과학 기술의 비인간적·비윤리적 측면을 부각한다.
　☐과학 기술 지상주의　☐과학 기술 혐오주의

(3) 인간의 반성적 능력을 훼손할 수 있다는 비판을 받는다.
　☐과학 기술 지상주의　☐과학 기술 혐오주의

3 ☐안에 들어갈 알맞은 말을 쓰시오.

과학 기술 지상주의	구분	과학 기술 혐오주의
과학 기술의 발전을 지나치게 (1) ☐☐적으로 바라보는 입장	입장	과학 기술의 발전을 (2) ☐☐적으로 바라보는 입장
과학 기술을 이용하여 사회의 모든 문제를 해결하고 무한한 부와 행복을 누릴 수 있다고 봄.	주장	과학 기술의 비인간적·비윤리적 측면을 부각하고 과학의 합리성 자체를 문제 삼음.
• 과학 기술의 부정적 측면 간과 • 인간의 반성적 사고 능력을 훼손할 수 있음.	한계	• 과학 기술의 가치 불인정 • 과학 기술의 혜택과 성과 부정 → 현실을 반영하지 못함.

과학 기술 지상주의 입장과 과학 기술 혐오주의 입장 중 한 가지를 제시하고, 반대 입장에서 할 수 있는 비판을 묻는 문제가 자주 출제되고 있어.

답 1. (1) 과학 기술 (2) 혐오주의 (3) 비판적　2. (1) 과학 기술 혐오주의
(2) 과학 기술 혐오주의 (3) 과학 기술 지상주의　3. (1) 낙관 (2) 비관

일
과학 기술과 윤리 ❶

📖 키워드 #22 과학 기술의 가치 중립성에 관한 입장

과학 기술은 사회적 결과와 관계없어.

가치 중립성 강조

과학 기술과 사회는 떨어질 수 없는 관계야.

가치 중립성 부정

1 가치 중립성을 강조하는 입장 ❶

강조 이유
- 과학 기술은 가치 중립적이므로 연구의 자유를 보장해야 함.
- 객관적인 ☐☐ 탐구가 과학 기술 연구의 주된 활동이라고 봄.
- 과학 기술의 사실성 여부를 판단할 때 특정 가치가 개입되어서는 안 됨.
- 과학 기술에 대한 윤리적 평가와 비판을 유보해야 함.
- 과학 기술의 윤리적 규제는 과학 기술의 발달을 저해함.

2 가치 중립성을 부정하는 입장 ❷

부정 이유
- 과학 기술도 가치 판단의 대상이므로 윤리적 검토나 ☐☐가 필요함.
- 과학 기술은 사회적 요인과 결합하여 발전하고 내용적 제약을 받음.
- 과학 기술의 주체는 인간이므로 과학 기술과 도덕적 가치는 분리 불가능함.
- 과학 기술은 사회에 영향을 끼치고, 인간에 대한 이해와 가치관도 변화시킴.
- 과학 기술은 삶과 떨어질 수 없어서 연구·활용 과정이 독립적이지 않음.

❶ **가치 중립성을 강조한 사상가**
야스퍼스는 과학 기술을 가치 중립적으로 보고 가치 판단이 과학 기술에 개입하는 데 반대한다.

❷ **가치 중립성을 부정한 사상가**
하이데거는 과학 기술을 가치 중립적인 것으로 보아 무방비 상태가 되면 인간이 과학 기술에 조종당할 수 있다며 과학 기술에 대한 가치 판단이 필요하다고 본다.

📄 진리(사실), 통제

1 ☐안에 들어갈 알맞은 말을 쓰시오.

(1) 과학 기술의 가치 중립성이란 과학 기술을 연구하고 검증할 때 특정 ☐☐ (이)나 신념이 개입되어서는 안 된다는 것이다.

(2) 과학 기술을 객관적인 ☐☐의 영역으로 보는 입장에서는 과학 기술 연구의 학문적 목적을 강조한다.

(3) 과학 기술의 가치 중립성을 강조하는 입장에서는 연구의 ☐☐ 보장을 중시 한다.

2 ☐안에 들어갈 알맞은 말을 쓰시오.

(1) 과학 기술과 도덕적 가치를 분리할 수 없다고 주장하는 사람들은 과학 기술 을 연구하고 적용하는 주체가 ☐☐(이)라는 점에 주목한다.

(2) 과학 기술의 가치 중립성을 부정하는 입장에서는 과학 기술을 연구하고 활용 하는 전 과정에 ☐☐ 판단이 개입한다고 본다.

3 ☐안에 공통으로 들어갈 알맞은 말을 쓰시오.

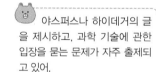
야스퍼스나 하이데거의 글 을 제시하고, 과학 기술에 관한 입장을 묻는 문제가 자주 출제되 고 있어.

기술은 기술을 실현시키는 존재와는 독립된 것으로서 단지 도구에 불과한 것 이며, 그 자체는 선도 아니고 악도 아니다. 기술이 스스로 인간에게 광기를 부 릴 수 있다든가, 기술에 의해 인간이 부품화될 수 있다는 말은 터무니없는 주 장이다. 중요한 것은 인간이 기술을 어떻게 사용하고, 인간이 기술을 어떤 조 건 아래 놓는가 하는 것이다.

▲ 야스퍼스

과학 기술은 좀처럼 상상하지 못하는 방식으로 우리들의 존재를 철저하게 지 배하고 있다. 오늘날 우리는 어디서나 과학 기술에 붙들려 있다. 따라서 최악 의 경우는 기술을 중립적인 것으로 고찰하여 우리와 무관한 것으로 보게 되는 것이다. 이 경우 우리는 무방비 상태로 기술에 내맡겨진다.

▲ 하이데거

야스퍼스는 기술을 가치 ☐☐적인 것으로 보아 그 자체를 선이나 악으로 판 단할 수 없다고 주장한다. 하이데거는 과학 기술이 인간의 삶과 깊이 관련을 맺 고 있다는 점을 강조하며 과학 기술을 ☐☐적인 것으로 보아서는 안 된다고 주장한다. 또한 하이데거는 기술이 자연의 고유한 존재 방식을 바꾸어 놓는다고 본다.

📖 1. (1) 가치 (2) 진리(사실) (3) 자유 2. (1) 인간(사람) (2) 가치 3. 중립

과학 기술과 윤리 ①

일

| 모평 기출 응용 |

1 ㉠에 들어갈 진술로 가장 적절한 것은?

> 나는 과학 기술이 인류에게 풍요를 가져다주었다고 본다. 과학 기술의 발전으로 많은 문제가 해결되었듯, 이에 따른 부작용은 또 다른 과학 기술의 개발로 해결될 수 있다. 그런데 어떤 사람들은 과학 기술을 비판적으로 바라보며, 과학 기술의 가치를 무시하고 과학 기술을 비윤리적인 것으로 인식한다. 나는 이러한 사람들이 ⎯⎯⎯⎯ ㉠ ⎯⎯⎯⎯ 고 생각한다.

① 과학 기술 지배 현상의 위험성을 간과하였다
② 과학 기술이 가져다준 혜택과 성과를 간과하였다
③ 과학 기술에 비판적 시각을 가져야 함을 간과하였다
④ 과학 기술의 부작용으로 인한 부정적 영향을 간과하였다
⑤ 과학 기술의 합리성에 대한 검토가 필요함을 간과하였다

| 학평 기출 응용 |

2 그림의 토론 주제에 관한 갑, 을의 입장으로 적절하지 <u>않은</u> 것은?

> • **토론 주제: 과학 기술에 대해 어떤 관점을 가져야 하는가?**

> 과학 기술은 인류에게 풍요를 가져다줄 것입니다. 과학 기술의 발전만이 사회의 모든 문제를 해결하고 무한한 부와 행복을 가능하게 합니다.

> 과학 기술은 인류의 삶을 위협하는 요인입니다. 과학은 합리성이라는 이름으로 비인간화를 초래하고 인간성 자체를 위협하고 있습니다.

 갑

 을

① 갑: 과학 기술은 인류의 건강과 생명 연장에 기여한다.
② 갑: 과학 발전에 따른 문제는 기술 개발로 해결할 수 있다.
③ 을: 과학에 대한 맹신은 반성적 사고를 훼손한다.
④ 을: 과학 발전에 숨겨진 부작용을 인식해야 한다.
⑤ 갑, 을: 과학 기술에 대한 비판적 사고 능력이 필요하다.

| 학평 기출 응용 |

3 다음 사상가가 지지할 입장만을 〈보기〉에서 있는 대로 고른 것은?

> 기술은 기술을 실현시키는 존재와는 독립된 것으로서 단지 도구에 불과한 것이며, 그 자체는 선도 아니고 악도 아닙니다. 기술이 스스로 인간에게 광기를 부릴 수 있다든가, 기술에 의해 인간이 부품화될 수 있다는 말은 터무니없는 주장입니다. 중요한 것은 인간이 기술을 어떻게 사용하고, 인간이 기술을 어떤 조건 아래 놓는가 하는 것입니다.

> ── 보기 ──
> ㄱ. 기술의 부정적 결과는 인간에 의해 생겨날 수 있다.
> ㄴ. 기술은 인간과 사회를 지배하려는 속성을 지닌 악이다.
> ㄷ. 기술 자체를 도덕 판단의 대상으로 보아서는 안 된다.
> ㄹ. 인간은 기술로부터 어떠한 좋은 것도 만들어 낼 수 없다.

① ㄱ, ㄷ　　② ㄱ, ㄹ　　③ ㄴ, ㄷ
④ ㄱ, ㄴ, ㄹ　　⑤ ㄴ, ㄷ, ㄹ

| 모평 기출 응용 |

4 다음과 같은 관점을 가진 사람이 지지할 주장으로 가장 적절한 것은?

> 과학 기술을 연구하거나 검증할 때는 특정한 가치나 신념이 개입하지 않아야 한다. 과학 기술에 대한 연구는 참이나 거짓의 사실 판단을 통해 접근해야 객관적인 결과를 도출할 수 있기 때문이다.

① 과학 기술 그 자체는 선도 악도 아니다.
② 과학 기술은 사회와 독립적 영역이 아니다.
③ 과학 기술은 가치 판단에서 자유로울 수 없다.
④ 과학 기술은 도덕적 가치와 분리해 생각할 수 없다.
⑤ 과학 기술에는 일정한 목적과 의도가 개입되어 있다.

| 수능 기출 응용 |

5 그림의 강연자가 긍정의 대답을 할 질문으로 가장 적절한 것은?

> 과학 기술은 좀처럼 상상하지 못하는 방식으로 우리들의 존재를 철저하게 지배하고 있습니다. 기술을 중립적인 것으로 고찰하여 우리와 무관한 것으로 보게 된다면 우리는 무방비 상태로 기술에 내맡겨집니다.

① 과학 기술의 영향은 과학자의 책임 밖의 일인가?
② 과학 기술에 대한 사회적 책임은 불가피한 것인가?
③ 과학 기술과 윤리는 별개의 영역이라 볼 수 있는가?
④ 과학 기술은 도덕적 평가로부터 자유로워야 하는가?
⑤ 과학 기술의 목적과 과정은 가치 중립적인 것으로 평가해야 하는가?

| 모평 기출 |

6 (가)의 주장을 (나) 그림으로 나타낼 때, ㉠에 대한 반론의 근거로 가장 적절한 것은?

(가)	과학 기술은 객관적 지식, 즉 객관적인 방법으로 발견한 자연 현상에 대한 체계적인 지식과 그 지식을 활용하여 무엇인가를 만들어 내는 과정입니다. 따라서 주관적 가치가 개입되어서는 안 됩니다.
(나)	**전제 1** 과학 기술은 객관적인 지식과 그 활용 과정이다. **+** **전제 2** ㉠ ↓ **결론** 과학 기술에는 주관적 가치가 개입되어서는 안 된다.

① 과학 기술은 객관적 기준에 의해서만 평가되어야 한다.
② 모든 지식은 활용의 맥락에서 주관적 도덕 판단을 요구한다.
③ 과학적 사실과 주관적 가치는 별개의 독립된 영역에 속한다.
④ 모든 지식은 객관적 진위를 판별할 수 있는 인식론적 대상이다.
⑤ 객관적 지식의 활용은 그 목적 설정을 위해 가치 판단을 배제해야 한다.

| 수능 기출 |

7 (가)의 입장에 비해 (나)의 입장이 갖는 상대적 특징을 그림의 ㉠~㉤ 중에서 고른 것은?

> (가) 과학 기술을 가치 중립적인 것으로 간주해서는 안 된다. 과학 기술 연구 및 그 결과 활용에 대한 과학자의 공적 책임 의식과 외부 규제가 없다면, 인류는 과학 기술에 종속당해 제어할 수도 없고 돌이킬 수도 없는 불행한 미래에 봉착하게 된다.
> (나) 과학 기술 자체에 선악의 잣대를 적용할 수 없으며, 연구 성과의 활용과 초래되는 결과에 대해 과학자에게 어떠한 책임도 물어서는 안 된다. 외부 간섭에서 벗어나 연구에만 전념할 때 과학 기술은 발전 가능하며, 그 결과 인류는 지속적으로 번영하게 된다.

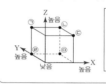

> • X: 과학 기술 연구의 독립성이 인류 진보에 공헌함을 강조하는 정도
> • Y: 과학 기술 자체에 대한 윤리적 판단을 배제해야 함을 강조하는 정도
> • Z: 과학 기술 연구 결과의 활용에 대한 과학자의 사회적 책임을 강조하는 정도

① ㉠   ② ㉡   ③ ㉢   ④ ㉣   ⑤ ㉤

| 학평 기출 응용 |

8 다음 토론의 핵심 쟁점으로 적절한 것은?

> 갑: 과학 기술은 가치 중립적이어야 합니다. 과학 기술과 도덕은 무관한 영역입니다.
> 을: 과학 기술의 모든 과정이 가치 중립적이어야 하는 것은 아닙니다. 과학 기술은 사회에 많은 영향을 미치므로 그 활용에 대한 윤리적 검토가 필요합니다.
> 갑: 과학 기술의 모든 결과를 예측하는 것은 불가능하며, 과학 기술 발전을 방해할 수 있습니다.
> 을: 과학 기술의 발전도 중요하지만 과학 기술에 대한 사회적 책임 의식이 우선되어야 합니다.

① 과학 기술에 대한 도덕적 평가는 필요한가?
② 과학 기술은 사회에 많은 영향을 미치는가?
③ 사회 발전을 위해 과학 기술의 발전이 필요한가?
④ 과학 기술은 객관적 지식의 발견을 목적으로 하는가?
⑤ 인간의 삶을 위해 과학 기술 연구는 중단되어야 하는가?

일
과학 기술과 윤리 ②

📖키워드#23   요나스의 책임 윤리

과학 기술의 발전이 우리 미래에 끼칠 영향을 고려해야 해.

1 과학 기술 발전에서 윤리적 책임이 커지는 이유

결과의 모호성	• 순수한 학문적 동기의 과학적 발견도 부정적 영향을 미칠 수 있음. • 선한 목적으로 사용되는 과학 기술도 장기간 영향력을 행사하는 위협적 요소를 포함함.
적용의 강제성	개발된 과학 기술을 적용하라는 요구가 커짐.
시공간적 광역성	• 결과가 장기간 동안 광범위한 영향력을 행사함. • 지구 전체에 영향을 미치고 누적된 결과가 미래 세대에게까지 영향을 미침.

2 요나스의 책임 윤리 ❶

윤리적 책임의 범위 확대	• 책임의 범위를 현세대에서 자연과 □□ 세대 ❷ 등까지 확대 ┌ 사전적 책임도 강조 • 과거 지향적인 사후 책임 부과에서 더 나아가 행위되어야 할 것에 대한 책임 제시
과학 기술자의 책임 윤리	• 과학 기술 발전의 결과를 □□하고 윤리적 책임을 져야 함. • 자연환경과 미래 세대가 존속할 수 있는 범위 내에서 과학 기술의 발전을 추구해야 함. 　　　　　　　　　└ 예견할 수 있는 모든 결과에 대한 책임 • 과학 기술의 부정적 결과에 대한 예측은 어렵지만 중요함.

❶ 요나스의 책임 윤리 덕목
요나스는 책임 윤리의 덕목으로 두려움, 겸손, 검소, 절제, 성스러운 것에 대한 외경심 등을 제시하였다.

❷ 미래 세대에 대한 책임 윤리의 입장
인류의 생존을 방해하는 행동을 해서는 안 되며, 행동의 결과가 미래 세대에 미칠 영향을 고려해야 한다.

답 미래, 예측

1 ☐ 안에 들어갈 알맞은 말을 쓰시오.

(1) 요나스는 책임의 범위를 ☐☐☐(으)로 한정하는 기존의 전통적 윤리관으로는 과학 기술 시대에 발생하는 문제를 해결하는 데 한계가 있다고 본다.

(2) 요나스는 사후적 책임뿐만 아니라 ☐☐☐ 책임도 중시해야 한다고 본다.

(3) 요나스는 자연환경과 ☐☐ ☐☐이/가 존속할 수 있는 범위 내에서 과학 기술의 발전을 추구할 것을 강조한다.

2 다음 설명에 해당하는 과학 기술의 발전에서 윤리적 책임이 커지는 이유에 ✔표 하시오.

(1) 개발 및 사용의 목적은 선하더라도 사회에 어떤 영향을 미칠지는 예측하기 어렵다.
☐ 결과의 모호성　　　☐ 시공간적 광역성

(2) 과학 기술의 적용이 사회적 차원에서 이루어지고 미래 세대에까지 영향을 미친다.
☐ 적용의 강제성　　　☐ 시공간적 광역성

3 ☐ 안에 들어갈 알맞은 말을 쓰시오.

> 미래에 있을 수 있는 심상치 않은 상황의 변화, 전 지구적 차원의 위험, 인류 몰락의 징조 등을 통해 비로소 윤리적 원리들이 발견될 수 있다. 이것을 '공포의 발견술'이라고 부른다. 인간 행위의 새로운 유형에 적합하고 새로운 유형의 행위 주체를 지향하는 명법은 다음과 같다. …… 현대 문명이 초래한 위기를 책임질 수 있는 유일한 존재는 인간이며, 인간은 책임질 수 있는 능력을 지녔다는 것 자체만으로 책임을 갖는다. 이에 책임지는 행동을 통해 '윤리적 공백'을 극복해야 한다.

▲ 요나스

요나스의 글을 제시하고, 요나스의 입장에서 과학 기술 발달에 따른 문제점에 대해 어떻게 답변할지 묻는 문제가 자주 출제되고 있어.

　요나스는 인간만이 책임질 수 있는 존재라고 보고, 기술 발달에 따른 '윤리적 공백'을 극복해야 한다고 주장하였다. 또한 요나스는 사유된 위험을 바탕으로 자연과 미래 세대에 대한 ☐☐을/를 강조한다.

답 1. (1) 현세대 (2) 사전적 (3) 미래 세대　2. (1) 결과의 모호성 (2) 시공간적 광역성　3. 책임

2일 과학 기술과 윤리 ②

📖 키워드 #24 　과학 기술에 대한 책임

내가 개발한 무기인데, 나에게 책임이 없을까…….

1 과학 기술자의 내적 책임과 외적 책임

내적 책임 ❶	• ☐☐ 자체에 대한 과학 기술자의 책임 • 연구 윤리 준수, 연구의 참과 거짓 규명, 신뢰할 수 있는 검증 과정, 발견한 진리의 공표 및 검토 등
외적 책임 ❷	• 연구 결과가 사회에 미칠 ☐☐에 대한 과학 기술자의 책임 • 사회적 책임 의식을 지니고 연구 활동의 결과와 목적을 성찰해야 함. • 사회적 책임 의식: 인간의 존엄성 구현, 삶의 질 향상, 미래 세대의 존속 및 인간 생존 등

2 과학 기술의 바람직한 활용을 위한 노력

사회 제도적 차원의 노력	• 과학 기술의 연구 개발 과정과 결과를 평가·감시·통제할 수 있는 기관 또는 국가의 각종 윤리 위원회 활동 강화 • 기술 영향 평가 제도 ❸ 시행
시민의 노력	과학 기술의 연구·개발에 관련된 사회적 토론과 합의 과정에 적극적·민주적으로 참여 ➡ 과학 기술이 인권·생명을 존중하고 환경친화적으로 발전하도록 노력

❶ 내적 책임
연구 과정 자체에 한정된 책임, 과학 기술의 가치 중립성을 강조하는 입장에서는 과학 기술자의 내적 책임만 인정한다.

❷ 외적 책임
연구 결과의 사회적 활용에 대한 책임, 과학 기술의 가치 중립성을 부정하는 입장에서는 과학 기술자의 외적 책임까지 인정한다.

❸ 기술 영향 평가 제도
과학 기술이 사회 전반에 미치는 영향을 파악해 과학 기술의 바람직한 발전 방향을 모색하고 그 부정적 영향을 최소화하려는 제도

🔑 연구, 영향

1 괄호 안의 내용 중 옳은 것에 ○표 하시오.

(1) 과학 기술자의 연구 자체에 대한 책임은 (내적 책임, 외적 책임)이다.

(2) 과학 기술자는 (개인적, 사회적) 책임 의식을 지니고 연구 결과의 사회적 활용에 대한 책임을 져야 한다.

(3) 과학 기술의 가치 중립성을 (강조, 부정)하는 사람들은 과학 기술자의 내적 책임뿐만 아니라 외적 책임까지 인정한다.

2 □ 안에 들어갈 말을 쓰시오.

(1) 과학 기술자가 연구 윤리를 준수하고, 연구의 참과 거짓을 규명하여 발견한 진리를 공표하고 검토하는 등의 활동은 과학 기술에 대해 □□ 책임을 지는 모습이다.

(2) 과학 기술자의 개별적 책임으로는 과학 기술의 윤리적인 문제를 해결할 수 없기 때문에 과학 기술에 대한 윤리적 책임은 개인적 차원뿐만 아니라 □□□ 차원의 접근이 필요하다.

3 □ 안에 들어갈 알맞은 말을 쓰시오.

> 과학자의 사회적 책임을 강조하는 입장과 과학자의 내적 책임만을 강조하는 입장의 글을 제시하고, 각 입장에 해당하는 내용을 찾는 문제가 자주 출제되고 있어.

과학 기술자의 사회적 책임

우리는 발명 이후에 일어나는 모든 결과를 내다볼 수는 없다. 농작물을 보호하기 위해 살충제를 발명한 화학자가 곤충 세계의 변화로 말미암아 그 영역에서 어떠한 결과가 일어나는지 그 경작지의 소유주나 관리인처럼 내다볼 수는 없다. 따라서 개인은 어떤 집단의 이익을 위하여 더 큰 공동체를 위험에 빠뜨리지 않아야 한다는 요구를 내세울 수 있다. 근본적으로 기술적·과학적 진보가 이룩하는 커다란 연관성에 대한 세심하고 양심적인 배려만이 과학 기술자에게 요구될 뿐이다. 이 연관성은 자신의 이익과는 무관하게 고려해야 할 사항이다.

윗글은 하이젠베르크의 주장이다. 하이젠베르크는 과학 기술자가 자신의 연구 결과를 모두 □□할 수 없기 때문에 과학 기술을 연구할 때 사회 전체와의 연관성을 고려해야 할 의무가 있다고 본다.

답 1. (1) 내적 책임 (2) 사회적 (3) 부정　2. (1) 내적 (2) 사회적　3. 예측

2일 과학 기술과 윤리 ❷

| 모평 기출 응용 |

1 (가)를 주장한 사상가의 입장에서 (나)의 물음에 대해 제시할 답변으로 가장 적절한 것은?

(가)	미래에 있을 수 있는 심상치 않은 상황의 변화, 전 지구적 차원의 위험, 인류 몰락의 징조 등을 통해 비로소 윤리적 원리들이 발견될 수 있다. 이를 '공포의 발견술'이라고 부른다.
(나)	현대 사회에서 윤리적 책임과 관련하여 과학 기술자가 지녀야 할 바람직한 태도는 무엇인가?

① 현재가 아니라 미래의 위험만을 고려해야 한다.
② 생태계 전체를 예방적 책임 대상에 포함시켜야 한다.
③ 연구의 위험이 확실할 때에만 예방 조치를 해야 한다.
④ 세대 간 호혜성의 원칙에 따라 미래 세대를 책임져야 한다.
⑤ 사회에 대한 책임보다 과학적 연구 성과를 더 중시해야 한다.

| 학평 기출 응용 |

2 다음 사상가의 입장에서 〈문제 상황〉 속 A 학생에게 제시할 조언으로 가장 적절한 것은?

새로운 유형의 행위 주체를 지향하는 명법은 다음과 같다. "너의 행위의 효과가 지상에서의 진정한 인간적 삶의 지속과 조화될 수 있도록 행위하라." 부정적 형태로 표현하면 다음과 같다. "너의 행위의 효과가 인간 생명의 미래의 가능성에 대해 파괴적이지 않도록 행위하라."

〈문제 상황〉
A 학생은 환경 문제 해결에 대한 수업 발표를 맡았다. A 학생은 어떤 입장을 취해야 할지 고민이다.

① 환경 문제 해결보다 경제적 성장을 강조하세요.
② 미래 세대는 환경 문제와 무관함을 강조하세요.
③ 과학 기술로 환경 문제를 해결할 것을 강조하세요.
④ 환경에 대한 책임보다 과학 기술의 발전을 강조하세요.
⑤ 환경과 미래 세대에 미칠 영향을 고려한 책임을 강조하세요.

| 학평 기출 |

3 다음을 주장한 사상가가 강조하는 내용만을 〈보기〉에서 있는 대로 고른 것은?

현대 기술은 상당히 오랫동안 전 지구와 미래 세대에게까지 영향력을 미칠 수 있는 위협적인 요소를 가지고 있다. 그렇기 때문에 오늘날에는 행위의 의도와 목적을 기준으로 선악을 판단하던 전통 윤리학과 전혀 다른 새로운 책임 윤리가 요구된다. 또한 현대 사회에서는 기술 지배에서 벗어나기 위해 현대 기술에 대한 윤리적 성찰이 요청된다.

보기
ㄱ. 현대 기술에 대한 가치 판단과 반성이 필요하다.
ㄴ. 현대 기술은 미래 세대의 생존권을 침해할 수 있다.
ㄷ. 현재 자연에 미치는 영향만이 책임의 대상이 된다.
ㄹ. 현대 기술의 영향을 받는 시공간적 범위가 확대되고 있다.

① ㄱ, ㄴ ② ㄱ, ㄷ ③ ㄷ, ㄹ
④ ㄱ, ㄴ, ㄹ ⑤ ㄴ, ㄷ, ㄹ

| 수능 기출 응용 |

4 다음 서양 사상가의 입장으로 적절하지 않은 것은?

우리에게는 악의 인식이 선의 인식보다 무한히 쉽다. 우리가 실제로 무엇을 보호해야 하는가를 알아내기 위해 새로운 윤리학은 공포를 논의 대상으로 삼아야 한다. 인간 행위의 새로운 유형에 적합하고 새로운 유형의 행위 주체를 지향하는 명법은 다음과 같다. "너의 행위의 효과가 지상에서의 진정한 인간적 삶의 지속과 조화될 수 있도록 행위하라."

① 자연이 수용할 수 있는 한에서 과학 기술의 발전을 추구해야 한다.
② 과학 기술의 긍정적인 영향보다 부정적인 영향에 주목해야 한다.
③ 새로운 윤리학은 최고 악에 대한 공포에서 출발할 필요가 있다.
④ 새로운 윤리학은 "A이면 B하라."라는 형식의 명법만을 지향한다.
⑤ 사후적 책임과 사전적 책임을 모두 중시해야 한다.

| 모평 기출 응용 |

5 다음 입장에서 부정의 대답을 할 질문으로 적절한 것을 〈보기〉에서 고른 것은?

> 우리는 과학 기술을 이용해 많은 것을 할 수 있고, 많은 것을 만들 수 있다. 하지만 과학자는 기술 연구 과정에서 내적 책임을 다할 뿐 그 기술을 어떻게 사용해야 할 것인가에 대한 지시는 전혀 하지 않는다. 과학 기술은 사용하는 사람이 어떻게 사용하느냐에 따라 천국의 문도, 지옥의 문도 될 수 있다.

— 보기 —
ㄱ. 과학 기술의 활용은 과학자의 의도와 무관한가?
ㄴ. 과학자의 책임은 연구 과정 내에서만 물을 수 있는가?
ㄷ. 과학자의 연구 결과는 인간의 존엄성을 구현해야 하는가?
ㄹ. 과학자는 연구의 사회적 영향력에 대해 숙고해야 하는가?

① ㄱ, ㄴ   ② ㄱ, ㄷ   ③ ㄴ, ㄷ
④ ㄴ, ㄹ   ⑤ ㄷ, ㄹ

| 학평 기출 응용 |

6 ㉠에 들어갈 내용으로 가장 적절한 것은?

> 갑: 과학자는 자신의 연구 결과가 미칠 영향을 일반인들보다 잘 예측할 수 있습니다. 그러므로 과학자는 연구 결과에 대한 사회적 책임을 져야 합니다.
> 을: 아닙니다. 과학자는 자연을 탐구하여 과학적 진리를 발견하려 할 뿐이며, 그것이 사회에 어떤 영향을 미칠지에 대해서 생각할 필요가 없습니다. 따라서 과학자의 연구가 부정적인 결과를 낳았다 하더라도, 과학자가 책임질 이유는 없습니다.
> 갑: 그렇다면 당신은 [㉠] (라)는 점을 간과하고 있군요.

① 과학 기술은 윤리적 평가의 대상이 아니다
② 과학자의 활동은 사회와 독립해 이루어질 수 없다
③ 과학자의 책임 범위는 실험실로 한정되어야 한다
④ 과학 기술의 활용 여부는 과학자와 무관한 일이다
⑤ 과학 기술의 발견 및 활용의 단계에서 가치가 개입되어서는 안 된다

| 모평 기출 응용 |

7 다음 글의 입장에서 긍정의 대답을 할 질문을 〈보기〉에서 있는 대로 고른 것은?

> 과학자는 연구와 실험의 결과가 인류의 운명에 긍정적 영향을 미칠지, 부정적 영향을 미칠지를 객관적으로 예측할 수 없다. 과학적 발견을 어떻게 활용할지 여부를 결정하는 것은 과학자의 몫이 아니다. 그것은 가치 판단의 문제로 과학의 영역이 아니다.

— 보기 —
ㄱ. 과학자는 연구 결과의 활용에 책임져야 하는가?
ㄴ. 과학자는 연구의 외적 책임으로부터 자유로워야 하는가?
ㄷ. 과학자는 이론의 타당성을 객관적으로 검증해야 하는가?
ㄹ. 과학자는 연구 주제의 사회적 파급 효과를 고려해야 하는가?

① ㄱ, ㄷ   ② ㄱ, ㄷ   ③ ㄴ, ㄷ
④ ㄴ, ㄹ   ⑤ ㄷ, ㄹ

| 학평 기출 |

8 갑, 을 모두가 긍정의 대답을 할 질문으로 옳은 것은?

> 갑: 과학자의 책무는 자연에 대한 객관적 지식을 발견하는 것뿐이다. 과학 지식의 활용 결과에 대한 책임은 그 지식을 사용하는 주체가 져야 한다.
> 을: 과학자의 책무는 객관적 지식의 발견에 그쳐서는 안 된다. 과학자는 전문가로서 그 지식이 바람직하게 활용되도록 일정한 책임을 져야 한다.

① 과학자는 내적 책임과 외적 책임 모두를 수행해야 하는가?
② 과학자는 연구 결과의 진위 판별에만 관심을 가져야 하는가?
③ 과학자는 연구 결과의 사회적 영향에 대해 예측해야 하는가?
④ 과학자는 연구 과정에서 윤리적 원칙을 충실히 지켜야 하는가?
⑤ 과학자는 주관적 가치를 가설 검증 과정에 개입시켜야 하는가?

3 ^일 정보 사회와 윤리 ❶

📖 키워드 #25 정보 사회의 장단점과 저작권 문제

1 정보 사회의 장단점

장점	시공간적 제약 극복, 삶의 편리성 증대, 수평적·다원적 사회 변화
단점	감시와 통제 가능성 증가, 기술 의존성 증가, 다양한 윤리적 문제 발생

2 저작권 문제❶

정보 사유론 (copyright)	• 지적 창작물에 대한 창작자의 재산권 및 인격권을 ☐☐해야 한다는 입장 → 창작 의욕 상승, 더 나은 정보와 지적 산물 생산 • 정보 생산에 필요한 시간과 노력에 대한 대가를 지불해야 한다고 주장 • 비판: 정보의 자유로운 교류를 방해할 수 있음.
정보 공유론 (copyleft) ❷	• 지적 창작물은 공공재이며, 사회적 산물인 정보에 대한 권리를 ☐☐해야 한다는 입장 • 특정 개인이나 집단이 정보를 독점하면 정보 발전이 어렵다고 주장 • 비판: 창작자의 노력을 충분히 고려하지 못함, 창작물의 질적 수준이 저하될 수 있음.

❶ **정보 사유론·정보 공유론의 공통점**
정보 사유론과 정보 공유론 모두 새로운 정보 창출과 저작물의 발전을 중시한다.

❷ **카피레프트(copyleft)**
저작자의 독점적 권리를 의미하는 저작권(copyright)에 반대되는 개념으로 만들어진 용어

🔒 보호, 공유

1 다음 설명에 해당하는 저작권 문제에 대한 관점에 모두 ✔표 하시오.

(1) 지적 창작물은 공유재이다.

☐ 정보 사유론　　　　☐ 정보 공유론

(2) 정보는 인류 발전에 기여하는 자산이다.

☐ 정보 사유론　　　　☐ 정보 공유론

(3) 정보 생산에 들인 노력에 대한 대가를 지불해야 한다.

☐ 정보 사유론　　　　☐ 정보 공유론

3
주

3일

2 다음 내용이 정보 사유론과 관련 있는 설명이면 '사', 정보 공유론과 관련 있는 설명이면 '공'이라고 쓰시오.

(1) 지적 산물에 대한 창작자의 재산권과 인격권을 보호해야 한다. (　　　)

(2) 정보는 나누면 나눌수록 그 가치가 커지므로 모든 정보는 무료로 사용되어야 한다. (　　　)

(3) 정보에 대한 배타적 독점권의 보장을 주장해 정보의 자유로운 교류를 방해한다는 비판을 받는다. (　　　)

3 ☐ 안에 들어갈 알맞은 말을 쓰시오.

촛불을 여러 사람에게 붙여 세상이 밝아지는 것은 처음 불씨를 일으킨 사람이 있기 때문이야. 따라서 그의 노력에 정당한 대가를 지불해야 그 불빛이 더욱 의미가 있어. 이처럼 정보는 소유권을 인정해야 할 개인의 재산이야.

내 촛불을 여러 사람에게 붙여 주더라도 나에게는 아무런 손해가 없으면서 세상은 더욱 밝아질 거야. 정보도 이와 같아서 어느 한 사람만의 것이 아니라 모두가 나누어야 할 공공의 소중한 자산이야.

정보 사유론과 정보 공유론을 제시하고, 두 입장의 차이를 묻는 문제가 자주 출제되고 있어.

갑

을

갑은 저작권 (1) ☐☐을/를 강조하는 입장, 을은 정보 (2) ☐☐을/를 강조하는 입장이다. 저작권 보호 입장과 정보 공유 입장은 모두 새로운 정보 창출이나 저작물의 발전을 중시한다.

📖 **답** 1. (1) 정보 공유론 (2) 정보 사유론, 정보 공유론 (3) 정보 사유론　2. (1) 사 (2) 공 (3) 사　3. (1) 보호 (2) 공유

정보 사회와 윤리 ❶

📖**키워드#26** 사생활 침해·표현의 자유·사이버 폭력

1 사생활 침해

정보 자기 결정권	개인이 자기 정보의 유통 과정 전체를 결정하고 통제하는 권한
잊힐 권리	온라인상의 자신과 관련된 정보들이 공개되지 않도록 통제할 수 있어야 한다는 권리, ☐☐☐와 충돌하는 경우가 많음.
알 권리	국민이 사회적 현실에 관한 정보를 자유롭게 알 수 있는 권리

└── 알 권리는 공익 추구의 목적으로 바르게 행사되어야 함.

2 표현의 자유 ❶

긍정적 측면	자유로운 의사 표현 ➡ 활발한 사회 참여와 연대
부정적 측면	무책임한 정보 양산 및 불건전 정보 유통 ➡ 인권 침해, 사회 질서 훼손

3 사이버 폭력

특징	☐☐☐의 제약이 없고, 피해가 광범위하고 빠르게 확산됨.
사례	악성 댓글, 허위 사실 유포, 사이버 스토킹, 사이버 따돌림(불링) 등

❶ **표현의 자유 허용 범위**
다른 사람의 인권을 침해하지 않는 범위 내에서 허용해야 한다는 입장, 사회 질서를 훼손하지 않는 범위 내에서 표현의 자유를 허용해야 한다는 입장 등의 다양한 입장이 있다.

🔒 알 권리, 시공간

1 ☐ 안에 들어갈 알맞은 말을 쓰시오.

(1) 온라인상에서 자신과 관련된 정보들이 공개되지 않도록 통제할 수 있어야 한 다는 권리는 ☐☐ ☐☐(이)다.

(2) 잊힐 권리에 대한 알 권리의 우선 보장이 정당성을 가지려면 ☐☐ 목적의 개인 정보 공개여야 한다.

2 ☐ 안에 들어갈 알맞은 말을 쓰시오.

> 장 발장은 전과자 신분을 숨기고 시장이 되었어. 하지만 정보 사회에서는 사람들이 잊거나 지우고 싶은 정보가 인터넷에 남아 있어서 타인이 볼 수 있지. 따라서 자신이 원하지 않는 정보를 삭제할 수 있는 '잊힐 권리'를 보장해야 해.

> 장 발장이 아무리 시민을 위해 봉사했다 하더라도 그를 시장으로 뽑을 때 사람들이 그의 과거를 알아야만 했다고 봐. 정보 사회에서는 누구나 그러한 정보에 접근할 수 있어야 하지. 사람들이 알아야 할 정보라면 삭제를 금지해야 해.

갑

을

잊힐 권리와 알 권리의 입장을 제시하고, 하나의 입장에서 다른 입장에게 제기할 수 있는 반론을 묻는 문제가 자주 출제되고 있어.

갑은 (1) ☐☐ 권리 보장을 강조하는 입장, 병은 국민의 (2) ☐ 권리를 강조하는 입장이다. 잊힐 권리와 알 권리가 충돌하는 경우에는 사생활 침해 여부, 공익 증진 여부 등을 면밀히 검토하여 사회적 논의를 통해 해결해 나가야 한다.

3 ☐ 안에 공통으로 들어갈 알맞은 말을 쓰시오.

표현의 자유와 관련해 디지털 익명성에 관한 입장을 제시하고, 각 입장의 차이를 묻는 문제가 자주 출제되고 있어.

표현의 자유에 대한 입장

갑: 디지털 익명성은 사람들이 자유롭게 자신의 삶을 계획하고 실현하는 데 매우 중요하기 때문에 일종의 선이라 할 수 있어. 사이버 공간에서 표현의 자유가 정당하게 행사되려면 익명성이 보장되어야 해.

을: 디지털 익명성은 사회에 해악을 끼치기 때문에 일종의 악이라 할 수 있어. 사이버 공간에서 익명의 표현은 범죄에 이용되거나 사회적 신뢰와 질서를 해치는 무책임한 행동을 일으키므로 금지되어야 해.

갑은 ☐☐의 자유를 지키기 위해 디지털 익명성이 필요하다고 보는 반면, 을은 ☐☐의 자유의 한계를 넘어서는 행동을 불러오므로 금지되어야 한다고 본다.

답 1. (1) 잊힐 권리 (2) 공익   2. (1) 잊힐 (2) 알   3. 표현

3^일 정보 사회와 윤리 ❶

| 모평 기출 응용 |

1 갑, 을의 입장에 대한 설명으로 가장 적절한 것은?

> 갑: 정보는 상당한 시간과 비용을 들여 만들어지므로 생산자의 지적 재산권을 전적으로 보장해야 합니다.
> 을: 정보는 사회 구성원들의 경험이 담긴 공동의 자산이며 그 가치는 나눌수록 커집니다. 누구나 정보를 자유롭게 사용함으로써 정보 활용이 활발해질 것입니다.

① 갑은 정보 복제에 제약이 없어야 양질의 정보가 생산된다고 본다.
② 을은 정보를 공유하는 것이 사회적 불평등을 심화시킨다고 본다.
③ 갑은 을과 달리 창작자의 배타적 소유권을 보장해야 한다고 본다.
④ 을은 갑과 달리 정보의 공공재적 성격을 약화시켜야 한다고 본다.
⑤ 갑, 을은 공익 증진을 위해 지적 재산을 공유해야 한다고 본다.

| 학평 기출 |

2 갑은 긍정, 을은 부정의 대답을 할 질문으로 옳은 것은?

> 갑: 정보는 인류의 집단적 경험이 담겨 있는 공동의 자산이다. 정보를 특정 개인의 소유로 인정한다면 공동의 자산이 상품화되고 다수가 소수에 종속될 수 있다.
> 을: 정보는 시간과 비용을 들여 만들어진 것이므로 생산자의 소유권을 인정해야 한다. 어떤 아이디어를 발견하거나 이를 구현하는 사람들은 그것에 대한 소유권을 가져야 한다.

① 정보의 공공재적 성격을 중시해야 하는가?
② 정보를 공유하면 정보의 가치가 하락하는가?
③ 정보 확산을 위해 저작권을 보장해야 하는가?
④ 정보 개발자에게 합당한 보상을 해야 하는가?
⑤ 정보 창작물을 개인의 재산으로 보호해야 하는가?

| 수능 기출 응용 |

3 다음은 갑, 을 입장을 비교하여 서술한 글이다. ㉠~㉤ 중 옳지 <u>않은</u> 것은?

> 갑: 저작물에 대한 복제를 금하고 저작자에게 정당한 대가를 지불해야 한다. 그렇지 않으면 창작 동기가 약화될 것이다.
> 을: 저작물은 인류 공동의 자산이다. 저작물을 자유롭게 이용함으로써 창작 활동이 더 활발해질 것이다.

갑은 ㉠ 정보와 그 창조물이 사유 재산이라 인식하며, ㉡ 지적 재산권을 침해될 수 없는 개인의 기본적 권리라고 주장한다. 을은 ㉢ 지적 재산권 보장을 통해 개인의 정보 생산 활동을 지원해야 하며, ㉣ 정보의 진화를 위해 소유권을 공공으로 확대해야 한다고 주장한다. 한편 갑, 을은 ㉤ 사회 발전을 위해서 질 좋은 정보를 생산해야 함을 주장한다.

① ㉠　② ㉡　③ ㉢　④ ㉣　⑤ ㉤

| 학평 기출 응용 |

4 (가)의 주장을 (나) 그림으로 나타낼 때, ㉠에 대한 반론의 근거로 가장 적절한 것은?

(가)	정보는 시간과 역사를 함께 해 온 인류 공동의 소유물이므로 배타적 소유권을 주장해서는 안 된다. 모든 정보는 공유되어야 한다.

(나)	대전제	인류 공동의 지적 산물은 독점되어서는 안 된다.	+	소전제	㉠

결론	모든 정보는 공유되어야 한다.

① 정보는 창작자 개인의 노력으로 얻은 사유재이다.
② 정보의 자유로운 복제가 정보 재생산을 일으킨다.
③ 정보의 무제한 공유가 사회 발전의 밑거름이 된다.
④ 정보 소유권 인정이 정보의 공공 가치를 훼손한다.
⑤ 소수의 정보 독점은 정보 격차 문제를 심화시킨다.

| 모평 기출 응용 |

5 (나)의 입장에서 (가)의 입장에 대해서 제기할 반론으로 적절한 것을 〈보기〉에서 고른 것은?

(가)	국민의 알 권리는 공익 실현에 필수적이다. 알 권리 보장을 위해 개인의 자유 침해는 감수해야 한다.
(나)	알 권리도 중요하지만, 개인의 인격권도 보장되어야 한다. 공익 실현이라는 이유로 모든 개인의 자유 침해를 정당화할 수는 없다.

┌─ 보기 ─────────────────────┐
ㄱ. 개인에 대한 인격권 침해가 부당함을 간과한다.
ㄴ. 국민의 알 권리 보장이 가장 중요함을 간과한다.
ㄷ. 공익을 위한 개인의 희생은 불가피함을 간과한다.
ㄹ. 알 권리 실현이 인격권 침해를 정당화할 수 없음을 간과한다.
└────────────────────────────┘

① ㄱ, ㄴ ② ㄱ, ㄹ ③ ㄴ, ㄷ
④ ㄴ, ㄹ ⑤ ㄷ, ㄹ

| 학평 기출 응용 |

6 다음 토론의 핵심 쟁점으로 가장 적절한 것은?

> 갑: 모든 국민의 사생활은 반드시 보호되어야 합니다. 사생활 침해는 개인의 기본권인 자유권을 훼손하여 개인에게 심각한 피해를 초래합니다.
> 을: 국민의 사생활 보호는 필요하지만, 모든 사생활이 보호되어야 하는 것은 아닙니다. 국민은 사생활 보호권과 함께 알 권리도 갖고 있기 때문입니다.
> 갑: 국민의 알 권리 보장을 위해서라 하더라도 개인의 사생활 침해가 정당화될 수는 없습니다. 개인의 자유권이 알 권리보다 우선됩니다.
> 을: 개인의 자유권이 알 권리보다 앞선다는 것을 부정하는 것은 아닙니다. 그러나 알 권리 보장을 위해 사생활 침해가 불가피한 경우도 있습니다.

① 모든 국민의 사생활은 보호될 필요가 있는가?
② 국민에게는 정치, 사회에 대해 알 권리가 있는가?
③ 개인의 자유권 보장이 알 권리보다 우선하는가?
④ 알 권리를 위해 개인의 사생활은 침해될 수 있는가?
⑤ 사생활 침해는 개인에게 심각한 피해를 입히는가?

| 모평 기출 응용 |

7 다음 토론의 핵심 쟁점으로 가장 적절한 것은?

> 갑: 사이버 공간에서는 서로를 식별하기 어렵기 때문에 현실에서 표현하지 못하는 솔직한 감정이나 다양한 의견을 자유롭게 교환할 수 있습니다.
> 을: 그렇습니다. 하지만 사이버 공간의 익명성을 악용한 악성 댓글의 피해가 심각합니다. 악성 댓글을 제재할 수 있는 법과 제도가 필요합니다.
> 갑: 아닙니다. 악성 댓글 문제는 도덕규범의 자율적 내면화와 실천을 통해 해결해야 합니다.
> 을: 제도적 조치를 반드시 병행해야 합니다. 불편을 감수하더라도 개인의 명예를 보호해야 합니다.

① 사이버 공간은 신분 확인 정보가 제한적인가?
② 사이버 공간도 현실의 도덕규범이 적용되는가?
③ 악성 댓글 문제를 해결하기 위해 자율적 책임감과 실천이 필요한가?
④ 사이버 공간에서 익명성 악용은 악성 댓글의 원인으로 작용하는가?
⑤ 사이버 공간의 악성 댓글 문제 해결을 위해 제도적 규제가 필요한가?

| 수능 기출 응용 |

8 갑이 을에게 제기할 반론으로 가장 적절한 것은?

> 갑: 사이버 공간에서 표현의 자유가 정당하게 행사되려면 익명성이 보장되어야 해.
> 을: 사이버 공간에서의 익명의 표현은 범죄에 이용되거나 사회적 신뢰와 질서를 해치는 무책임한 행동을 일으키므로 금지되어야 해.

① 익명성은 가치 중립적 성격을 지님을 간과하고 있다.
② 디지털 익명성이 사이버 폭력 증가의 원인임을 간과하고 있다.
③ 사이버 공간의 실명 공개가 표현의 책임성을 강화함을 간과하고 있다.
④ 사이버 공간의 익명성 규제가 인간의 기본권을 훼손함을 간과하고 있다.
⑤ 사이버 공간의 익명성 보장이 사회 구성원들 간의 불신을 조장함을 간과하고 있다.

3
주

3일

📖 **키워드 #27** 현대인에게 요구되는 매체 윤리

나에게 필요한 올바른 정보를 잘 골라내겠어!

1 뉴 미디어 시대의 매체 ❶

특징	쌍방향적인 의사소통, 광범위한 사회적 연결망, 정보의 신속한 수집·전달, 누구나 정보의 생산·유통·소비 가능
문제점	객관성과 신뢰성 부족 ➡ 허위 정보나 음란 정보 및 각종 유해 정보 전달 ➡ 사회적 책임이 필요함.

└─ 객관성을 점검할 감시 장치가 기존 매체에 비해 부족하기 때문

2 매체 윤리

정보의 생산과 유통	• 정보의 자의적 해석과 왜곡 금지, 의사 표명 시 객관성과 공정성 유지 • 알 권리 충족 과정에서 특정 개인의 ☐☐☐을 침해하지 않도록 유의 • 가상 공간에서 간접적으로 만나는 상대를 배려하는 자세 필요 • 표현의 자유의 한계를 인식함. • 표절을 하지 말아야 함.
정보의 소비	• 뉴 미디어 매체를 이해하고 ☐☐하는 미디어 리터러시 ❷를 갖추어야 함. • 정보를 바탕으로 교류함으로써 공동으로 체험하고 협력할 수 있는 능력과 자세 필요 • 매체가 제공하는 정보의 진위와 진실성을 판단하여 비판적·능동적으로 수용

❶ 매체
다양한 정보를 신속하고 정확하게 전달하기 위한 매개체로, 인쇄 매체, 방송 매체, 디지털 매체에 이르기까지 여러 매체가 개발·이용되고 있다.

❷ 미디어 리터러시
정보 사회에서 매체를 사용하고 이해하는 데 필요한 기본적인 읽기, 쓰기 능력으로, 포괄적으로는 다양한 형태의 커뮤니케이션에 접근하고 분석하고 평가하고 발신하는 능력을 의미한다.

🔑 인격권, 활용

1 ☐안에 들어갈 알맞은 말을 쓰시오.

(1) 뉴 미디어 시대의 매체는 기존 매체들에 비해 ☐☐☐와/과 신뢰성이 부족하다.

(2) 정보를 생산하고 유통할 때는 정보의 ☐☐☐ 해석과 정보의 왜곡을 금지해야 한다.

(3) 정보를 소비할 때는 매체를 사용하고 이해하는 데 필요한 기본적인 읽기, 쓰기 능력인 ☐☐☐ ☐☐☐☐을/를 갖추어야 한다.

2 정보 생산과 유통 과정에서 필요한 윤리에 해당하는 것을 〈보기〉에서 모두 골라 쓰시오.

> ── 보기 ──
> ㉠ 정보의 진위와 진실성을 판단하여 수용한다.
> ㉡ 의견을 표명할 때 객관성과 공정성을 유지한다.
> ㉢ 알 권리 충족 과정에서 특정 개인의 인격권을 침해하지 않는다.
> ㉣ 정보를 바탕으로 대화하고 교류하며 협력할 수 있는 능력을 갖춘다.

3 ☐안에 들어갈 알맞은 말을 쓰시오.

> ### 정보 리터러시
>
> 갑: '정보 리터러시'는 정보 접근 능력과 정보 수용 능력을 가리킨다. 정보 격차는 주로 그러한 능력들의 차이로 인해 발생하므로, 이를 해결하기 위해 정보 약자에게 정보 접근 및 수용 능력을 제공하는 정보 복지가 보장되어야 한다.
>
> 을: '정보 리터러시'는 정보 매체의 쌍방향성이 강화됨에 따라 접근 및 수용 능력 이외에 정보 생산 능력까지도 포함해야 한다. 정보 격차는 주로 정보 생산 능력의 차이에 기인하므로 정보 생산 능력을 제공하는 정보 복지가 제공되어야 한다.

정보 리터러시는 매체가 제공하는 정보와 관련하여 가상 공간에서 각종 정보를 제대로 이해하고 적절히 표현하며 이용할 수 있는 능력이다. 갑은 정보 리터러시를 정보 접근 능력과 수용 능력으로 한정 짓는 반면, 을은 정보 리터러시에 정보 ☐☐ 능력까지 포함해야 한다고 주장한다.

정보 리터러시와 관련된 두 가지 입장을 제시하고, 두 입장에 대한 옳은 설명을 묻는 문제가 자주 출제되고 있어.

📄 1. (1) 객관성 (2) 자의적 (3) 미디어 리터러시 2. ㉡, ㉢ 3. 생산

정보 사회와 윤리 ② ~ 자연과 윤리 ①

📖 **키워드 #28** 인간 중심주의와 동물 중심주의

자연을 내 마음대로 다룰 거야.

인간 중심주의

동물 중심주의

1 인간 중심주의❶

베이컨	'지식은 곧 힘'이라고 하며 자연 과학적 지식을 활용하여 자연을 정복하고 인간의 물질적 혜택과 복지를 증진해야 한다고 주장함.
데카르트	정신을 지닌 존엄한 인간이 의식이 없는 ☐☐을 이용·정복하는 것은 정당하다고 주장함, 자연을 단순한 물질인 기계로 여김.
칸트	자연에 대한 간접적 의무(인간의 자연 보호)가 있지만 인간 상호 간의 의무만이 인간에 대한 직접적 의무(인간 상호 간의 존중)에 해당함.

2 동물 중심주의❷

싱어 (동물 해방론)	• 동물도 인간처럼 쾌고 감수 능력이 있으므로, 동물을 ☐☐에서 해방할 것을 주장. • 이익 평등 고려의 원칙: 동물의 이익과 인간의 이익을 평등하게 고려해야 함.
레건 (동물 권리론)	• 동물은 자기의 삶을 영위하는 삶의 주체임. • 동물을 수단으로 취급하는 행위가 비윤리적인 이유는 동물이 지닌 가치와 권리를 부정하기 때문(의무론)

┗ 믿음, 욕구, 지각, 기억, 미래 의식, 쾌고 감수
능력을 가진 한 살 정도의 포유류

❶ **인간 중심주의**
인간만이 도덕적 권리를 지니고, 자연은 인간의 이익과 욕구 충족을 위한 수단이라고 보는 관점

❷ **동물 중심주의**
동물과 인간을 동등하게 도덕적으로 고려하고, 인간이 동물을 도덕적으로 배려해야 할 직접적 의무가 있다고 보는 관점

📖 자연, 고통

1 다음 설명에 해당하는 사상가의 관점에 ✔표 하시오.

(1) 자연 과학적 지식을 활용하여 자연을 정복해야 한다.

    □ 레건   □ 싱어   □ 베이컨

(2) 고통을 느끼는 동물과 인간의 이익을 평등하게 고려해야 한다.

    □ 싱어   □ 칸트   □ 베이컨

(3) 자기 삶을 영위하는 삶의 주체가 되는 동물은 그 자체로 본래적 가치를 지닌 목적적 존재이다.

    □ 레건   □ 칸트   □ 베이컨

2 □ 안에 들어갈 알맞은 말을 쓰시오.

🐻 인간 중심주의 또는 동물 중심주의 사상가의 입장을 제시하고, 사상가들이 모두 긍정 또는 부정의 대답을 할 질문을 묻는 문제가 자주 출제되고 있어.

이성이 없지만 생명이 있는 동물들을 잔학하게 다루는 것과 자연 중에 생명이 없지만 아름다운 것을 파괴하려는 성향은 인간의 자기 자신에 대한 의무에 어긋나고, 도덕성에 매우 이로운 자연적 소질을 약화시킨다. 우리는 인간 외에는 의무를 질 능력이 있는 다른 존재를 알지 못한다. 인간은 다른 존재와 관련한 자기의 의무를 이들 존재에 대한 의무로 혼동해서는 안 된다.

▲ 칸트

쾌고 감수 능력은 어떤 존재의 이익에 관심을 가질지 여부를 판가름하는 유일한 경계가 된다. 다른 특징으로 경계를 나누는 것은 임의적이라 할 수 있다. 이익 평등 고려의 원리는 존재들 간의 동일한 고통을 동일하게 고려할 것을 요구한다. 어떤 존재가 고통을 느낄 수 없다면 고려해야 할 바는 없다.

▲ 싱어

믿음과 욕구, 지각과 기억, 미래에 대한 의식이 있고, 쾌락과 고통 등의 감정을 느낄 수 있다면 그 개체는 타자와 구분되는 자신의 복지를 갖고 있고 삶의 주체로서 도덕적 권리를 지니며 평등하게 대우받아야 하고 수단으로만 대우받아서는 안 된다. 그들의 가치는 도덕적 행위 능력과 무관하게 존중되어야 한다.

▲ 레건

    칸트는 (1) □□ 중심주의 입장으로, 인간은 인간 자신에게만 직접적 의무를 지닌다고 본다. 싱어와 레건은 (2) □□ 중심주의 입장으로, 싱어는 쾌고 감수 능력을, 레건은 삶의 주체가 되는 것을 도덕적 고려의 조건으로 본다.

📖 1. (1) 베이컨 (2) 싱어 (3) 레건   2. (1) 인간 (2) 동물

4_일 정보 사회와 윤리 ❷ ~ 자연과 윤리 ❶

| 학평 기출 응용 |

1 그림의 학생들이 모두 옳은 대답을 했다고 할 때, A에 대한 설명으로 가장 적절한 것은?

> 정보의 생산, 소비, 유통이 동시 다발적으로 이루어질 수 있습니다.

> 정보화 사회의 매체 A의 특징을 설명해 봅시다.

> 시공간적인 제약 없이 상호 작용을 할 수 있습니다.

> 기존 매체와 달리 쌍방향적 특징을 갖습니다.

① 정보가 전달되고 수용되는 과정이 일방적이다.
② 정보를 제공하는 통로가 제한되어 확산되기 어렵다.
③ 정보의 생산·유통·소비를 전문가만 다룰 수 있다.
④ 다양한 의견을 반영해 정보를 즉각적으로 수정할 수 있다.
⑤ 전달 과정에서 허위 정보나 유해 정보가 자동으로 걸러진다.

| 학평 기출 응용 |

2 ㉠에 대한 옳은 설명만을 〈보기〉에서 있는 대로 고른 것은?

> 정보 통신 기술의 혁신적 발전은 기존 매체에 큰 영향을 미쳤다. 인터넷은 폭발적인 발전을 거듭했고, 신문이나 라디오 등 기존의 미디어와는 다른 ㉠새로운 미디어가 등장하게 되었다.

―― 보기 ――
ㄱ. 누구나 정보를 생산, 소비, 유통할 수 있다.
ㄴ. 소수가 다수에게 정보를 일방적으로 전달한다.
ㄷ. 정보 제공자가 정보 수신자와 달리 자발성을 갖추게 된다.
ㄹ. 모든 정보를 디지털화하여 신속한 정보 처리가 가능하다.
ㅁ. 시공간의 제약에서 벗어나 광범위한 사회적 연결망을 형성한다.

① ㄱ, ㄷ   ② ㄱ, ㄹ   ③ ㄴ, ㄷ
④ ㄱ, ㄹ, ㅁ   ⑤ ㄴ, ㄷ, ㅁ

| 모평 기출 |

3 갑, 을의 입장으로 가장 적절한 것은?

> 갑: '정보 리터러시'는 정보 접근 능력과 정보 수용 능력을 가리킨다. 정보 격차는 주로 그러한 능력들의 차이로 인해 발생하므로, 이를 해결하기 위해 정보 약자에게 정보 접근 및 수용 능력을 제공하는 정보 복지가 보장되어야 한다.
> 을: '정보 리터러시'는 정보 매체의 쌍방향성이 강화됨에 따라 접근 및 수용 능력 이외에 정보 생산 능력까지도 포함해야 한다. 정보 격차는 주로 정보 생산 능력의 차이에 기인하므로 정보 생산 능력을 제공하는 정보 복지가 보장되어야 한다.

① 갑: 정보 약자에게는 정보 접근 능력만을 제공해야 한다.
② 갑: 정보 격차의 주된 원인은 정보 생산력의 차이에 있다.
③ 을: 정보 복지의 핵심 과제는 정보 기기의 평등한 분배이다.
④ 을: 정보 약자가 정보 생산에서 소외되지 않도록 해야 한다.
⑤ 갑, 을: 정보 리터러시는 접근 및 수용 능력에 국한되어야 한다.

| 학평 기출 응용 |

4 다음 가상 편지에서 강조하는 자세로 가장 적절한 것은?

> 현대 사회에서는 매체가 제공하는 정보를 객관적으로 해석할 수 있는 능력을 길러야 하네. 정보는 그 자체로 사실이 아니라 누군가의 주관이 개입된 견해일 수 있기 때문이네. 자네가 합리적 사고를 바탕으로 정보를 올바르게 이해하고 표현할 수 있다면 자네가 고민했던 문제도 해결될 수 있을 것일세.

① 매체가 전달하는 모든 정보가 사실임을 알아야 한다.
② 매체가 전달하는 정보를 비판적으로 성찰을 해야 한다.
③ 매체의 정보를 기반으로 해서 가치관을 수립해야 한다.
④ 매체의 정보에 대한 비판적 사고는 위험함을 알아야 한다.
⑤ 매체에 대한 전적인 신뢰를 바탕으로 정보를 수용해야 한다.

| 학평 기출 응용 |

5 (가)의 입장에서 (나) 그림 속 주장을 지지할 근거로 가장 적절한 것은?

(가)	자연은 인간의 욕구를 충족하기 위한 도구에 불과하며, 그 자체로는 가치를 지니지 않는다.
(나)	자연환경을 함부로 훼손하지 맙시다!

① 인간과 자연은 동등한 도덕적 지위를 지니고 있다.
② 자연은 목적으로 대우받아야 하는 도덕적 존재이다.
③ 자연은 인간보다 우월한 존재로 존엄한 가치가 있다.
④ 인간의 풍요로운 삶을 위해서 자연 보호가 필요하다.
⑤ 자연은 인간의 이익과 관계없이 고유한 가치가 있다.

| 수능 기출 응용 |

6 갑, 을 사상가들 모두가 부정의 대답을 할 질문으로 가장 적절한 것은?

> 갑: 동물을 잔인하게 다루는 것은 인간에 대한 의무를 거스르는 것이다. 왜냐하면 이것은 사람 간의 관계의 도덕성에 이바지할 수 있는 자연적 소질을 약화시키기 때문이다.
> 을: 동물은 고통이나 쾌락을 느낄 수 있는 능력을 가지고 있다. 따라서 이러한 능력을 가진 모든 존재의 이익 관심은 동등하게 고려되어야 한다.

① 동물은 인간과 동일한 권리를 가진 삶의 주체인가?
② 인간만이 도덕적 행위를 할 수 있는 능력이 있는가?
③ 인간에게는 동물에 대해 간접적인 의무만 있는가?
④ 인간의 입장에서 동물의 쾌락과 고통을 바라보아야 하는가?
⑤ 쾌고 감수 능력을 가진 존재는 도덕적으로 고려해야 하는가?

| 학평 기출 응용 |

7 그림의 강연자가 지지할 입장만을 〈보기〉에서 있는 대로 고른 것은?

> 모든 인간의 평등을 보장해 줄 근본적인 원칙은 이익 평등 고려의 원칙이다. 이러한 기본적인 원칙만이 인간들 간의 모든 차이에도 불구하고 모든 인간을 평등하게 만든다. 이 원칙은 인간에게만 한정적으로 적용되는 것은 아니다. 이것은 인간이 아닌 동물들과의 관계에도 적용되는 도덕적 근거이다.

─ 보기 ─
ㄱ. 인간의 이익을 위한 동물 실험은 종 차별이다.
ㄴ. 인간만이 도덕적 지위를 갖는 유일한 존재이다.
ㄷ. 의무론의 관점에서 동물의 권리 보장이 필요하다.
ㄹ. 쾌고 감수 능력은 이익 관심을 갖는 전제 조건이다.

① ㄱ, ㄷ   ② ㄱ, ㄹ   ③ ㄴ, ㄷ
④ ㄱ, ㄴ, ㄹ   ⑤ ㄴ, ㄷ, ㄹ

3주 4일

| 수능 기출 응용 |

8 그림의 강연자가 지지할 입장으로 가장 적절한 것은?

> 삶의 주체라는 것은 선호와 복지에 관한 이익 관심, 자기의 욕구와 목표를 위해 행위할 수 있는 능력, 순간순간의 시간을 넘어서 자신의 정체성을 느낄 수 있고, 타자와는 별개로 자신의 삶이 좋을 수도 나쁠 수도 있다는 의미에서 자신의 복지를 갖고 있다는 것이다.

① 생태계의 모든 존재는 평등한 권리를 누려야 한다.
② 인간만이 도덕적으로 고려받아야 할 삶의 주체이다.
③ 인간은 동물이 가진 삶에 대한 권리를 존중해야 한다.
④ 인간은 생명을 가진 모든 존재에 대해 도덕적 의무를 지닌다.
⑤ 쾌고 감수 능력은 도덕적 고려의 여부를 결정하는 유일한 기준이다.

자연과 윤리 ②

📖 키워드 #29 생명 중심주의와 생태 중심주의

생명 중심주의

생태 중심주의

1 생명 중심주의❶

슈바이처	• 생명 외경(畏敬): 생명의 신비를 두려워하고 존경하는 마음으로 생명을 소중히 여겨야 함. • 생명을 유지하고 고양하는 것은 선이며, 생명을 파괴하는 것은 ☐임. • 불가피하게 생명을 해쳐야 하는 선택 상황에서 도덕적 책임을 느껴야 함.
테일러	• 모든 생명체는 각기 고유한 방식으로 생존·성장·발전이라는 목적을 추구하는 존재이므로 '목적론적 삶의 중심'임. • 의식 유무나 유용성에 관계없이 고유한 가치를 지님.

2 생태 중심주의❷

레오폴드	• 대지의 윤리: 도덕 공동체의 범위를 토양, 물, 식물, 동물을 포함한 ☐☐로 확대함. ➜ 인간은 대지의 한 구성원임. • 자연은 인간의 이익이나 손해와 무관하게 내재적 가치를 지님.
네스	• 심층 생태주의: 환경 위기 극복을 위해 인간 중심의 세계관을 바꾸어야 함. • 큰 자아실현: 자아를 자연과의 상호 관련성을 통해 이해 • 생명 중심적 평등: 모든 생명체는 상호 연결된 공동체의 평등한 구성원임.

❶ 생명 중심주의
모든 생명체를 도덕적으로 고려하고, 모든 생명체가 내재적 가치를 지닌다고 보는 관점

❷ 생태 중심주의
생태계 전체를 도덕적으로 고려하고, 생태계 전체의 상호 의존성을 강조하는 관점

🔗 답 악, 대지

1 다음 설명에 해당하는 사상가의 관점에 ✔표 하시오.

(1) 생명을 고양하는 것은 선이고 생명을 파괴하는 것은 악이다.
　　☐ 테일러　　　　☐ 레오폴드　　　　☐ 슈바이처

(2) 모든 생명체는 상호 연결된 공동체의 구성원으로서 동등하다.
　　☐ 네스　　　　　☐ 테일러　　　　　☐ 슈바이처

(3) 모든 생명체는 의식 유무나 유용성과 상관없이 내재적 가치를 지닌다.
　　☐ 네스　　　　　☐ 테일러　　　　　☐ 레오폴드

3
주

5일

2 ☐ 안에 들어갈 알맞은 말을 쓰시오.

🐻 인간 중심주의, 동물 중심주의, 생명 중심주의, 생태 중심주의 사상가들을 제시하고, 각 사상가들의 입장을 비교하는 문제가 자주 출제되고 있어.

인간은 자신에게 부여했던 생명에의 경외를 살려고 하는 모든 존재에게 부여하지 않으면 안 된다고 느낀다. 생명을 고양하는 것은 선이고, 생명을 파괴하는 것은 악이다. 인간은 자기가 도울 수 있는 모든 생명체를 도와주고 어떤 생명체에도 해를 끼치지 않을 때만 진정 윤리적이다.

▲ 슈바이처

모든 생명체는 내재적 가치를 지니며 자기 보존을 위해 자신의 고유한 방식으로 각자의 선을 추구한다는 점에서 동등한 목적론적 삶의 중심이고, 생명체가 목적론적 삶의 중심이라는 것은 그 활동이 목표 지향적이라는 뜻으로, 생명 활동을 성공적으로 수행하는 항상적인 경향성이 있다는 말이다.

▲ 테일러

어떤 것이 생명 공동체의 온전성, 안정성, 아름다움을 유지시키는 경향이 있다면 옳다. 생명 공동체의 범위를 대지까지 확장시키기 위해서는 생태계를 경제적 관점뿐만 아니라 윤리적·심미적 측면으로도 살펴봐야 한다. 대지의 사용을 이익의 문제로만 생각하지 말아야 한다.

▲ 레오폴드

　슈바이처는 생명의 신비를 두려워하고 존경하는 마음으로 모든 생명을 소중히 여겨야 한다는 생명 외경 사상을 제시하고, 테일러는 모든 생명은 ☐☐☐적 삶의 중심에 서 있으므로 고유의 선을 갖는다고 주장한다. 레오폴드는 개체 중심주의적 관점에서 벗어나야 하며 대지를 경제적 관점에서 볼 뿐만 아니라 사랑과 존중의 대상으로 보아야 한다고 주장한다.

🔲 1. (1) 슈바이처 (2) 네스 (3) 테일러　2. 목적론

| 과거 세대 | 현세대 | 미래 세대 |

1 동양의 자연관 ❶

유교	만물이 본래의 가치를 지닌다고 보며 천인합일(天人合一)의 경지 지향
불교	연기론을 주장하며 만물의 상호 의존성 강조 ➡ 자비 실천
도교	무위자연을 추구하며 인간의 의지나 욕구와 무관한 □□의 가치 중시

2 미래 세대에 대한 책임

의미	미래 세대도 현세대와 같이 깨끗한 환경에 건강하고 풍요롭게 살 권리 지님. ➡ 자연을 파괴하는 것은 □□ □□의 정당한 권리를 침해하는 것
요나스의 책임 윤리	인류가 지구상에 계속 존재해야 한다는 당위적인 요청에 근거해 현세대는 미래 세대의 존재를 보장하고 그들의 삶의 질을 배려할 책임이 있음.
책임의 근거	• 인류는 하나의 연속적 세대로 이루어진 도덕 공동체 • 자신의 이익을 위해 전 인류의 공동 자산인 자연환경을 훼손하면 안 됨. • 현세대는 과거 세대로부터 받은 혜택을 미래 세대에게 전수해 주어야 할 도덕적 책임이 있음.

❶ 동서양의 자연관 비교

동양
인간과 자연의 상호 의존성 및 조화와 화합 강조, 자연과 공존 모색

‡

서양
자연과 인간을 구분, 자연을 인간의 목적을 달성하는 수단으로 간주

📝 자연, 미래 세대

1 다음 설명에 해당하는 동양의 자연관에 ✔표 하시오.

(1) 자연 만물에는 고정된 실체가 없다.

☐ 유교 　　　　 ☐ 불교 　　　　 ☐ 도교

(2) 자연은 무목적의 질서를 담고 있다.

☐ 유교 　　　　 ☐ 불교 　　　　 ☐ 도교

(3) 자연은 살아 있는 유기체이며, 천지 만물에는 도덕적 가치가 내재해 있다.

☐ 유교 　　　　 ☐ 불교 　　　　 ☐ 도교

2 미래 세대에 대한 책임의 근거로 알맞은 것을 〈보기〉에서 모두 골라 쓰시오.

> ─ 보기 ──────
> ㉠ 인류는 하나의 연속적 세대로 이루어진 도덕 공동체이다.
> ㉡ 확실하고 가까이 있는 현세대의 쾌락을 미래 세대의 쾌락보다 우선해야 한다.
> ㉢ 권리는 존재와 함께 시작되므로 현세대는 미래 세대에게 의무를 갖지 않는다.

3 ☐ 안에 들어갈 알맞은 말을 쓰시오.

🐻 미래 세대에 대한 책임과 관련해 공리주의 입장과 의무론적 입장을 제시하고, 각 입장에 대한 옳은 설명을 찾는 문제가 자주 출제되고 있어.

미래 세대에 대한 책임

(가) 불확실하고 멀리 있는 쾌락보다 확실하고 가까이 있는 쾌락이 중요하므로 미래 세대를 위해 현세대가 고통을 겪는 것은 옳지 않다. 또한 현세대와 미래 세대 사이에는 도움을 주고받는 관계가 성립될 수 없으므로 미래 세대의 도덕적 권리를 고려할 필요는 없다. 아울러 권리는 존재와 함께 시작되므로 현세대는 미래 세대에게 아무런 의무도 갖지 않는다.

(나) 인간은 결코 수단으로 취급되어서는 안 된다. 따라서 현세대와 동일한 인간인 미래 세대에게도 도덕적 권리를 부여해야 한다. 또한 과거 세대가 현세대에게 도움을 주었듯이, 현세대 역시 미래 세대에게 도움을 주는 것이 당연하다. 아울러 권리의 소유는 존재 여부와 무관하므로 현세대의 행위로 극심한 피해를 겪게 될 미래 세대를 도덕적으로 배려하기 위해 미래 세대의 환경권을 인정해야 한다.

　(가)는 공리주의 입장에서 현세대의 쾌락이 미래 세대의 쾌락보다 우선되어야 하고 현세대와 미래 세대 사이에 호혜적 관계가 없다고 여겨, 미래 세대에 대한 도덕적 고려를 부정적으로 본다. (나)는 의무론적 입장에서 미래 세대도 도덕적 권리를 주어야 하고 인류는 하나의 연속적 세대로 이루어진 도덕 공동체라고 보아 현세대는 미래 세대에게 도움을 주어야 할 ☐☐이/가 있다고 본다.

📄 1. (1) 불교 (2) 도교 (3) 유교　2. ㉠　3. 책임

자연과 윤리 ❷

| 학평 기출 응용 |

1 다음 글의 입장에서 지지할 주장만을 〈보기〉에서 있는 대로 고른 것은?

> 인간은 자연과 분리될 수 없다. 모든 자연을 통일된 전체로 인식해야 한다. 또한 인간의 행위가 생태계에 미치는 영향을 평가할 때도 자연 전체에 어떤 결과를 미치는가를 놓고 평가해야 한다.

> ─ 보기 ─
> ㄱ. 생태계의 도덕적 고려 대상은 생명체로 국한된다.
> ㄴ. 인간은 자연이라는 더 큰 전체의 한 부분일 뿐이다.
> ㄷ. 모든 존재는 상호 연결된 공동체의 평등한 구성원이다.
> ㄹ. 인간은 자연과의 상호 관련성을 통해서 자신을 이해해야 한다.

① ㄱ, ㄷ   ② ㄱ, ㄹ   ③ ㄴ, ㄷ
④ ㄱ, ㄴ, ㄹ   ⑤ ㄴ, ㄷ, ㄹ

| 학평 기출 응용 |

2 갑, 을 중 적어도 한 사람이 부정의 대답을 할 질문만을 〈보기〉에서 있는 대로 고른 것은?

> 갑: 생명체의 활동은 모두 목적 지향적으로 자신의 유기체적 존재를 지속시키려는 일정한 경향을 가진다.
> 을: 대지 윤리는 인류의 동료 구성원에 대한 존중, 공동체 자체에 대한 존중을 필연적으로 수반한다.

> ─ 보기 ─
> ㄱ. 개별 생명체 존중이 생태계 보존에 우선하는가?
> ㄴ. 생태계의 모든 존재에 대한 도덕적 고려가 필요한가?
> ㄷ. 인간은 동물의 내재적 가치를 존중할 도덕적 의무를 가지는가?
> ㄹ. 인간 중심적 사고를 버리고 다른 존재에 관심을 기울여야 하는가?

① ㄱ, ㄴ   ② ㄱ, ㄹ   ③ ㄴ, ㄹ
④ ㄱ, ㄴ, ㄷ   ⑤ ㄴ, ㄷ, ㄹ

| 학평 기출 응용 |

3 (가), (나)의 입장에 대한 설명으로 가장 적절한 것은?

> (가) 인간의 생존과 복지는 생태계의 건강과 안정성에 달려 있으므로 인간을 위해 자연 세계의 모든 구성원들에게 가치를 부여해야 한다.
> (나) 인간이 자기를 도와주는 모든 생명을 도와줄 필요성을 존중하고, 살아 있는 어떤 것에도 해를 끼치는 것을 부끄러워할 때만 비로소 윤리적이다.

① (가): 인간은 생명 공동체의 한 구성원일 뿐이다.
② (가): 자연은 인간의 생존과 복지 목적에서 가치 있다.
③ (나): 인간성을 위해 개별 생명체를 고려해야 한다.
④ (나): 대지의 모든 존재는 인간과 동등한 가치가 있다.
⑤ (가), (나): 인간은 모든 생명체에 대해 의무가 있다.

| 수능 기출 응용 |

4 (가)의 갑, 을, 병 사상가들의 입장을 (나) 그림으로 표현할 때, A~D에 해당하는 적절한 진술만을 〈보기〉에서 있는 대로 고른 것은?

(가)	갑: 이익 평등 고려의 원리는 존재들 간의 동일한 고통을 동일하게 고려할 것을 요구한다. 을: 생명체가 목적론적 삶의 중심이라는 것은 생명 활동에 일정한 경향성이 있다는 말이다. 병: 인류는 대지 공동체의 평범한 구성원이 되어야 한다.
(나)	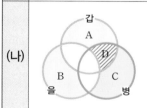 〈범례〉 A: 갑만의 입장 B: 을만의 입장 C: 병만의 입장 D: 갑과 병만의 공통 입장

> ─ 보기 ─
> ㄱ. A: 인간과 모든 동물을 동일하게 대우해야 한다.
> ㄴ. B: 인간은 생명체에 끼친 해악에 보상해야 한다.
> ㄷ. C: 인간 중심주의에서 벗어나고 개체주의적 관점을 지양해야 한다.
> ㄹ. D: 이익 관심을 지닌 동물은 도덕적 고려 대상이다.

① ㄱ, ㄹ   ② ㄴ, ㄷ   ③ ㄴ, ㄹ
④ ㄱ, ㄴ, ㄷ   ⑤ ㄱ, ㄷ, ㄹ

| 모평 기출 응용 |

5 다음 사상의 자연관으로 가장 적절한 것은?

> • 고정된 자성(自性)이 있다면, 세상의 모든 현상들은 생겨나지도 않고 없어지지도 않을 것이다. 공(空)하지 않다고 하면, 아직 얻지 못한 것은 결코 얻을 수 없을 것이며 번뇌도 끊을 수 없을 것이다.
> • 털끝 하나에도 끝없는 대지와 큰 바다가 들어 있으며, 끝없는 대지와 큰 바다가 티끌과 다르지 않다는 것을 깨달아야 고통이 없는 해탈을 이루게 된다.

① 원인과 조건에 의해 생멸하는 관계의 그물이다.
② 모든 사람이 마땅히 지켜야 할 예법의 근거이다.
③ 인간의 이성으로 질서를 바로잡아야 할 존재이다.
④ 인간과 무관하게 움직이는 유기적 무위의 체계이다.
⑤ 인간의 삶이 풍요로울 수 있도록 도와주는 도구이다.

| 수능 기출 응용 |

6 그림은 서술형 평가 문제와 학생 답안이다. 학생 답안의 ⊙~⑩ 중 옳지 않은 것은?

> ### 서술형 평가
> ◎ **문제** (가), (나) 사상의 자연에 대한 관점을 비교하여 서술하시오.
>
> > (가) 인(因)과 연(緣)에 의해 생겨나는 것이 법(法)이다. 이것을 공(空)하다고 한다. 일체의 법이 공하다.
> > (나) 하늘이 명한 것을 성(性)이라고 하고 성을 따르는 것을 도(道)라고 한다. 천지 만물은 본래 나와 일체이다.
>
> ◎ **학생 답안**
> (가), (나)의 관점을 비교하면, (가)는 ⊙자연에 고정된 실체가 없다고 보며, ⓒ모든 생명에 대한 존중을 강조한다. 이에 비해 (나)는 ⓒ하늘[天]을 도덕 원리의 원천으로 보며, ⓔ만물이 무위(無爲)의 자연스러움을 따라야 함을 강조한다. 한편 ⑩(가), (나) 모두 자연 만물을 상의(相依)와 화해(和諧)의 관계로 본다.

① ⊙　② ⓒ　③ ⓒ　④ ⓔ　⑤ ⑩

| 학평 기출 응용 |

7 (가), (나)의 입장만을 〈보기〉에서 있는 대로 고른 것은?

> (가) 현세대와 미래 세대는 도움을 주고받을 수 없다. 미래 세대의 도덕적 권리를 고려할 필요는 없다.
> (나) 과거 세대가 현세대에 도움을 주었듯이, 현세대 역시 미래 세대에게 도움을 주는 것이 당연하다.

> **보기**
> ㄱ. (가): 미래 세대를 위한 현세대의 희생은 옳지 않다.
> ㄴ. (가): 현세대와 달리 미래 세대는 도덕적 권리가 있다.
> ㄷ. (나): 현세대는 세대 간 연속성을 근거로 미래 세대를 책임져야 한다.
> ㄹ. (가), (나): 현세대에게 도움을 주고 있는 대상만을 도덕적으로 고려해야 한다.

① ㄱ, ㄷ　　② ㄱ, ㄹ　　③ ㄴ, ㄷ
④ ㄱ, ㄴ, ㄹ　　⑤ ㄴ, ㄷ, ㄹ

| 학평 기출 응용 |

8 다음 토론의 핵심 쟁점으로 가장 적절한 것은?

> 갑: 오늘날 환경 문제가 우리의 삶을 위협하고 있으므로 건강하고 쾌적한 환경에서 살 권리인 환경권이 강조되고 있습니다.
> 을: 환경권은 현세대는 물론 미래 세대도 갖는 권리입니다. 따라서 현세대는 미래 세대가 환경적으로 위험에 빠지지 않도록 할 의무가 있습니다.
> 갑: 지금 존재하지 않는 세대의 권리를 인정할 수 없습니다. 권리는 존재와 함께 시작되므로 현세대는 미래 세대에게 아무런 의무도 갖지 않습니다.
> 을: 아닙니다. 권리의 소유는 존재 여부와 무관합니다. 현세대의 행위로 극심한 피해를 겪게 될 미래 세대를 도덕적으로 배려해야 합니다.

① 환경권을 현존하는 인간에 한정해야 하는가?
② 환경 보호의 의무는 미래 세대만을 위한 것인가?
③ 환경권은 건강하고 쾌적한 삶을 위해 필요한가?
④ 현세대와 미래 세대 간에 호혜적 관계가 성립되는가?
⑤ 환경 문제는 우리의 삶을 위협하는 지구적 문제인가?

1 갑, 을의 입장에 대한 설명으로 가장 적절한 것은?

> 갑: 과학 기술은 대기 오염과 수질 오염 등 지구촌 생태 환경을 파괴하고 있으며, 오늘날 인간과 동식물의 생명까지 위협하고 있는 주범이다.
> 을: 과학 기술은 인류에게 물질적인 풍요와 행복한 삶을 누리게 해 주었으며, 현대 사회에서 인류가 직면한 모든 문제를 해결해 줄 수 있다.

① 갑은 과학 기술의 긍정적 측면을 강조한다.
② 갑은 과학 기술이 모든 문제를 해결할 수 있다고 본다.
③ 을은 과학 기술의 문제점을 부정적으로 바라본다.
④ 을은 과학 기술에 대한 비판적 시각이 결여될 수 있다.
⑤ 갑, 을은 모두 과학 기술에 대한 반성이 필요하다고 본다.

2 ㉠에 들어갈 내용으로 가장 적절한 것은?

> 갑: 기술은 그 자체로 선하지도 악하지도 않은 수단이다. 중요한 것은 인간이 기술로부터 무엇을 만드느냐에 달려 있다.
> 을: 현대 기술을 가치 중립적인 것으로 고찰할 때 우리는 무방비 상태로 기술에 지배당한다. 따라서 우리는 [㉠   ]

① 과학 기술 이론의 사실성 여부를 판단해야 한다.
② 과학 기술에 대해 반성하는 태도를 가져야 한다.
③ 과학 기술에 특정 가치관을 개입해서는 안 된다.
④ 과학 기술의 가치 중립성을 부정해서는 안 된다.
⑤ 과학 기술과 도덕적 가치의 영역을 분리해야 한다.

3 다음 서양 사상가가 긍정의 대답을 할 질문으로 가장 적절한 것은?

> 미래 세대가 생존할 수 있는 조건에 관해서는 현재의 우리에게 책임이 있다. 따라서 아직 존재하고 있지는 않지만 존재할 것으로 기대되는 미래 세대의 권리에 대하여 우리는 응답할 의무가 있다.

① 자연은 인간의 책임 범위를 벗어나는 대상인가?
② 윤리학은 악에 대한 공포에서 도출되어야 하는가?
③ 인간의 책임 범위는 자신이 의도한 행위에 국한되는가?
④ 현세대와 미래 세대는 상호 간에 책임의 의무가 있는가?
⑤ 과학 기술로 인한 부작용은 새로운 기술로 해결할 수 있는가?

4 갑이 을에게 제기할 수 있는 비판으로 가장 적절한 것은?

> 갑: 과학자는 독재자의 손에 원자 폭탄이 들어가게 해서는 안 된다. 과학 연구는 평화로운 핵 기술의 개발에 한정되어야 한다.
> 을: 원자 폭탄 사용에 관한 결정은 내가 아니라 정치인이 내린 것이다. 과학자인 나는 주어진 역할에 충실하게 임했을 뿐이다.

① 과학자가 내적 책임을 가볍게 생각해서는 안 된다.
② 과학자가 외적 책임을 회피하려고 해서는 안 된다.
③ 과학자는 연구 과정에 대한 책임을 이행해야 한다.
④ 과학자는 연구 결과에 대한 책임에서 벗어나야 한다.
⑤ 과학자에게 연구에 대한 책임을 부과해서는 안 된다.

정답과 해설 18쪽

5 다음 입장에서 긍정의 대답을 할 질문으로 가장 적절한 것은?

> 모든 정보와 지식은 수많은 사람들의 협업에 의해 만들어진다는 점에서 공공재의 성격을 갖는다. 만약 모든 정보와 지식이 특정 개인의 소유물로 취급된 다면 인류의 공공재가 상품화되고, 결과적으로 소수만 이 정보화 사회의 혜택을 누리는 불평등이 심화될 수 있다. 인류의 집단적 경험과 기억, 학습 과정을 통해 정보의 공유가 이루어질 때 정보 사회의 발전을 기약 할 수 있다.

① 자유롭게 정보를 이용하는 사람을 제재해야 하는가?
② 정보 생산에 투입된 노동에 대가를 지불해야 하는가?
③ 정보의 배타적 소유로 인해 정보 격차가 심화되는가?
④ 지적 재산권 보호가 정보 사회 발전의 기본 조건인가?
⑤ 지적 재산권 보호를 위해 정보 접근을 제한해야 하는가?

6 다음 글에서 강조하는 내용으로 가장 적절한 것은?

> 가상 공간에서 정보의 접근이 쉬워지면서 사적인 정보가 쉽게 유출되는 문제가 발생하고 있다. 그러나 가상 공간이라 할지라도 개개인은 정보가 유통되는 과정을 결정하고 통제하는 자기 결정권을 행사하는 것이 옳다. 따라서 누구나 개인 정보를 비롯하여 자신 이 원하지 않는 민감한 정보들에 대한 삭제 및 확산 방 지를 요구할 수 있는 정보 주체로 인정해야 한다.

① 정보 자기 결정권과 잊힐 권리를 보장해야 한다.
② 지적 재산에 대한 독점적 소유권을 보장해야 한다.
③ 누구나 평등하게 정보에 접근할 기회를 가져야 한다.
④ 개인의 정보를 인류 공동의 자산으로 간주해야 한다.
⑤ 개인의 사생활보다는 알 권리의 보장을 중시해야 한다.

7 갑, 을, 병 사상가들의 입장으로 옳은 내용을 〈보기〉에서 있는 대로 고른 것은?

> 갑: 쾌고 감수 능력을 가진 존재들의 이익을 평등하게 고려해야 한다. 평등의 논리를 인간에게만 적용하는 것은 임의적이다.
> 을: 욕구를 가진 존재는 타자와 구분되는 자신의 복지를 갖고 있다. 이 존재는 삶의 주체이며 수단으로만 대우받아서는 안 된다.
> 병: 모든 생명체는 목적론적 활동의 중심이며 도덕적으로 대우받아야 할 존재이다.

보기
ㄱ. 갑: 무생물을 포함한 생태계 전체를 도덕적으로 고려해야 한다.
ㄴ. 을: 삶의 주체인 동물의 권리를 의무론의 관점에서 존중해야 한다.
ㄷ. 병: 인간은 생명 공동체에 대한 불간섭의 의무가 있다.
ㄹ. 갑, 을: 개체는 쾌고 감수 능력을 지녀야 도덕적 지위를 가질 수 있다.

① ㄱ, ㄷ   ② ㄱ, ㄹ   ③ ㄴ, ㄹ
④ ㄱ, ㄴ, ㄷ   ⑤ ㄴ, ㄷ, ㄹ

8 갑, 을, 병의 입장에서 모두 긍정의 대답을 할 질문으로 가장 적절한 것은?

> 갑: 모든 생명체는 신성하고 동등한 가치를 지니며, 생명을 지키는 것은 선, 생명을 파괴하는 것은 악이다.
> 을: 오직 유정적 존재만이 이익 관심을 지니기 때문에 이들을 동등하게 도덕적으로 고려할 책임이 있다.
> 병: 어떤 개체가 쾌락과 고통을 느끼며 욕구, 지각, 정체성, 목표 등을 갖는다면 그 개체는 삶의 주체이며 결코 수단으로 취급되어서는 안 된다.

① 생태계 전체를 도덕적 고려의 대상으로 보는가?
② 인간은 동물에게 도덕적 의무와 책임을 지니는가?
③ 도덕적 행위의 주체인 인간이 동물보다 우월한가?
④ 이익 관심은 동물의 이익을 고려하기 위한 충분조건인가?
⑤ 고통을 느끼는 생명체에 한해 내재적 가치를 인정해야 하는가?

과학 지식은 객관적인가?

1 독일의 과학자 하버(Haber, F.)는 암모니아를 얻는 방법을 연구 이론으로 정립하였다.

2 그는 암모니아를 비료로 활용하여 식량 생산에 이바지하였고, 인류를 굶주림의 공포에서 해방한 공로를 인정받아 노벨 화학상을 수상하였다.

$$N_2 (질소) + 3H_2 (수소) \rightarrow 2NH_3 (암모니아)$$

3 하버는 암모니아 합성법을 개량하여 폭탄의 원료인 질산암모늄을 만들었고, 더 나아가 염소를 독가스로 이용하는 방법을 개발하였다.

과학은 객관적이며 가치 중립적이다

과학자들은 여러 차례의 실험과 논리적 반증을 거쳐 객관화된 진리를 도출해 내고 있다. 과학이 발달하면서 그만큼 정확한 관찰을 가능하게 하는 도구 역시 발달하는 만큼 객관적인 관찰은 가능하다.

과학 지식이란 한 과학자의 성과로 탄생하는 것이 아니라 오랜 기간 수많은 과학자에 의해 수정되고 재탄생되는 것이기 때문에 과학은 객관적이다.

과학 지식 덕분에 현재와 같은 물질적 혜택을 영위하고 있고, 자연이나 신에 대한 두려움에서 벗어나 주도적인 삶을 살고 있다. 현대 사회의 발전은 과학이 객관적 산물이라는 것을 반증한다.

과학은 가치 중립을 유지하기 어렵다

인간은 감각 기관에 의존하여 사물을 관찰할 수밖에 없다. 관찰 과정에서 작은 오차가 진실을 왜곡하는 큰 차이로 드러날 수 있다. 과학자들은 자신이 믿는 이론에 근거하여 사물을 관찰하곤 한다. 과학적 관찰은 사물을 있는 그대로 보는 것이 아니라 보고자 하는 방법으로 보는 것이다.

과학 지식이란 그 시대의 주류 과학 패러다임에 의해 해석된 것일 뿐이다. 패러다임의 틀에서 해결되지 않는 문제들은 하나의 '변칙 사례'로 간주할 뿐이다. 그뿐만 아니라 과학적 탐구에는 사회적인 환경이나 관습과 문화도 개입한다.

과학 지식이 환경 오염, 각종 신종 질병 등 무수한 문제를 일으킨 것에서 과학 지식이 자유로울 수 없음을 알아야 한다. 과학 지식 및 그 응용에는 인간의 의도와 이익에 대한 가치 판단이 담겨 있다.

동물 실험, 중단되어야 하는가 계속되어야 하는가?

동물 실험은 중단되어야 한다

논거 ❶ 인간이 동물들의 권리를 침해하는 것이 정당하다는 주장은 지나친 인간 중심적 사고이다. 인간의 권리가 인권이라면 동물의 권리는 동물권이며, 동물은 생명체라는 이유만으로 존중받아 마땅하다.

논거 ❷ 중추 신경계를 가진 동물은 우리와 같은 방식으로 고통과 쾌락을 경험한다고 생각할 수 있다. 따라서 동물의 고통과 쾌락을 우리와 동등한 것으로 간주해야 한다.

논거 ❸ 동물 실험의 대안은 없는가? 임상적 관찰, 시험관 연구, 시체 해부 등 시간이 더 걸려도 안전하고 유용한 방법이 얼마든지 있다. 동물 실험에서 안전한 약품이 인체에 치명적인 영향을 끼친 결과도 많았다.

논거 ❹ 동물 실험을 통해 인간 생명 연장의 꿈을 실현하고 난치병을 치료할 방법을 찾았다고 해서 인간의 근원적 삶의 문제가 해결되는 것은 아니다. 동물과 인간의 공존을 모색해야 한다.

동물 실험은 불가피하다

논거 ❶ 이성이 있는 존재는 본능에 따라 사는 존재보다 더 가치 있고 도덕적으로 중요하다. 이성을 지닌 존재가 다른 존재에 비해 도덕적으로 우선권을 갖는 것은 당연하다.

논거 ❷ 동물 실험은 생물학적 지식을 발전시키는 데 중요한 역할을 해 왔다. 동물 실험은 의학적 연구를 발전시키고 인간의 고통을 완화하는 데 꼭 필요하다.

논거 ❸ 우리의 현실은 인간의 생존을 위한 동물들의 희생이 불가피하다는 것이다. 동물 실험이 자신과 자신 가족의 목숨을 구할 수 있거나 난치병 연구를 통해 다수 생명을 살릴 수 있다면, 동물 실험을 반대할 수 없을 것이다.

논거 ❹ 동물 실험이 중단된다면 개발된 신약의 상용화를 위한 위험성의 검증은 어떻게 할 것인가? 동물 실험은 그들을 학대하거나 괴롭히기 위한 선택이 아니라 인간 생존을 위한 최선의 선택이다.

특강 창의·융합·코딩

빈출 자료 ① 과학 기술의 가치 중립성

과학 기술의 가치 중립성을 강조하는 입장으로, 해당 입장에서는 연구의 자유 보장, 연구 결과에 대한 윤리적 평가와 비판 유보를 주장하며 윤리적 규제는 과학 기술의 발달을 저해하고 왜곡된 결과를 초래한다고 비판한다.

(가)	과학 기술은 객관적 지식, 즉 객관적인 방법으로 발견한 자연 현상에 대한 체계적인 지식과 그 지식을 활용하여 무엇인가를 만들어 내는 과정입니다. 따라서 과학 기술에는 <u>주관적 가치가 개입되어서는 안 됩니다.</u>

(나)

전제 ❶ 과학 기술은 객관적인 지식과 그 활용 과정이다. + 전제 ❷ ⑤

↓

결론 과학 기술에는 주관적 가치가 개입되어서는 안 된다.

자료 분석

(나)는 과학 기술의 가치 중립을 강조한 (가)의 주장을 전제와 결론의 논리적 추론 형식으로 재구성한 삼단 논법이다. 따라서 ⑤에 들어갈 소전제는 "객관적인 지식과 그 활용 과정에는 주관적 가치가 개입되어서는 안 된다."이다.

과학 기술의 가치 중립성을 주장하는 입장과 과학 기술의 가치 중립성을 부정하는 입장을 비교하고, 양측에 대한 비판 근거를 묻는 문제가 자주 출제됩니다.

대표 예제와 기출 선택지

(가)의 주장을 (나) 그림으로 나타낼 때, ⑤에 대한 반론의 근거로 적절한 것에 모두 ○표 하시오.

① 과학 기술은 객관적인 기준에 의해서만 평가되어야 한다. ( )
② 모든 지식은 활용의 맥락에서 주관적 도덕 판단을 요구한다. ( )
③ 과학적 사실과 주관적 가치는 별개의 독립된 영역에 속한다. ( )
④ 모든 지식은 객관적 진위를 판별할 수 있는 인식론적 대상이다. ( )
⑤ 과학 연구는 상황과 맥락을 반영하며 사회적 필요에 의해 이루어진다. ( )

답 ②, ⑤

빈출 자료 ② 과학자의 윤리적 책임에 대한 입장

갑: 과학은 가치 중립적이지 않습니다. 과학자는 연구 주제를 설정할 때 주관적 가치를 개입시키게 됩니다. 또한 연구 과정에서 과학자는 연구 윤리를 준수해야 합니다. _{갑, 을 모두 과학 기술의 가치 중립성을 부정한다.}

을: 동의합니다. 또한 과학자는 연구 과정에서의 내적 책임뿐만 아니라 자신의 연구 결과가 미칠 사회적 영향을 인식하여 연구 및 개발과 그 활용에 관한 사회적 책임까지 다해야 합니다. ── _{을은 과학자는 사회적 책임 의식을 지니고 연구 활동의 결과와 목적까지 성찰해야 한다고 주장한다.}

갑: 아닙니다. 과학자에게 그러한 책임까지 돌리면 과학의 발전이 지체됩니다. 연구 결과가 활용되어 사회에 부정적 결과를 초래해도 그것은 연구 결과를 활용한 사람들의 책임일 뿐입니다. ──

을: 과학의 발전이 지체될 수 있지만 과학자에게 사회적 책임을 부과하는 것은 정당합니다. 과학의 발전에서 더 중요한 것은 시간적 속도가 아니라 윤리적 방향입니다.

_{갑은 과학자에게 연구 과정에서 표절, 변조, 날조, 부당한 저자 표기 등의 행위를 해서는 안 된다는 내적 책임만을 요구해야 한다고 주장한다.}

과학 기술자의 책임의 범위와 관련해 서로 다른 입장과 각 주장의 근거를 비교하는 문제가 자주 출제됩니다.

대표 예제와 기출 선택지

제시된 토론의 쟁점으로 적절한 것에 모두 ○표 하시오.

① 과학자는 연구의 외적 책임으로부터 자유로워야 하는가? ( )
② 과학자는 연구 과정에서 연구 윤리를 꼭 준수해야 하는가? ( )
③ 과학자는 과학 연구에 대한 모든 책임에서 면제되어야 하는가? ( )
④ 과학자는 연구 주제를 설정할 때 가치 중립적 태도를 취하는가? ( )
⑤ 과학자에게 내적 책임과 더불어 사회적 책임도 부과해야 하는가? ( )

답 ①, ⑤

빈출 자료 ③ 요나스의 책임 윤리

요나스가 이야기한 '공포의 발견술'과 관련된 진술이다. 요나스는 인류는 현재의 확실한 위험뿐만 아니라 예견할 수 있는 모든 결과에 대해서도 책임지려는 자세가 필요하다고 주장한다.

우리에게는 악의 인식이 선의 인식보다 무한히 쉽다. 선은 눈에 띄지 않게 존재하며 반성을 하지 않으면 인식될 수 없지만, 악의 현존은 우리에게 인식을 강요한다. 우리가 실제로 무엇을 보호해야 하는가를 알아내기 위해 새로운 윤리학은 공포를 논의 대상으로 삼아야 한다. 인간 행위의 새로운 유형에 적합하고 새로운 유형의 행위 주체를 지향하는 명법은 다음과 같다. "너의 행위의 효과가 지상에서의 진정한 삶의 지속과 조화될 수 있도록 행위하라."

└ 요나스의 '생태학적 정언 명법'이다.

자료 분석

요나스는 과학 기술의 발달과 그 속도를 따라가지 못하는 윤리의 차이, 즉 '윤리적 공백'을 경고하면서 자연환경과 미래 세대가 존속할 수 있는 범위 내에서 과학 기술의 발전을 추구해야 한다고 주장한다.

> 과학 기술의 발달로 새롭게 요구되는 윤리로서 책임 윤리를 제시한 요나스의 주장을 묻는 문제가 자주 출제됩니다.

대표 예제와 기출 선택지

자료의 읽고 해당 사상가의 입장으로 적절한 것에 모두 ○표 하시오.

① 사후적 책임뿐만 아니라 사전적 책임도 중시해야 한다. ( )
② 세대 간 호혜성의 원칙에 따라 미래 세대를 책임져야 한다. ( )
③ 새로운 윤리학은 "A이면 B하라."라는 형식의 명법만을 지향한다. ( )
④ 새로운 윤리학은 최고 악에 대한 공포에서 출발할 필요가 있다. ( )
⑤ 과학 기술의 긍정적인 영향보다 부정적인 영향에 주목해야 한다. ( )

답 ①, ④, ⑤

빈출 자료 ④ 정보 사유론

인간의 노동이 투입되지 않은 것들에 대해서는 공유론적 입장이다.

"대지에서 자연적으로 산출되는 모든 열매와 거기에서 자라는 짐승들은 인류에게 공동으로 속한다. 그러나 한 개인이 모두에게 공동으로 주어진 것에 자신의 노동을 투입하면 그것은 그의 소유가 되며 타인의 권리는 배제된다."라는 재산권 이론은 노동의 형태가 어떤 것이든 간에 인간의 노동을 통해 산출된 모든 산물에 적용될 수 있다.

인간의 노동이 투입된 것이라면 그것이 무엇이든, 즉 정보에 대해서도 개인의 소유권이 인정된다는 입장이다.

〈문제 상황〉

> 개인이 연구를 통해 개발한 프로그램의 지적 재산권 보장 문제에 대해 수업 발표를 맡았는데 어떤 입장을 취할까?

A 학생이 정보 사유론의 입장을 취한다면 프로그램 창작자에게 배타적 독점권을 부여해야 한다고 주장할 것이고, 정보 공유론의 입장을 취한다면 프로그램의 무료 공유를 주장할 것이다.

A 학생

대표 예제와 기출 선택지

제시된 글의 입장에서 〈문제 상황〉 속 A 학생에게 제시할 적절한 조언에 모두 ○표 하시오.

① 지적 재산의 가치는 인간의 노동에서 비롯되지 않음을 강조하세요. ( )
② 지적 재산은 자연 발생적 산물이므로 공유의 대상임을 강조하세요. ( )
③ 무형의 정신노동이 들어간 지적 재산은 사유 재산임을 강조하세요. ( )
④ 사회 전체의 공리 극대화를 위한 지적 재산권의 보장을 강조하세요. ( )
⑤ 창작자의 노력이 들어간 지적 재산의 배타적 권리 보장을 강조하세요. ( )

> 정보 사회의 윤리적 쟁점으로서 정보 사유론과 정보 공유론의 입장을 비교하는 문제가 자주 출제됩니다.

답 ③, ⑤

빈출 자료 ⑤ 사이버 공간에서의 표현의 자유와 한계

혐오 표현의 유해성에 대한 법적 기준 마련에
찬성하는 근거로 정보 사회의 정보 윤리 중 하
나인 '해악 금지의 원칙'을 제시하고 있다.

정보에 대한 접근은 자유로워야 하지만 생산과
유통은 국가가 규제해야 합니다. 표현의 자유는
해악 금지의 원칙에 위배되지 않는 한에서 보
장되어야 합니다. 국가는 혐오 표현의 유해성에
대한 법적 기준을 정해 정보의 생산과 유통을
규제할 책무가 있습니다.

혐오 표현의 유해성에 대한 법적
기준 마련에 반대하는 근거이다.

정보에 대한 접근은 물론 생산과 유통도 개인의
자율에 맡겨야 합니다. 정보의 생산과 유통에
대한 국가의 규제는 그 자체로 표현의 자유를
침해하는 것입니다. 혐오 표현의 유해성에 대한
판단은 사람에 따라 다르기 때문에 국가가 일률
적 기준을 마련할 수는 없습니다.

갑

을

사이버 공간에서 익명성에 바탕을 둔 표현의 자유가 윤리적 문제로 이어지기도 하면서
정보 윤리를 묻는 문제가 자주 출제됩니다.

대표 예제와 기출 선택지

대화를 읽고 갑의 입장에 해당하는 것에 모두 ○표 하시오.

① 국가는 모든 정보에 접근할 권리를 통제해야 한다. ( )
② 국가는 정보의 생산과 유통에 관여해서는 안 된다. ( )
③ 국가는 혐오 표현의 유해성을 판단할 기준을 설정해야 한다. ( )
④ 혐오 표현에 대한 국가 규제는 표현의 자유와 양립 가능하다. ( )
⑤ 사이버 공간의 다중 자아를 금지해 정서 혼란을 예방해야 한다. ( )

답 ③, ④

빈출 자료 ⑥ 동서양의 자연관 비교

서구의 인간 중심주의적 자연관이다.

(가)	갑: 자연은 욕구 충족을 위한 도구적 가치만을 지닌다. 따라서 자연이 인간에게 이로움을 줄 수 있도록 과학적 지식을 활용해야 한다. 을: 모든 존재와 현상은 원인과 조건이 서로 관계하여 성립하는 것이다. 따라서 이 세상 어느 것도 독립하여 스스로 존재하는 것은 없다. └ 불교의 연기설에 기초한 자연관이다.
(나)	○○ 연구소는 세계 각국의 무분별한 자원 개발과 환경 파괴 때문에 지구 온도가 지속적으로 상승하고 있다고 발표하였다. 또한 앞으로 지구 온도가 1°C 이상 상승할 경우 15억 명 이상이 물 부족과 기아에 시달리게 되는 문제가 발생할 것이라고 경고하였다. 무분별한 자원 개발이 지구 온난화의 원인이고, 지구 온난화는 물 부족과 기아 문제의 원인 중 하나라며 인과 관계를 제시하고 있다.

자료 분석

자연을 인간의 도구로 인식하는 갑은 서양의 인간 중심주의적 자연관에 해당하고, 연기론을 주장하며 만물의 상호 의존성을 강조하는 을은 동양, 특히 불교의 자연관에 해당한다. 인간 중심주의적 자연관이 자연과 인간을 구분하는 데 반해 동양의 자연관은 자연과 인간을 구분하지 않고 자연과 인간의 공존을 모색한다.

인간의 환경 파괴가 인류의 생존을 위협하는 문제로까지 진전되면서 동양의 자연관을
돌아보는 문제가 출제되고 있습니다.

대표 예제와 기출 선택지

자료를 읽고, (가)의 을의 입장에서 (나)의 문제를 해결하기 위해 제시할 수 있는 주장에 모두 ○표 하시오.

① 인간을 자연 생태계의 일부로 인식해야 한다. ( )
② 자연이 지니고 있는 본래적 가치를 존중해야 한다. ( )
③ 자연을 통제하려 하지 말고 공존을 모색해야 한다. ( )
④ 인간은 자연의 주인으로서 책임 의식을 가져야 한다. ( )

답 ①, ②, ③

빈출 자료 ⑦ 인간 중심주의와 동물 중심주의

싱어 — 갑: 자기가 속한 종(種)의 이익을 옹호하면서 다른 종의 이익을 배척하는 차별적 태도는 도덕적으로 정당화될 수 없다. 따라서 인간이 좀 더 나은 지적 능력을 소유하고 있다고 해서 쾌락과 고통을 느낄 수 있는 존재를 착취할 권한을 가질 수는 없다.
└ 이익의 평등한 고려 원칙을 강조한다.
└ 인간처럼 쾌고 감수 능력을 지닌 동물도 고통에서 해방해야 한다는 주장이다.

칸트 — 을: 이성이 없지만 생명이 있는 동물들을 잔학하게 다루는 것은 인간의 자기 자신에 대한 의무에 어긋난다. 그리고 자연 중에 생명이 없지만 아름다운 것을 파괴하려는 성향도 인간의 자기 자신에 대한 의무에 어긋난다.

동물과 자연에 대한 '의무'는 간접적 의무이다. 칸트는 인간은 자연에 대한 간접적 의무가 있지만 인간 상호 간의 의무만이 직접적 의무라고 본다.

서양 사상가들의 인간 중심주의와 탈인간 중심주의(동물 중심주의, 생명 중심주의, 생태 중심주의)의 입장을 비교하는 문제가 자주 출제됩니다.

대표 예제와 기출 선택지

자료를 읽고 갑의 입장으로 적절한 것에 ○표 하시오.

① 동물은 고통을 느끼므로 도덕적으로 고려해야 한다고 본다. ( )
② 인간이 동물을 수단으로 대우하는 것이 도덕적이라고 본다. ( )
③ 을과 달리 동정심을 동물에 대한 도덕적 의무의 근거로 본다. ( )
④ 식물을 보존하는 것이 간접적인 의무로 성립 가능하다고 본다. ( )
⑤ 인간만이 아니라 모든 생명체가 동등한 가치를 지닌다고 본다. ( )

답 ①

빈출 자료 ⑧ 인간과 자연의 관계에 대한 다양한 관점 비교

┌ 생태 중심주의자 중 레오폴드의 입장이다.

갑: 대지 윤리는 생태 윤리를 반영한다. 생태 윤리는 각 개인이 대지의 건강을 위한 자신의 의무를 깨닫고 실천할 것을 요구한다.
└ 동물 중심주의자 중 레건의 입장이다.

(가) 을: 삶의 주체라는 기준을 충족하는 동물들은 내재적 가치를 가진다. 내재적 가치는 무조건적인 개념으로, 그것을 갖거나 갖지 않는 것이지 중간은 없다.
└ 생명 중심주의자 중 테일러의 입장이다.

병: 생명체가 선을 갖는 이유는 그것이 목적론적 삶의 중심이기 때문이다. 생명체는 자신의 성장, 발전, 생존, 번식을 실현하려는 일관성과 통일성을 가진다.

(나)
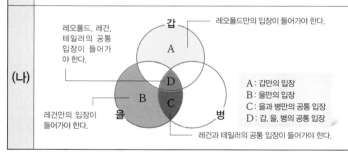
레오폴드, 레건, 테일러의 공통 입장이 들어가야 한다.
레오폴드만의 입장이 들어가야 한다.
레건만의 입장이 들어가야 한다.
레건과 테일러의 공통 입장이 들어가야 한다.
A: 갑만의 입장
B: 을만의 입장
C: 을과 병만의 공통 입장
D: 갑, 을, 병의 공통 입장

대표 예제와 기출 선택지

제시된 자료에서 (나)의 D에 해당하는 적절한 진술에 모두 ○표 하시오.

① 인간은 생태계에 간섭해서는 안 되는 의무를 지닌다. ( )
② 생태계의 선이 개체의 선보다 우선하는 것은 아니다. ( )
③ 동물에 대한 의무는 도덕적으로 정당화가 가능하다. ( )
④ 한 살 이상의 정상적인 포유동물은 내재적 가치를 지닌다. ( )
⑤ 모든 유기체가 지닌 목적을 존중하는 것은 인간의 의무이다. ( )

🔍자료 분석

레오폴드(갑)는 생명 공동체의 범위를 대지까지 확장해야 한다고 주장하였고, 레건(을)은 의무론의 입장에서 동물도 삶의 주체로서 도덕적 권리를 가진다고 보았다. 테일러(병)는 모든 생명체의 내재적 가치를 긍정하였다.

인간과 자연의 관계에 대한 동물 중심주의, 생명 중심주의, 생태 중심주의의 입장을 비교하는 문제가 자주 출제됩니다.

답 ③, ④

[관련 단원] V. 문화와 윤리 ~ Ⅵ. 평화와 공존의 윤리

배울 내용

1일 | 예술과 대중문화 윤리 _136

2일 | 의식주 윤리와 윤리적 소비 _142

3일 | 다문화 사회의 윤리 ❶ _148

4일 | 다문화 사회의 윤리 ❷
～ 갈등 해결과 소통의 윤리 _154

5일 | 민족 통합의 윤리
～ 지구촌 평화의 윤리 _160

수능 생활과 윤리 빈출 키워드#

1일

키워드 #31 예술에 대한 관점
키워드 #32 대중문화의 윤리적 문제

🖌 **공부할 내용 추측해 보기** ↪ 관련 페이지 136쪽
도덕주의와 예술 지상주의를 아는 대로 적어 보자.

2일

키워드 #33 의식주 윤리
키워드 #34 윤리적 소비문화

🖌 **공부할 내용 추측해 보기** ↪ 관련 페이지 144쪽
윤리적 소비에 대해 아는 대로 적어 보자.

3^일

키워드 **#35** 문화를 바라보는 태도와 다문화 정책
키워드 **#36** 관용의 필요성과 한계

✏️ **공부할 내용 추측해 보기** ↻ 관련 페이지 148쪽
문화를 바라보는 태도에 대해 아는 대로 적어 보자.

_____

4^일

키워드 **#37** 종교의 공존과 관용
키워드 **#38** 소통과 담론의 윤리

✏️ **공부할 내용 추측해 보기** ↻ 관련 페이지 156쪽
담론 윤리에 대해 아는 대로 적어 보자.

_____

4
주

5^일

키워드 **#39** 통일 문제를 둘러싼 쟁점
키워드 **#40** 국제 분쟁과 해외 원조

✏️ **공부할 내용 추측해 보기** ↻ 관련 페이지 162쪽
평화와 관련된 윤리 이론을 아는 대로 적어 보자.

_____

예술과 대중문화 윤리

📖 키워드 #31 예술에 대한 관점

1 도덕주의

주장	• 도덕적 가치가 미적 가치보다 우위에 있으므로 예술은 윤리의 인도를 받아야 함. • 예술이 도덕적 선을 지향하도록 적절한 규제가 필요하다고 주장함.
예술의 목적	올바른 품성을 기르고 ☐☐☐ 교훈이나 모범을 제공하는 것
강조점	예술의 사회성 ➡ 참여 예술론❶ 지지
대표적 사상가	플라톤, 공자, 순자 등

2 예술 지상주의(심미주의)

주장	• 미적 가치는 도덕적 가치와 관련성이 낮음. • 심미주의라고도 하며, 윤리적 가치를 기준으로 예술을 평가하고 규제해서는 안 된다고 주장함.
예술의 목적	☐☐ 가치의 구현
강조점	예술의 자율성 ➡ 순수 예술론❷ 지지
대표적 사상가	와일드, 스핑건 등

❶ 참여 예술론
예술가도 사회 구성원이고 창작 활동도 사회 활동의 하나이므로 예술은 사회의 모순을 지적하고 사회의 도덕적 성숙에 기여해야 한다는 주장

❷ 순수 예술론
예술가의 예술 활동은 윤리적 기준과 관습에 상관없이 자율성과 독창성을 지녀야 한다는 주장

🔑 도덕적, 미적

1 다음 내용이 도덕주의에 해당하면 '도', 예술 지상주의에 해당하면 '예'라고 쓰시오.

⑴ 예술 작품도 도덕적 가치 평가의 대상이다. (　　　)

⑵ 도덕적 가치를 기준으로 예술을 규제해서는 안 된다. (　　　)

⑶ "음악은 인간의 도덕성 함양에 기여해야 하는가?"라는 질문에 부정적인 대답을 할 것이다. (　　　)

⑷ "예술 작품은 잘 쓰였거나 형편없이 쓰였거나 둘 중 하나일 뿐이다."라는 주장에 반대할 것이다. (　　　)

4
주

1일

2 ☐ 안에 들어갈 알맞은 말을 쓰시오.

도덕주의와 예술 지상주의 입장의 글을 제시하고, 두 입장을 비교하는 문제가 자주 출제되고 있어.

(가) 나는 그 어떤 교육보다도 음악 교육이 중요하다고 보네. 리듬과 하모니가 올바른 자에게는 우아함을, 그릇된 자에게는 추악함을 깨닫도록 할 테니까 말이야. 또한 그것은 예술이나 자연에서 누락된 결함을 알게 해 주네.

(나) 현대 예술의 사명은 인간의 행복이 인간 상호 간의 결합에 있다는 진리를 이성의 영역에서 감성의 영역으로 옮겨, 현재 지배하고 있는 폭력 대신 신의 세계, 즉 인간의 최고 목적으로 간주하는 사랑의 세계를 건설하는 일이다.

(다) 아름다운 것에서 아름다운 의미를 찾는 자들은 교양 있는 자들이다. 세상에 도덕적인 작품, 비도덕적인 작품이라는 것은 없다. 작품은 잘 쓰였거나 형편없이 쓰였거나 둘 중 하나일 뿐이다.

(라) 시(詩)가 도덕적이라든가 혹은 비도덕적이라고 말하는 것은 마치 정삼각형은 도덕적이고 이등변 삼각형은 비도덕적이라고 말하는 것과 같이 무의미하다.

(가)는 플라톤, (나)는 톨스토이가 한 말이다. 플라톤과 톨스토이는 모두 예술은 인간의 삶을 위해 존재할 때 의미를 지닌다고 보았다. 이는 ⑴ ☐☐☐☐ 입장에 해당한다. (다)는 와일드, (라)는 스핑건이 한 말이다. 이들은 예술과 도덕은 독립적인 영역으로, 예술은 그 자체로서 의미를 지닌다고 보았다. 이는 ⑵ ☐☐ ☐☐☐☐ 입장에 해당한다.

1. ⑴ 도 ⑵ 예 ⑶ 예 ⑷ 도 2. ⑴ 도덕주의 ⑵ 예술 지상주의

1일 예술과 대중문화 윤리

📖 키워드 #32   대중문화의 윤리적 문제

1 대중문화 ❶와 관련된 윤리적 문제

선정성과 폭력성	• 대중문화가 이윤 창출 수단이 되면서 점점 더 자극적인 요소와 표현을 포함하게 됨. • 인간의 육체와 성, 폭력에 대한 그릇된 인식 생성 우려
자본 종속 ❷	• ▢▢을 소유한 사람 혹은 집단이 대중문화 주도 • 예술가의 자율성과 독립성 제약 • 대중문화의 획일화, 규격화, 몰개성화 초래

2 대중문화에 대한 윤리적 규제

	제도적 차원의 규제		개인적 차원의 규제
찬성	대중문화의 상업성으로 인한 선정성·폭력성 문제에 주목, 시장 논리에 따른 문화의 강요 우려	생산자	건전한 대중문화 보급을 위해 노력
반대	규제에 따른 부작용에 주목, 불공정한 규제 가능성, ▢▢의 자유와 문화 향유권의 제한 우려	소비자	대중문화의 수동적 소비 주체에서 탈피, 비판적 시각을 가지고 능동적·주체적으로 수용

❶ 대중문화
대중 사회를 기반으로 다수가 쉽게 소비하고 향유하는 문화

❷ 대중문화 자본 종속의 사례
돈을 많이 벌 수 있을 만한 영화가 다수의 스크린을 차지해 대중의 선택권이 박탈당하는 현상, 광고주의 영향력이 작용해 드라마의 내용과 무관하게 텔레비전 간접 광고(PPL)가 등장하는 현상 등

🅣 자본, 표현

1 ☐ 안에 들어갈 알맞은 말을 쓰시오.

(1) 대중문화가 ☐☐ 창출 수단이 되면서 더 많은 사람의 흥미와 관심을 끌기 위해 더욱 자극적인 소재와 표현을 담게 되었다.

(2) 대중문화가 ☐☐에 종속되면서 자본을 소유한 사람 혹은 집단이 대중문화를 주도하게 되었고, 획일화, 규격화, 몰개성화 등의 문제를 초래하였다.

2 다음 내용이 대중문화에 대한 윤리적 규제에 찬성하는 근거이면 '찬', 반대하는 근거이면 '반'이라고 쓰시오.

(1) 표현의 자유 제한으로 이어질 수 있다. (　　　)

(2) 불공정한 규제가 이루어질 가능성이 있다. (　　　)

(3) 미풍양속과 청소년 보호 등을 위해 필요하다. (　　　)

(4) 시장 논리에 따른 문화 강요를 규제할 필요가 있다. (　　　)

3 ☐ 안에 들어갈 알맞은 말을 쓰시오.

🐻 벤야민, 아도르노와 호르크하이머의 글을 제시하고, 대중 예술에 관한 입장을 묻는 문제가 자주 출제되고 있어.

4
주

1일

벤야민	아도르노와 호르크하이머
예술 작품에 대한 기술적 복제는 수공적인 복제보다 더 큰 독자성을 지니며, 예술 작품의 존속에 아무런 손상도 입히지 않는다. 예술 작품의 기술적 복제 가능성의 시대에서 예술 작품의 '아우라'는 위축된다. 그러나 사진이나 영화와 같은 영역에서 대량 복제 기술은 대중들로 하여금 개별적 상황 속에서 복제품을 쉽게 접하게 한다. 이러한 현상은 전시 가능성을 중시하는 대중 예술이 기존의 제의 의식에 바탕을 둔 예술을 밀어내는 결과를 초래한다. 이제 예술 작품은 새로운 기능을 지닌 형상물이 된다.	문화 산업은 소비자의 모든 욕구가 실현될 수 있는 것처럼 제시하지만, 그 욕구들은 문화 산업에 의해 사전에 결정된 것이다. 소비자는 자신을 영원한 소비자로서, 즉 문화 산업의 객체로서 느끼게 되는 것이 체계의 원리이다. 문화 산업은 자신이 행하는 기만이 욕구의 충족인 양 소비자를 설득하려 들 뿐만 아니라 이를 넘어 문화 산업이 무엇을 제공하든 소비자는 그것에 만족해야 한다는 것을 소비자에게 주입한다. 문화 산업이 제공하는 낙원은 똑같은 일상생활이다.

　벤야민은 기술적 복제가 가능한 시대가 되면서 예술 작품 원작의 아우라 또는 유일한 가치는 위축되지만, 대중들은 더 많은 전시 기회를 지닌다고 본다. 아도르노와 호르크하이머는 오늘날 예술계는 자본에 종속되어 ☐☐☐된 문화 상품을 생산해 내고 대중은 획일화된 문화 상품으로 즐거움을 추구할 뿐이라고 비판하였다.

📋 1. (1) 이윤 (2) 자본　2. (1) 반 (2) 반 (3) 찬 (4) 찬　3. 획일화

예술과 대중문화 윤리

1 다음 글의 입장에 대한 옳은 설명을 〈보기〉에서 고른 것은?

> 무릇 음악이란 즐거운 것으로, 사람의 감정에서 벗어날 수 없는 것이다. 그런 까닭에 사람은 즐거움이 없을 수 없고, 즐거우면 반드시 소리로 나타내게 되고, 행동으로 드러나기도 한다. 그래서 사람의 도리는 소리와 행동으로 나타나게 되며, 본성의 변화도 여기서 극진하게 이루어진다.

---보기---
ㄱ. 예술의 목적을 예술적 가치의 외부에서 찾는다.
ㄴ. 선한 것과 아름다운 것 사이에는 밀접한 관련이 있다고 본다.
ㄷ. 예술을 도덕적 목적을 위한 수단적 가치로부터 해방시키려 한다.
ㄹ. 예술은 인간을 도덕적으로 개선하는 유용한 장치일 수 없다고 본다.

① ㄱ, ㄴ ② ㄱ, ㄷ ③ ㄴ, ㄷ
④ ㄴ, ㄹ ⑤ ㄷ, ㄹ

2 다음과 같은 관점을 지닌 사상가가 지지할 주장으로 가장 적절한 것은?

> 실재의 모방은 쾌락 대신 아름다움, 올바름을 따른다. 음악을 판단하는 기준은 쾌락이 아니며, 우리가 장려해야 할 음악은 그것의 모델인 아름다움과 유사해야 한다. 가장 아름다운 노래를 부르고자 하는 사람들은 올바른 음악을 찾아야 하며, 올바름은 모델의 비율과 특질들을 모방하고 성공적으로 재생하는 것에서 찾을 수 있다.

① 미(美)의 기준을 절대화해 도덕성을 평가해야 한다.
② 어릴 때부터 아름다운 작품을 대하면서 아름다움을 닮도록 해야 한다.
③ 올바른 예술 활동을 구현하기 위해서는 사회적 규범으로부터 자유로워야 한다.
④ 진(眞)·선(善)·미(美)를 서로 완전하게 독립된 개별적인 실체로 간주해야 한다.
⑤ 예술가의 윤리적 감성은 미의 구현이라는 예술의 목표와 무관한 것으로 여겨야 한다.

3 ㉠에 들어갈 내용으로 가장 적절한 것은?

> 나는 좋은 리듬, 좋은 말씨, 조화로움이 담겨 있는 예술 작품은 청소년에게 좋은 성격을 갖게 하지만, 나쁜 리듬, 나쁜 말씨, 부조화는 나쁜 성격을 갖게 한다고 본다. 그런데 어떤 학자는 예술가가 다른 사람의 욕구를 만족시키려는 순간 그는 예술가이기를 포기한 것이며, 예술가에게 윤리적 공감은 필요 없다고 주장한다. 나는 이 학자의 견해가 [㉠]고 생각한다.

① 예술은 도덕적 평가의 대상임을 강조하고 있다
② 예술과 도덕의 극치는 서로 통함을 강조하고 있다
③ 예술은 예술 자체를 위해 존재함을 간과하고 있다
④ 예술이 올바른 품성의 도야에 이바지해야 함을 간과하고 있다
⑤ 예술이 미적 가치를 생산하는 활동이어야 함을 간과하고 있다

4 갑, 을의 예술관에 대한 설명으로 가장 적절한 것은?

> 갑: 아름다운 사물을 오직 '아름다움'의 의미로 받아들이는 이들은 선택된 사람들이다. 세상에 도덕적인 책이나 비도덕적인 책은 없다. 예술가에게 사유와 언어는 예술의 도구이며 악덕과 미덕은 예술을 위한 소재일 뿐이다.
>
> 을: 아름다운 것은 도덕적 선의 상징이다. 바로 이 점에 있어서 아름다움은 만족을 주며, 다른 모든 사람에게 동의를 요구하는 것이다. 이때 우리의 마음은 감각적 쾌락을 넘어서 순화되고 고양된 고귀함을 느끼게 된다.

① 갑은 예술이 도덕을 위한 수단이 되어야 한다고 본다.
② 을은 예술은 도덕적 가치와 분리되어야 한다고 본다.
③ 갑은 을에 비해 예술의 도덕성 실현을 통한 사회 기여를 강조한다.
④ 을은 갑에 비해 예술의 독립성 보장을 통해 얻는 순수한 미적 즐거움을 강조한다.
⑤ 갑, 을은 모두 예술 활동은 미적 가치를 실현하는 활동이 되어야 한다고 본다.

| 학평 기출 응용 |

5 ㉠, ㉡에 대한 설명으로 옳은 것은?

> 미적 가치를 표현하고 이를 실현하고자 하는 ㉠ 예술이 윤리와 갈등하는 대표적인 사례로 ㉡ 외설 논쟁을 들 수 있다. 외설은 어원적으로 '상영 금지(OFF SCENE)'를 뜻하는 것으로, 보통 성적으로 음란하고 난잡한 것을 의미한다. 예술과 외설을 구분하는 기준은 시대와 장소에 따라 달라질 수 있어서 절대적인 기준을 제시하기는 어렵다.

① ㉠ – 감상자로 하여금 카타르시스를 느끼게 한다.
② ㉠ – 성적인 욕구를 자극하는 것이 주된 목적이다.
③ ㉡ – 미적 가치의 표현이 주된 목적이다.
④ ㉡ – 주제와 관련하여 성적 표현을 제한한다.
⑤ ㉡ – 감상자가 성적 수치심을 느끼고 미적 체험을 하게 된다.

| 모평 기출 |

6 다음 서양 사상가의 입장으로 적절하지 않은 것은?

> 예술 작품에 대한 기술적 복제는 수공적인 복제보다 더 큰 독자성을 지니며, 예술 작품의 존속에 아무런 손상도 입히지 않는다. 예술 작품의 기술적 복제 가능성의 시대에서 예술 작품의 '아우라'는 위축된다. 그러나 사진이나 영화와 같은 영역에서 대량 복제 기술은 대중들로 하여금 개별적 상황 속에서 복제품을 쉽게 접하게 한다. 이러한 현상은 전시 가능성을 중시하는 대중 예술이 기존의 제의(祭儀) 의식에 바탕을 둔 예술을 밀어내는 결과를 초래한다. 이제 예술 작품은 새로운 기능을 지닌 형상물이 된다.

① 대중 예술은 원작이 가지고 있는 유일성의 가치를 높여 준다.
② 대중 예술은 표준화된 생산을 통해 미적 체험을 제공한다.
③ 대중 예술의 복제 기술은 예술 작품의 신비감을 축소시킨다.
④ 대중 예술의 복제 기술은 대중과 예술 작품의 거리를 좁힌다.
⑤ 대중 예술에서는 예술의 숭배 가치가 줄고 전시 가치가 늘어난다.

| 학평 기출 |

7 갑, 을 사상가들의 입장으로 가장 적절한 것은?

> 갑: 현대의 예술 작품은 문화 산업으로 포장되어 싼 값에 제공됨으로써 대중의 의식을 포섭해 대중과 예술 모두를 소외시킨다. 그래서 문화 산업에서는 비평이 사라진 것처럼 존경도 사라진다.
> 을: 현대의 예술 작품은 기술적 복제가 가능하게 되어 그 '아우라'가 위축된다. 복제 기술은 대중이 예술 작품을 보다 쉽게 접하게 하여 개별화된 미적 체험을 가능하게 한다.

① 갑: 문화 산업은 개성의 표현을 장려해 대중의 의식을 다양화한다.
② 갑: 대중의 창작 욕구는 예술 작품의 반복적 소비를 통해 강화된다.
③ 을: 예술 작품의 복제가 대중에게서 미적 체험의 기회를 박탈한다.
④ 을: 복제 기술의 발달로 인해 기존 예술 작품의 신비감이 감소된다.
⑤ 갑, 을: 대중문화를 향유하면서 대중은 주체적 문화 생산자가 된다.

| 학평 기출 응용 |

8 학생의 입장에서 제시할 수 있는 근거 ㉠을 〈보기〉에서 고른 것은?

> 교사: 오늘은 대중문화에 대한 제도적 규제가 정당화될 수 있는지 이야기 해 볼까요?
> 학생: 저는 대중문화에 대한 제도적 규제가 정당하다고 생각합니다. 왜냐하면 ⎯㉠⎯

보기

ㄱ. 대중의 의식을 조작할 수 있기 때문입니다.
ㄴ. 대중문화의 자율성을 권장하기 때문입니다.
ㄷ. 표현의 자유가 모든 것에 가장 우선하기 때문입니다.
ㄹ. 지나친 폭력성이나 성 상품화를 예방할 수 있기 때문입니다.

① ㄱ, ㄴ   ② ㄱ, ㄹ   ③ ㄴ, ㄷ
④ ㄴ, ㄹ   ⑤ ㄷ, ㄹ

2^일 의식주 윤리와 윤리적 소비

1 의복과 관련된 윤리적 쟁점

명품 선호 현상	☐☐ 풍조 조장 ➔ 과소비, 계층 간 분열 촉진
유행 추구 현상	패스트 패션❶과 결합하여 몰개성·획일화와 자원 낭비, 환경 오염, 노동 착취 등의 문제 초래
생태 윤리적 문제	동물의 고통을 기반으로 생산된 모피나 가죽옷 착용 문제

2 음식과 관련된 윤리적 쟁점

식품 안전성 문제	유전자 조작 식품(GMO) 등 해로운 음식으로 생명권을 침해
환경 문제	무분별한 식량 생산과 소비로 지구 온난화에 영향 및 환경 오염
동물 복지 문제	공장식 축산업의 보편화로 동물에 대한 비윤리적 대우

3 주거와 관련된 윤리적 쟁점

본래적 ❷ 의미 상실	주거를 경제적 측면으로 바라보아 본래 의미의 거주 공간 상실
획일화·규격화	전통 주거 형태에 비해 정체성과 개성 상실, ☐☐성으로 소통 단절

❶ 패스트 패션과 슬로 패션
패스트 패션이란 최신 유행이나 소비자의 취향 변화에 맞춰 빠르게 생산되고 소비되는 의류를 말한다. 그와 대비되는 슬로 패션은 친환경 소재를 원료로 하여 친환경 공법으로 생산되고 유통되며 소비되는 '친환경' 의류이다.

❷ 주거의 본래적 의미
볼노브는 집이라는 공간은 인간과의 관계 속에서 의미를 지닌다고 보았고, 하이데거는 휴식과 평화를 누리는 내적 공간으로서의 집의 본래적 의미를 찾아야 한다고 주장하였다.

🔒 사치, 폐쇄

1 괄호 안의 내용 중 옳은 것에 ○표 하시오.

(1) 몰개성화, 자원 낭비, 환경 오염 등의 문제를 가져오는 의복 소비문화는 (슬로 패션, 패스트 패션)이다.

(2) 해로운 음식으로 인간의 생명권을 침해하는 음식 관련 문제는 (동물 복지 문제, 식품 안전성 문제)이다.

2 ☐ 안에 들어갈 알맞은 말을 쓰시오.

> **현대 의복 소비문화의 문제**
>
> (가) 저렴한 가격은 소비를 촉진한다. 현재 패션의 저렴한 가격은 쇼핑의 무질서 상태를 부추기고 있다. 이제 미국 사람들 전체가 한 해 동안 사들여 쌓아 두는 옷은 약 200억 벌에 이른다. 석유와 물은 점점 부족해지고 있다. 빙산이 녹고 있다. 우리는 지구의 기후를 영원히 달라지게 만들었다.
>
> (나) 고도로 산업화된 사회에서 명성을 획득할 수 있는 근거는 다름 아닌 재력이다. 재력을 과시하는 방편인 동시에 명성을 획득하고 유지하는 방편은 과시적 여가와 과시적 소비이다. 과시적 여가와 과시적 소비의 발달 과정을 탐색해 보면 공통으로 낭비라는 요소가 작용했음을 알 수 있다. 그것은 한편으로는 시간과 노력의 낭비이고, 다른 한편으로는 재화의 낭비로 나타난다.

(가)는 유행이 바뀔 때마다 소비되고 버려지는 옷(패스트 패션)을 만들기 위해 자연 자원이 낭비되고 지구 오염이 갈수록 심해지고 있음을 비판한다. (나)는 ☐☐적 소비가 결국 자원의 낭비로 나타난다고 하였다.

패스트 패션이나 과시적 소비에 관한 글을 제시하고, 의복 소비문화의 문제점을 묻는 문제가 자주 출제되고 있어.

4주 2일

3 ☐ 안에 들어갈 알맞은 말을 쓰시오.

> 산업 사회에서 인간이 동물의 고기를 음식으로 사용하는 것을 윤리적으로 생각해 보려 한다면 그 상황에서 상대적으로 작은 인간의 이익과 먹혀지는 동물의 생명과 복지가 정말 균형을 이루는지 따져 보아야 한다. 이익 평등 고려 원칙에 따를 때, 작은 이익 때문에 큰 이익을 희생하지 말아야 하기 때문이다. 현대의 공장식 축산업은 동물이 우리가 이용할 대상이라는 태도에 입각하여 과학과 기술을 응용하고 있다.

▲ 싱어

싱어는 급증한 육류 소비 수요를 충족하기 위해 공장식 축산업 형태로 이루어지는 동물 사육 방식을 비판하였다. 동물도 인간과 마찬가지로 ☐☐을/를 느낄 수 있는 존재인데도 인간의 편익을 위해 공장식 사육 방식을 유지한다면, 인간이 먹는 고기는 고통 속에 생산된 고기일 수밖에 없음을 강조하였다.

싱어의 글과 함께 육류 생산과 관련된 문제 상황을 제시하고, 싱어의 입장에서 문제 상황에 대해 제시할 견해를 묻는 문제가 자주 출제되고 있어.

답 1. (1) 패스트 패션 (2) 식품 안전성 문제 2. 과시 3. 고통

의식주 윤리와 윤리적 소비

📖 키워드 #34   윤리적 소비문화

인권과 정의 고려

환경 보전 고려

공동체적 가치 고려

우리 지역 채소!

동물 복지 계란

동물 복지 고려

1 합리적 소비와 윤리적 소비

합리적 소비	소비자가 가격과 품질을 고려하여 최소의 비용으로 최대의 만족을 얻기 위한 소비 → ☐☐적 편익에만 치중한 소비❶를 하게 됨.
윤리적 소비	윤리적인 가치 판단에 따라 재화나 서비스를 구매하고 사용하는 소비 → 가격뿐 아니라 환경 보호, 인권 향상 등을 선택 기준으로 고려함.

2 윤리적 소비의 유형

인권과 정의 고려	노동자의 인권과 복지를 보장하는 기업의 상품 구매, 아동 노동 착취 없이 제3 세계 노동자에게 정당한 임금을 지불한 공정 무역 상품 구매
공동체적 가치 고려	지역 공동체의 ☐☐☐☐한 발전을 도모하는 소비 예 로컬 푸드 운동
동물 복지 고려	동물의 생명을 존중하고 고통을 최소화하는 방식으로 생산된 상품 소비
환경 보전 고려	생태계의 보존과 지속 가능한 소비가 가능하도록 하는 친환경 소비

❶ 합리적 소비의 문제점
합리적인 소비자의 선택을 받기 위해 생산자는 원가를 줄이면서 원가 이상으로 질 좋은 상품을 만들려고 한다. 그래서 노동자들에게 저임금을 강요하고, 동물의 고통을 외면하는 공장식 사육 방식을 고수하며, 환경 오염에 관한 대책을 외면할 수 있다.

🔖 경제, 지속 가능

1 다음 내용이 합리적 소비와 관련 있는 설명이면 '합', 윤리적 소비와 관련 있는 설명이면 '윤'이라고 쓰시오.

(1) 자율적 선택권과 최적의 효용이 필수적 요소이다. (　　　)

(2) 개인의 선호보다는 윤리적인 가치 판단을 상품 선택의 기준으로 삼을 가능성이 높다. (　　　)

(3) 소비를 할 때 인권 향상, 사회 정의, 환경 보호 등 인류 보편의 가치 실현을 염두에 둔다. (　　　)

2 ☐ 안에 들어갈 알맞은 말을 쓰시오.

(1) 자기 지역의 식품을 먹자는 운동인 로컬 푸드 운동은 ☐☐☐적 가치를 생각하는 소비이다.

(2) 동물의 생명을 존중하고 고통을 최소화는 방식으로 생산된 상품을 소비하는 것은 동물 ☐☐을/를 생각하는 소비이다.

3 ☐ 안에 들어갈 알맞은 말을 쓰시오.

> 우리는 왜 윤리적 소비를 해야 할까? 우리가 물건을 하나씩 구매할 때마다 우리는 투표를 하고 있는 것이다. 노동 착취를 통해 만들어진 값싼 옷을 사는 것은 노동자들의 착취에 찬성표를 던지는 것이며, 연료 소비가 많은 자동차를 사는 것은 기후 변화에 찬성표를 던지는 것이다. 우리가 물건을 살 때 윤리적인 문제에 관해 생각해 보는 것은 세상에 대한 이러한 영향을 고려한다는 것을 의미한다. 소비자의 한 사람으로서 우리는 지갑 안에 자신의 의견을 표명할 힘을 가지고 있다.

합리적 소비가 자기 자신에게 돌아오는 직접적인 혜택만을 생각하는 소비라면 ☐☐적 소비는 자신뿐만 아니라 다른 사람, 사회, 나아가 자연 등에 미칠 영향까지 생각하는 소비이다. 윗글에서는 개개인의 소비를 '투표'에 비유함으로써 소비 행위가 사회를 변화시키고 인권, 사회 정의, 환경 등 인류 보편의 가치를 실현하는 수단이 될 수 있음을 강조하였다.

윤리적 소비와 관련된 글을 제시하고, 합리적 소비와 비교하는 문제가 자주 출제되고 있어.

답 1. (1) 합 (2) 윤 (3) 윤　2. (1) 공동체 (2) 복지　3. 윤리

일 의식주 윤리와 윤리적 소비

| 학평 기출 응용 |

1 다음 제시문의 입장에서 주장할 내용만을 〈보기〉에서 있는 대로 고른 것은?

> 패스트 패션 브랜드가 내세우는 저렴한 가격 뒤에는 소비자가 모르는 비용이 숨겨져 있다. 면화를 얻기 위해 뿌리는 막대한 양의 살충제, 그리고 옷 제작 과정에 쓰이는 수천 종류의 화학 약품과 제3 세계 아동과 여성의 값싼 노동력이 옷 한 벌을 얻기 위해 치러야 하는 비용이다.

> ─ 보기 ─
> ㄱ. 상품 생산 과정이 윤리적인지 고려해야 한다.
> ㄴ. 욕구에 부합하는 상품을 효율적으로 구입해야 한다.
> ㄷ. 환경을 고려하여 건전하고 지속 가능한 소비를 실천해야 한다.
> ㄹ. 합리적인 소비를 하는 존재로서의 경제적인 삶을 추구해야 한다.

① ㄱ, ㄴ ② ㄱ, ㄷ ③ ㄴ, ㄹ
④ ㄱ, ㄷ, ㄹ ⑤ ㄴ, ㄷ, ㄹ

| 학평 기출 응용 |

2 (가)를 주장하는 사상가의 관점에서 〈문제 상황〉에 대해 제시할 견해로 가장 적절한 것은?

> (가) 고통과 즐거움을 느낄 수 있다는 것은 어떤 존재가 이익 관심을 갖는다고 말할 수 있기 위한 필요조건일 뿐만 아니라 충분조건이기도 하다.
> 〈문제 상황〉
> 최근에는 최소의 비용으로 최대한 많은 양의 고기를 생산하기 위해 밀집된 환경 속에서 동물을 사육한다. 규격화된 사육 환경 속에서 물건을 만들 듯 고기를 만들어 내고 있다.

① 동물도 고통을 느끼므로 도덕적으로 대우해야 한다.
② 인간성의 고양을 위해 윤리적으로 사육을 해야 한다.
③ 인간 생명 유지에 필수적인 육류의 생산을 지속적으로 늘려야 한다.
④ 생태계의 주인인 인간이 동물을 배려할 수 있는 제도를 시행해야 한다.
⑤ 효율적 육류 생산을 위해 보다 밀집된 환경에서 동물을 사육할 수 있어야 한다.

| 모평 기출 응용 |

3 다음 글에서 강조하는 내용으로 가장 적절한 것은?

> 음식물에 대한 욕망은 자연적이다. 먹고 마시는 욕망을 추구함에 있어서 잘못하는 경우는 주로 지나친 쪽으로 잘못하는 것이다. 사실 어떤 것이든 더 이상 먹고 마실 수 없을 때까지 먹고 마시는 것은 양에 있어 자연에 따르는 것을 넘어서는 것이다. 이런 이유로 사람들은 마땅한 것을 넘어 자신의 배를 채우는 사람을 폭식가(暴食家)라고 부른다.

① 먹는 행위를 통해 문화적 정체성을 형성해야 한다.
② 먹는 행위는 인간의 이성에 의해 조절되어야 한다.
③ 먹는 행위로 개인적 취향의 차이를 드러내야 한다.
④ 먹는 행위를 통해 자연의 순환 과정에 참여해야 한다.
⑤ 먹는 행위는 공동체의 연대감 형성에 기여해야 한다.

| 수능 기출 응용 |

4 다음 토론의 쟁점으로 가장 적절한 것은?

> 갑: 식량 문제 해결을 위해 농업 생산성의 획기적 증대가 필요합니다. 이를 위해서는 산업형 농업의 확대가 필요합니다.
> 을: 산업형 농업이 생산성을 높일 수는 있지만, 생태적 지속 가능성과 동물 복지의 측면에서 문제점이 있으므로 유기 농업으로 전환이 필요합니다.
> 갑: 유기 농업은 생산성이 떨어지고 비싸 가난한 농가나 빈곤층에는 경제적 부담이 됩니다.
> 을: 인간의 노동과 자연의 순환성에 주목하는 대안 농업을 지향해야 인간이 자연과 공존하는 가운데 살아갈 수 있으므로 이 점을 무엇보다 우선시하는 정책으로의 전환이 필요합니다.

① 어떤 농업 생산 방식이 경제적으로 효율적인가?
② 동물과 생태계 중 무엇을 우선적으로 고려해야 하는가?
③ 산업형 농업과 유기 농업 중 어떤 것이 보다 바람직한 생산 방식인가?
④ 대안 농업의 방식들 중 어떤 것이 산업형 농업을 대체하는 바람직한 방식인가?
⑤ 지구의 식량 문제의 본질은 농업 생산에 있는가 아니면 농산물 분배에 있는가?

| 학평 기출 |

5 다음을 주장한 사상가의 입장으로 적절하지 <u>않은</u> 것은?

> 거주란 낯선 공간 안에 낯선 자로서 던져진 것을 의미하지 않는다. 오히려 거주는 그 공간에 친숙해지며, 그 공간에서 삶의 확고하고 지속적인 근거를 발견하는 것을 의미한다. 인간은 외부 공간에 존재하는 위협을 막아 주는 집에서 안정감을 느끼면서, 이를 바탕으로 인간다움을 찾고 실현해 나갈 수 있다.

① 거주는 공간 속에서 친근함과 익숙함을 느끼는 것이다.

② 거주는 인간 삶의 바탕으로서 정서적 안정을 제공한다.

③ 인간은 거주를 통해 인간다운 삶을 영위해 나갈 수 있다.

④ 집은 외부로부터 인간을 보호하는 것 이상의 의미를 지닌다.

⑤ 거주는 낯선 공간 안에 내던져진 존재로서 살아가는 것이다.

| 학평 기출 응용 |

6 ㉠에 대한 설명으로 적절하지 <u>않은</u> 것은?

> 미국의 경제학자이자 사회 과학자인 베블런은 상류층이 사회적 지위를 과시하기 위해 하는 소비를 ㉠ (이)라고 하였다. 그에 의하면 어떤 상품의 경우는 높은 가격이 책정되어야만 수요가 발생하고 또 증가한다. 대표적인 것이 다이아몬드이다. 다이아몬드의 가격은 고가로 책정되어 있는데, 이렇게 해야 소비자의 허영심을 자극해서 다이아몬드에 대한 소비가 늘어난다.

① 자신을 과시하고자 하는 욕망에서 비롯된다.

② 물질의 소비에서 행복을 찾으려는 것이 원인이다.

③ 부유층과 서민 간의 소비 불균형을 가져와 위화감을 조성한다.

④ 모든 상품의 유통을 원활하게 하여 경제 성장의 원동력이 된다.

⑤ 상품의 실용성이나 효용성보다는 이미지를 구매하여 소비하는 것이다.

| 학평 기출 응용 |

7 갑, 을의 입장에 대한 설명으로 가장 적절한 것은?

> 갑: 모피나 가죽으로 된 옷을 입는 것은 동물에게 불필요한 고통을 주기 때문에 도덕적으로 옳지 않다. 또 부유한 국가는 전 세계 가난한 사람들을 돕는 데 자원을 사용해야 한다. 그렇게 할 때 공동체 전체의 행복이 증가한다.
>
> 을: 현세대는 미래 세대를 위해 생명 유지 체계가 충분히 기능할 수 있도록 해야 할 의무가 있다. 따라서 에너지 소비를 줄이고 삶의 방식을 친환경적으로 전환하는 것은 현세대의 마땅한 의무이다.

① 갑은 개인적 욕망을 절제할 경우에만 사회적 행복을 증진할 수 있다고 본다.

② 을은 윤리적 소비가 인간의 행복에 이바지할 때만 타당성을 지닌다고 본다.

③ 갑은 을과 달리 윤리적 소비의 타당성 여부를 공리주의적 관점에서 판단한다.

④ 을은 갑과 달리 인간보다 생태계를 중시하는 규범을 발전시켜야 한다고 본다.

⑤ 갑, 을은 최소 비용으로 최대 이익을 얻는 소비를 가장 바람직한 것으로 본다.

| 수능 기출 응용 |

8 (가)의 입장에 비해 (나)의 입장이 갖는 상대적 특징을 그림의 ㉠~㉤ 중에서 고른 것은?

> (가) 소비자의 만족감을 충족시키는 것이 올바른 소비이다. 소비자는 자신의 욕구와 상품에 대한 정보를 바탕으로 자신의 경제력 안에서 상품을 적절하게 선택해 최대 만족을 얻을 수 있어야 한다.
>
> (나) 재화의 구매, 사용, 처분 그리고 분배에 이르기까지 사회적 책임을 고려하는 소비가 올바른 소비이다. 시간적으로 먼 미래까지, 공간적으로는 지구 전체를 생각하는 소비 생활을 해야 한다.

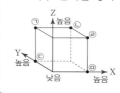

- X: 소비에 있어 최적의 경제적 효용성을 강조하는 정도
- Y: 정의로운 공동체의 구축을 강조하는 정도
- Z: 환경적으로 지속 가능한 소비를 강조하는 정도

① ㉠　　② ㉡　　③ ㉢　　④ ㉣　　⑤ ㉤

3^일 다문화 사회의 윤리 ❶

📖키워드 #35 문화를 바라보는 태도와 다문화 정책

동화주의

다문화주의

문화 다원주의

---

1 다양한 문화를 바라보는 태도

자문화 중심주의	자신의 문화를 기준으로 다른 문화를 무조건 낮게 평가하는 태도
문화 사대주의	자신의 문화를 열등하게 여겨 다른 문화를 숭배하고 추종하는 태도
문화 상대주의	각 문화가 지닌 고유성과 □□적 가치를 이해하고 존중하는 태도

2 다문화 정책

정책	대표 이론	내용
동화주의	용광로❶ 이론	• 소수의 문화를 주류 사회의 문화에 편입시켜야 함. • 한계: 문화의 역동성 파괴, 이주민의 문화적 정체성 상실 등
다문화주의	샐러드 그릇 이론	• 다양한 문화가 상호 공존하면서 각각의 색깔을 지니면서도 □□를 이룸. • 한계: 사회적 연대감이나 결속력 부족 ➡ 사회적 통합이 어려움.
문화 다원주의	국수 대접 이론	• 문화의 다양성은 인정하지만, 주류 사회의 문화를 바탕으로 비주류 문화가 공존해야 한다고 봄. • 한계: 주류 문화를 우위에 두고 다른 문화를 평등하게 인정하지 않음.

❶ **용광로 이론**
다양한 물질을 용광로에 넣어 녹이듯이 다양한 문화를 섞어 새로운 문화를 재탄생시켜야 한다고 보는 입장

📖 상대, 조화

1 다음 설명에 해당하는 다문화 사회를 바라보는 태도에 ✔표 하시오.

(1) 다른 문화를 숭배하고 추종한다.

☐ 문화 사대주의 ☐ 문화 상대주의

(2) 각 문화가 지닌 고유성을 이해하고 존중한다.

☐ 자문화 중심주의 ☐ 문화 상대주의

(3) 자국 문화만 높이 평가하고 타국의 문화는 무시한다.

☐ 자문화 중심주의 ☐ 문화 사대주의

2 다음 내용이 다문화주의와 관련 있는 설명이면 '다', 문화 다원주의와 관련 있는 설명이면 '문'이라고 쓰시오.

(1) 문화의 다양성은 인정하지만 주류 문화와 비주류 문화를 구분한다. ( )

(2) 한 사회 안에 다양한 문화가 공존하며 조화를 추구한다. ( )

(3) 사회의 구심점이 되는 문화가 없어서 사회적 통합을 이루기 어렵다는 비판을 받는다. ( )

3 ☐ 안에 들어갈 알맞은 말을 쓰시오.

4
주

3일

> 다문화 사회를 설명하는 여러 가지 모형을 제시하고, 각 입장에 대한 옳은 설명을 묻는 문제가 자주 출제되고 있어.

다문화 사회를 설명하는 다양한 모형

(가) 여러 가지 금속을 용광로에 넣어 녹이는 것처럼, 다양한 이주민의 문화를 주류 문화에 적응시키고 통합해야 한다.

(나) 다양한 채소와 과일이 고유의 맛과 색을 유지하면서 전체적인 맛의 조화를 이루듯이, 다양한 인종과 민족의 문화가 각각의 고유성을 유지하면서 조화와 공존을 이룬다.

(다) 다양한 조각이 모여 하나의 모자이크가 되는 것처럼, 여러 이주민 문화가 모여 하나의 문화를 이룬다.

(라) 국수의 면과 국물이 주를 이루고 여기에 갖가지 고명이 얹혀 입맛을 돋우듯이, 중심 역할을 하는 주류 문화에 비주류 문화가 덧붙여져 공존한다.

(가)는 (1) ☐☐☐ 모형으로, 문화 충돌에 따른 혼란이나 갈등을 방지할 수 있지만 각 문화의 고유성과 다양성이 훼손된다는 한계가 있다. (나)는 (2) ☐☐☐ ☐☐ 모형, (다)는 모자이크 모형으로, 다양한 문화가 하나의 사회 안에서 각각의 정체성을 유지하며 대등하게 조화를 이룬다는 장점이 있는 반면 문화의 구심점이 없어서 사회적 통합을 이루기 어렵다는 단점도 있다. (라)는 (3) ☐☐☐ ☐☐ 모형으로, 문화의 다양성은 인정하지만 주류 문화를 우위에 둔다는 점에서 다문화주의와 차이를 보인다.

📋 1. (1) 문화 사대주의 (2) 문화 상대주의 (3) 자문화 중심주의 2. (1) 문 (2) 다 (3) 다
3. (1) 용광로 (2) 샐러드 그릇 (3) 국수 대접

다문화 사회의 윤리 ❶

관용의 필요성과 한계

1 문화 상대주의와 윤리적 상대주의 ❶

문화 상대주의의 특징	• 문화는 우열을 가릴 수 없다고 봄. • 인류의 문화는 한 방향으로 발전하지 않는다고 봄. • 문화적 차이로 인한 갈등을 예방하고 다양한 문화의 ☐☐을 도모함.
윤리적 상대주의	• 의미: 행위의 도덕적 옳음과 그름이 사회에 따라 다양하며, 보편적인 도덕 기준은 없다고 보는 태도 • 문제점: 자문화와 타 문화를 비판적으로 성찰할 수 없고, 왜곡된 신념에 따른 행위에 대한 윤리적 판단을 할 수 없음.

└─ 노예 제도, 히틀러의 유대인 학살, 명예 살인, 전족
등도 용인해야 하는 문제가 나타남.

2 관용의 필요성과 한계

의미	타인의 생각이나 문화가 나와 다를지라도 이를 ☐☐하는 이성적 태도
필요성	• 문화적 차이에 따른 편견과 차별을 예방하기 위해서 필요함. • 자유의 가치와 인간 존중을 실현하기 위해 필요함.
한계 ❷	• 타인의 인권과 자유를 침해하지 않는 범위 내에서 관용해야 함. • 사회 질서를 훼손하지 않는 범위 내에서 관용해야 함.

❶ 문화 상대주의와 윤리적 상대주의의 차이점

문화 상대주의 입장에서 문화의 다양성을 인정하는 것은 인류의 보편 윤리를 부정하는 것은 아니다. 그러나 윤리적 상대주의는 보편적인 도덕 기준도 없다고 본다.

❷ 관용의 역설

관용을 무제한으로 허용하면, 관용 자체를 부정하는 사상이나 태도까지 인정하게 되어 결국 아무도 관용을 보장받을 수 없게 된다.

답 공존, 존중

1 □안에 들어갈 알맞은 말을 쓰시오.

(1) 문화 상대주의는 문화는 □□을/를 가릴 수 없다고 본다.

(2) 문화 상대주의의 입장에서 문화의 다양성을 인정하는 것은 인류의 □□ □□을/를 부정하는 것은 아니다.

(3) 보편적인 윤리 기준을 인정하지 않는 윤리적 상대주의는 자문화와 타 문화를 비판적으로 □□할 수 없다는 비판을 받는다.

2 □안에 들어갈 알맞은 말을 쓰시오.

(1) 모든 문화에 대한 무제한의 관용은 관용의 □□을/를 야기한다.

(2) 다문화 사회에서는 문화적 □□에 따른 편견과 차별을 예방하기 위해서 관용이 필요하다.

(3) 다문화 사회에서는 관용의 자세가 중요하지만 인권, 정의, 자유 등 사회의 □□□ 가치를 침해하는 행위에 대해서까지 관용해야 하는 것은 아니다.

4주 3일

3 □안에 공통으로 들어갈 알맞은 말을 쓰시오.

관용의 내용과 관련된 글을 제시하고, 다문화 사회에서 필요한 관용의 자세를 찾는 문제가 자주 출제되고 있어.

관용의 필요성과 관용의 역설

(가) 다양한 견해가 우리에게 이득을 주는 중요한 까닭 중 하나를 아직 이야기하지 못하였다. 진리와 오류 사이의 논쟁은 진리를 더욱 분명히 이해하고 깊이 깨닫는 데 없어서는 안 될 필수 요소이다. 그러나 서로 대립하는 두 주장 가운데 하나는 진리이고 다른 하나는 틀린 것으로 확연히 구분하기보다는 각각 어느 정도씩 진리를 담고 있는 경우가 더 일반적이다.

(나) 아무 제약 없는 관용은 반드시 관용의 소멸을 불러온다. 우리는 관용의 이름으로 불관용을 관용하지 않을 권리를 천명해야 한다.

(가)는 밀의 주장으로, 밀은 대립하는 두 주장 중에 하나만 진리인 경우보다 어느 정도씩 진리를 담고 있는 경우가 일반적이므로 □□이/가 필요하다고 말한다. (나)는 포퍼의 주장으로 제약 없는 □□은/는 불관용까지 관용하게 되므로 관용의 역설을 불러온다고 말한다.

답 1. (1) 우열 (2) 보편 윤리 (3) 성찰 2. (1) 역설 (2) 차이 (3) 보편적 3. 관용

3^일 다문화 사회의 윤리 ❶

1 갑의 입장에 비해 을의 입장이 갖는 상대적 특징을 그림의 ㉠~㉢ 중에서 고른 것은?

> 갑: 열대 지방에 사는 사람들의 의상은 노출이 심하여 윤리적으로 문제가 있습니다. 서구식 정장을 갖추어 입도록 권해야 합니다.
> 을: 열대 지방 사람들이 서구식 정장을 입게 되면 기후와 맞지 않아 피부병이 생기게 됩니다. 다양한 의복 문화는 있는 그대로 존중해야 합니다.

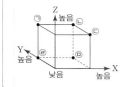

- X: 각 문화가 동등한 입장에서 공존해야 한다고 보는 정도
- Y: 문화마다 지닌 고유성을 존중해야 한다고 보는 정도
- Z: 문화가 형성된 사회적 배경을 고려해야 한다고 보는 정도

① ㉠ ② ㉡ ③ ㉢ ④ ㉣ ⑤ ㉤

2 갑, 을의 입장을 그림으로 탐구하고자 할 때 A~C에 들어갈 적절한 질문만을 〈보기〉에서 있는 대로 고른 것은?

> 갑: 국수 대접을 보면 국수와 국물이 주된 것이지만 고명이 그 위에서 맛을 더해 주고 있다. 이처럼 한 나라의 문화도 그 나라의 문화가 중심이 되어 다른 문화를 수용함으로써 발전할 수 있다.
> 을: 채소나 과일이 본연의 맛과 향을 유지하면서 어우러질 때 맛있는 음식이 된다. 따라서 여러 문화가 정체성을 유지하면서 조화를 이루어야 한다.

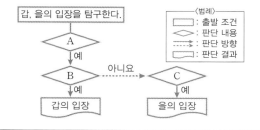

─ 보기 ─
ㄱ. A: 관용의 태도로 비주류 문화를 인정해야 하는가?
ㄴ. B: 중심 문화 관점에서 단일성을 유지해야 하는가?
ㄷ. B: 주류를 우위로 삼고 비주류를 보호해야 하는가?
ㄹ. C: 문화들 간의 우열 없이 평등하게 대해야 하는가?

① ㄱ, ㄴ ② ㄴ, ㄷ ③ ㄷ, ㄹ
④ ㄱ, ㄴ, ㄹ ⑤ ㄴ, ㄷ, ㄹ

3 ㉠에 들어갈 내용으로 가장 적절한 것은?

> 갑: 샐러드 그릇 모형에 관해 자세히 설명해 주십시오.
> 을: 샐러드는 생채소나 과일을 마요네즈, 프렌치 드레싱 등의 소스로 버무린 음식입니다. 따라서 샐러드 그릇 모형은 [㉠]는 장점이 있다고 할 수 있습니다.

① 다양한 문화를 하나로 통합할 수 있다
② 다양한 문화가 대등한 관계에서 공존할 수 있다
③ 주류 문화와 비주류 문화를 명확하게 구분할 수 있다
④ 주류 문화를 바탕으로 비주류 문화가 조화를 이룰 수 있다
⑤ 단일한 문화와 전통을 강조함으로써 사회 통합을 이룰 수 있다

4 갑, 을, 병의 입장에 대한 설명으로 가장 적절한 것은?

> 갑: 세계화 시대에 우리에게 요청되는 바람직한 다문화 정책은 바로 샐러드 그릇 모형입니다. 이를 통해 우리 사회도 문화들의 공존을 꾀해야 합니다.
> 을: 다양한 문화들의 공존을 꾀해야 한다는 점에는 동의합니다. 하지만 우리 민족이 원래부터 가지고 있던 문화가 이주민의 문화에 주인 자리를 내주어서는 안 됩니다.
> 병: 우리 민족의 정체성 보존을 고려하지 않고 무턱대고 이주민 문화를 받아들인다면 위험한 상황에 처하게 됩니다. 가능한 한 단일한 문화 정체성을 유지해야 합니다.

① 갑은 을과 달리 다양한 문화가 동등한 입장에서 조화를 이룰 수 있다고 본다.
② 을은 갑과 달리 주류 문화와 비주류 문화의 구분 없이 다양한 문화의 공존이 필요하다고 본다.
③ 병은 갑과 달리 문화의 단일한 정체성 유지보다 다양성을 바탕으로 한 조화가 중요하다고 본다.
④ 갑, 을은 다문화 사회의 발전을 위해서라면 민족 고유문화의 정체성도 포기할 수 있다고 본다.
⑤ 병은 갑, 을에 비해 이주민 문화를 적극 수용하여 문화의 다양성을 추구해야 한다고 본다.

| 학평 기출 응용 |

5 ⊙에 들어갈 내용으로 가장 적절한 것은?

> 문화가 상대적이라고 해서 윤리적 가치도 상대적이라 할 수는 없다. 그런데 어떤 사람은 "문화의 일부인 관습은 사회마다 다르므로 어느 한 사회의 가치를 기준으로 다른 사회의 관습을 평가해서는 안 된다."라고 주장한다. 나는 이러한 주장이 [　⊙　]고 생각한다.

① 절대적인 도덕 기준이 존재하지 않음을 간과한다
② 문화의 우열을 가리는 태도가 필요함을 간과한다
③ 문화에 대해서는 도덕적 판단을 내릴 수 없음을 간과한다
④ 어떤 경우에도 문화의 상대성은 보장되어야 함을 간과한다
⑤ 모든 관습을 무조건 바람직한 것으로 인정해서는 안 됨을 간과한다

| 학평 기출 응용 |

6 (가), (나)의 입장에 대한 설명으로 옳지 <u>않은</u> 것은?

> (가) 문화는 저마다 독자성과 고유성을 지니고 있다. 윤리 규범도 문화의 일부이므로 사회마다 다르며, 따라서 한 사회의 가치를 기준으로 다른 사회의 윤리 규범을 평가해서는 안 된다.
> (나) 문화는 각 사회의 차이를 반영하고 있으므로 각 문화의 상대성을 인정해야 한다. 그러나 문화의 상대성에 대한 인정이 보편적 가치에 대한 부정으로 나아가서는 안 된다.

① (가): 문화가 상대성을 지니듯이 윤리도 상대성을 지닌다고 본다.
② (가): 각 문화의 상대성을 인정하고 자체 맥락에서 파악해야 한다고 본다.
③ (나): 모든 사회에 공통으로 적용할 수 있는 보편적 가치가 존재한다고 본다.
④ (나): 문화의 상대성을 인정하는 태도와 보편 윤리를 존중하는 태도는 양립 가능하다고 본다.
⑤ (가), (나): 문화의 다양성이 윤리 규범의 다양성을 정당화하는 근거가 될 수 없다고 본다.

| 학평 기출 응용 |

7 ⊙에 들어갈 내용으로 가장 적절한 것은?

> 문화 상대주의를 근거로 윤리적 상대주의를 주장하는 것은 논리적 오류이다. 모든 다양한 문화 속에는 공통된 정신이나 가치가 있으며 이것은 절대적인 것이다. 그런데 문화는 저마다 독자성과 고유성을 가지므로 상대적이며, 윤리 또한 문화의 한 부분이므로 보편적 가치를 근거로 다른 문화에 대해 평가를 내려서는 안 된다고 주장하는 사람들이 있다. 나는 이 사람들의 견해가 [　⊙　]고 생각한다.

① 문화의 다양성을 인정하고 존중해야 함을 간과한다
② 상대성을 기준으로 문화를 평가해야 함을 간과한다
③ 자문화와 타 문화에 대한 윤리적 성찰의 중요성을 간과한다
④ 문화뿐만 아니라 윤리도 절대적인 판단 기준이 없음을 간과한다
⑤ 문화 간의 질적 차이가 있음을 인정하고 우수한 문화를 수용해야 함을 강조한다

| 학평 기출 응용 |

8 다음 글의 관점으로 볼 때 다문화 사회에서 필요한 태도로 적절하지 <u>않은</u> 것은?

> 소극적인 의미에서의 관용은 반대나 간섭을 하지 않는 것이며, 적극적인 의미에서는 대상에 대해 권리를 인정해 주는 것이다. 즉, 소극적인 관용은 배타적인 반응을 억제하는 것으로서 나는 그렇게 하지는 않지만 타인이 그러한 행위를 하는 것을 용인하는 것이다. 반면 적극적인 관용은 인권을 존중하고 평화를 실현하기 위해 책임 있는 행동을 하는 것과 같이 남을 나와 같은 상태나 처지로 만들고자 노력하는 것이다.

① 문화 상대주의의 태도를 지닌다.
② 다양한 문화를 인정하고 존중한다.
③ 우리 문화를 기준으로 타 문화를 평가한다.
④ 다문화 가정의 자녀에게 부모의 모국어를 배우도록 장려한다.
⑤ 다른 문화를 수용하여 우리 문화를 더욱 풍부하게 발전시킨다.

4
주

3일

📖 **키워드 #37** 종교의 공존과 관용

1 종교의 의미와 본질

의미❶	인간의 유한성, 불완전성에서 비롯된 실존적 문제를 해결하는 과정에서 지니게 된 □□적 존재에 대한 믿음이 구체적인 형태로 나타난 것	
본질	내용적 측면	성스럽고 거룩한 것에 관한 주관적 체험과 믿음
	형식적 측면	경전과 교리, 의례와 일정한 형식, 교단

2 종교와 윤리의 관계

구분	종교	윤리
차이점	초월적 세계, 궁극적 존재에 근거한 종교적 신념이나 교리 제시	이성이나 양심, 도덕 감정 등을 근거로 실생활에서 지켜야 하는 규범 제시
공통점	도덕성 중시 ➡ 모든 종교는 □□적 윤리를 포함하고 있음. 예 황금률	

3 종교 갈등을 극복하기 위한 자세

종교적 관용	종교의 자유와 각 종교의 자율성 인정
대화와 협력	대화와 협력을 통해 갈등 해소, 다른 종교를 이해하고 존중하는 풍토 조성

❶ 종교에 대한 다양한 관점
- 신에게 의지하려는 믿음이 종교라고 보는 관점 → 슐라이어마허, "절대 의존의 감정이다."
- 인간이 소망하는 것을 대상에 투사한 것이 신이라고 보는 관점 → 마르크스, "종교가 인간을 만드는 것이 아니라 인간이 종교를 만드는 것이다."
- 우리의 일상 가운데 성스러움이 드러나는 현상이 종교라는 관점 → 엘리아데, "성과 속이 분리되어 있지 않으며, 일상적인 삶 자체가 성스러움의 드러남이다."

📎 초월, 보편

1 ☐ 안에 들어갈 알맞은 말을 쓰시오.

(1) ☐☐은/는 초월적 존재에 대한 인간의 믿음이 구체적인 형태로 표현된 것이다.

(2) 종교와 윤리는 모두 ☐☐☐을/를 중시한다는 점에서 공통적이다.

(3) 엘리아데는 성과 속이 분리되어 있지 않다며 우리의 ☐☐ 가운데 성스러움이 드러나는 현상을 종교라고 보았다.

2 종교와 윤리의 관계에 대한 옳은 설명을 〈보기〉에서 모두 골라 쓰시오.

> **보기**
>
> ㉠ 황금률은 종교와 윤리 모두에 공통된 요소이다.
> ㉡ 보편적 윤리를 포함하고 있으면 윤리이고, 그렇지 않으면 종교이다.
> ㉢ 궁극적 존재를 근거로 규범을 제시하면 종교이고, 그렇지 않으면 윤리이다.

3 ☐ 안에 들어갈 알맞은 말을 쓰시오.

> ### 종교 간 대화의 필요성
>
> 세계 평화를 위한 특별한 책임이 종교에 있다. 종교들이 일치하는 지점을 찾아가는 것으로부터 세계 평화는 시작된다. 인류는 평화보다 전쟁을, 화해보다 광신을, 대화보다 우월성을 부추기는 종교를 더는 용인하지 않는다. 이 세계에 차별의 윤리, 모순의 윤리, 투쟁의 윤리가 사라질 때 비로소 우리는 생존의 기회를 얻을 수 있다. 종교 간 대화 없이 종교의 평화가 있을 수 없고, 종교의 평화 없이 세계 평화는 있을 수 없다.

제시문은 한스 큉의 주장으로, 큉은 종교 간의 대화를 통해 종교 평화를, 나아가 세계 평화를 이룰 수 있다고 주장한 가톨릭 신학자이다. 그는 "종교 사이의 대화를 배제하고는 국가 사이의 어떠한 평화도 불가능하고, 종교 사이의 어떠한 평화도 불가능하며, 신학적인 기본 연구를 배제하고서는 종교 사이의 어떠한 태도도 불가능하다."라고 하였다. 즉, 다른 종교에 대한 ☐☐을/를 기반으로 대화를 통해 서로의 입장을 이해해야 한다는 것이다.

종교 갈등을 극복하는 자세에 관한 글을 제시하고, 문제 상황에 대해 제시할 만한 해결책을 묻는 문제가 자주 출제되고 있어.

답 1. (1) 종교 (2) 도덕성 (3) 일상 2. ㉠, ㉢ 3. 이해

키워드#38　소통과 담론의 윤리

1 동양의 소통과 담론❶의 윤리

공자의 화이부동	남과 사이좋게 지내되 의를 굽혀 따르지는 않는다는 의미로 조화의 중요성 강조
원효의 화쟁 사상	편견과 집착을 넘어 ☐☐하면서 대립을 극복하고, 궁극적 진리로 나아가야 함. ➡ 일심(一心) 사상 강조

2 서양의 소통과 담론의 윤리

하버마스	규범의 타당성 요건	• 합리적인 의사소통❷: 서로 다른 의견과 갈등, 폭력 등의 극복 • 자유로운 동의: 규범에 의해 영향을 받는 사람들이 합리적인 토론을 통해 자유롭게 동의함.
	소통과 담론에 필요한 윤리적 자세	• ☐☐적인 대화가 이루어지기 위한 과정 중시 • 모든 사람에게 담론에 참여할 기회 개방 • 자유롭고 평등한 담론 참여자들이 합리적인 담론 상황에서 상호 이해와 관용의 태도를 갖도록 함.
아펠		인격의 상호 인정이 진정한 소통을 위한 기본 전제임을 강조

❶ 담론
주로 토론의 형태로 이루어지는 이성적 의사소통 행위

❷ 하버마스의 이상적 담화 조건
하버마스가 의사소통의 합리성 실현을 위해 제시한 네 가지 조건
• 이해 가능성: 서로의 표현을 제대로 이해할 수 있어야 한다.
• 진리성: 말하는 내용이 참이어야 한다.
• 정당성: 논쟁 절차를 준수해야 한다.
• 진실성: 기만하거나 속이려는 의도 없이 말하는 바를 진실하게 표현해야 한다.

🔑 소통, 합리

1 다음 설명에 해당하는 하버마스의 이상적 담화 조건에 ✔표 하시오.

(1) 대화 당사자들이 말하는 내용이 참이어야 한다.

☐ 정당성　　　　☐ 진리성　　　　☐ 이해 가능성

(2) 대화 당사자들은 논쟁 절차를 준수하여야 한다.

☐ 정당성　　　　☐ 진리성　　　　☐ 이해 가능성

(3) 서로 속이거나 기만하려는 의도 없이 말해야 한다.

☐ 정당성　　　　☐ 진리성　　　　☐ 진실성

4
주
4일

2 ☐ 안에 들어갈 알맞은 말을 쓰시오.

(1) 이성적 의사소통 행위인 담론은 주로 ☐☐의 형태로 이루어진다.

(2) 하버마스는 규범의 타당성 요건으로 합리적인 ☐☐☐☐, 자유로운 동의를 제시한다.

(3) 공자는 ☐☐☐☐을/를 말하며 남과 사이좋게 지내되 의를 굽히지 않는 조화의 중요성을 강조한다.

3 ☐ 안에 들어갈 알맞은 말을 쓰시오.

▲ 하버마스

> 오늘날 시민들은 공적 장소에서 토론할 기회를 제대로 가질 수 없을 뿐만 아니라, 그러한 공적 토론이 시민들에게 권장되지도 않는다. 시민들 간의 합리적 의사소통이 없으면 건강한 민주 사회를 유지할 수 없게 된다. 이러한 문제를 극복하기 위해서는 자유롭고 평등한 시민들에 의해 공적 문제에 대한 문제 제기와 토론이 활성화되어야 한다. 민주적 공론장에서 이성적인 시민들이 모두가 합의할 수 있는 논증의 형태로 대화에 참여하고, 그 토론의 결과가 법체계에 반영된다면 현대 사회의 다양한 정치적·윤리적 문제를 해결할 수 있을 것이다.

하버마스의 글을 제시하고, 사회 문제 상황에서 하버마스가 제시할 해결책을 찾는 문제가 자주 출제되고 있어.

하버마스는 공동의 문제를 시민 사회 내부에서 작동하는 의사소통의 망, 즉 ☐☐의 장에서 논의하고, 논의 과정에서 서로에 대한 이해를 넓히며, 합의에 이르는 과정을 통해 사회 통합에 이를 수 있다고 보았다. 이때 공론의 장에서 합리적 담론이 이루어지기 위해서는 이상적 담화 상황이 조성되어야 한다고 강조하였다.

답 1. (1) 진리성 (2) 정당성 (3) 진실성　2. (1) 토론 (2) 의사소통 (3) 화이부동　3. 공론

다문화 사회의 윤리 ❷ ~ 갈등 해결과 소통의 윤리

| 학평 기출 응용 |

1 갑, 을 사상가의 종교관에 대한 설명으로 옳지 <u>않은</u> 것은?

> 갑: 종교적 인간에게 자연은 결코 단순한 '자연'이 아니다. 그것은 항상 종교적 의미로 충만해 있다. 이 사실은 쉽게 이해할 수 있다. 왜냐하면 우주는 신의 창조물이고, 세계는 신의 손으로 완성된 것이어서 성스러움으로 가득 차 있기 때문이다.
>
> 을: 인간은 성장하면서 자신이 영원히 어린아이로 남을 운명이며 미지의 우월한 힘으로부터 보호받지 않고는 결코 살아갈 수 없다는 것을 알고, 아버지라는 인격의 속성을 그 힘에 부여한다. 그는 스스로 신을 만들고, 신을 두려워하면서도 자신의 보호자 역할을 그 신에게 맡긴다.

① 갑은 신이 존재한다고 본다.
② 갑은 신성함은 세계 모든 곳에서 발견된다고 본다.
③ 을은 종교가 심리적 현상에 불과한 것이라고 본다.
④ 을은 종교가 인간의 심리적 필요에 의해 만들어진 것이라고 본다.
⑤ 갑, 을 모두 종교는 인간의 소망을 성취해 주기 위해 존재한다고 본다.

| 학평 기출 응용 |

2 다음 글에서 강조하는 내용만을 〈보기〉에서 있는 대로 고른 것은?

> 종교들은 인간에게 최고의 양심 규범과 현대 사회를 위해 매우 중요한 정언적 명령을 제공할 수 있다. 왜냐하면 모든 대종교들은 가정적이고 조건적인 규범뿐만 아니라 동시에 정언적이고 자명한 절대적 규범, 즉 황금률 같은 것을 요구하고 있기 때문이다.

─ 보기 ─
ㄱ. 종교는 보편적 윤리성을 함의하고 있어야 한다.
ㄴ. 종교인은 믿음을 버리고 윤리성을 추구해야 한다.
ㄷ. 종교인은 사랑, 평화 등에 대한 실천 의지를 지녀야 한다.
ㄹ. 종교를 통해 인류는 하나의 동일한 가치관을 지녀야 한다.

① ㄱ, ㄴ   ② ㄱ, ㄷ   ③ ㄷ, ㄹ
④ ㄱ, ㄴ, ㄹ   ⑤ ㄴ, ㄷ, ㄹ

| 학평 기출 응용 |

3 (가)의 관점에서 (나)의 상황에 대해 제시할 수 있는 해결 방안으로 가장 적절한 것은?

> (가) 종교 분쟁을 해결하려면 각 종교가 가진 근본적인 차이점을 이해하는 것이 중요하다. 수많은 신앙을 하나로 통일하려고 한다면 각각의 신앙이 가진 다양성과 풍요로움도 잃어 버릴 것이다.
>
> (나) 나이지리아의 타라바주는 이슬람 신자들과 그리스도교 신자들이 모여 사는 곳으로, 수년 동안 두 종교 간 충돌로 수천 명의 사람이 목숨을 잃었다.

① 민족 종교를 세계 종교로 발전시켜야 한다.
② 자기 종교의 관점에서 다른 종교를 평가해야 한다.
③ 각 종교의 차이를 인정하고 다양성을 존중해야 한다.
④ 종교 간의 합리적 소통을 통해 종교의 단일화를 추구해야 한다.
⑤ 종교 간의 우열을 윤리적으로 평가하여 위계질서를 확보해야 한다.

| 학평 기출 응용 |

4 다음 글의 ㉠에 들어갈 내용으로 가장 적절한 것은?

> 나는 이 세상에는 서로 다른 종교가 있어야 한다고 생각합니다. 왜냐하면 인간이라는 존재는 매우 다양한 성향과 욕구, 생각을 갖고 있기 때문입니다. 한 종교가 그토록 다양한 사람의 성향과 욕구, 생각을 모두 만족시킬 수는 없습니다. 서로 다른 종교로 인하여 나타날 수 있는 갈등과 다툼을 해결하기 위해서는 ㉠

① 소수의 종교를 거부하고 다수가 믿는 종교를 신봉해야 합니다.
② 모두가 믿을 수 있는 하나의 세계적인 종교를 만들어야 합니다.
③ 타 종교에 대한 모든 간섭을 배제하고 독립성을 강조해야 합니다.
④ 다른 종교를 무시하고 배척하려는 세속적인 이기심을 극복해야 합니다.
⑤ 현세에서의 도덕적 실천과 내세에서의 영원한 행복을 동시에 추구해야 합니다.

정답과 해설 22쪽

| 학평 기출 응용 |

5 다음 대화에서 스승이 제시할 수 있는 소통 방법만을 〈보기〉에서 있는 대로 고른 것은?

> 제자: 스승님, 사람들은 왜 서로 대립하고 다투며 사는 것입니까?
> 스승: 하나인 마음[一心]을 깨닫지 못하고 각기 다른 시각에서 보기 때문이라네.
> 제자: 그것을 극복하려면 어떻게 살아야 할까요?
> 스승: 다양한 입장들을 인정하면서도 더 높은 차원에서 통합하는 화쟁(和諍) 정신을 실천해야 하네.

> ── 보기 ──
> ㄱ. 자신과 타인이 추구하는 바가 다를 수 있음을 파악해야 한다.
> ㄴ. 모든 진리는 하나의 원리에서 출발한다는 것을 인식해야 한다.
> ㄷ. 타고난 어진 마음을 바탕으로 사욕(私欲)을 이기고 예를 회복한다.
> ㄹ. 자신의 주장이 언제나 옳다는 마음이 분쟁의 원인임을 알아야 한다.

① ㄱ, ㄴ ② ㄱ, ㄹ ③ ㄴ, ㄷ
④ ㄱ, ㄴ, ㄹ ⑤ ㄴ, ㄷ, ㄹ

| 학평 기출 |

6 다음 사상가가 주장하는 바람직한 대화의 자세로 옳지 않은 것은?

> 이상적 의사소통이 이루어지기 위해서는 모든 대화 참여자에게 발언할 수 있는 동등한 기회가 주어져야 한다. 또한 주장의 근거를 제시하거나 요구하여 사실을 확인할 수 있어야 한다. 그리고 모든 대화 참여자들은 자신의 입장, 감정, 바람 등을 진실하게 말해야 한다.

① 상대방의 주장을 충분히 경청해야 한다.
② 자신의 오류 가능성을 인정하고 대화해야 한다.
③ 상대방을 동등한 인격의 소유자로 대해야 한다.
④ 자신의 주장에 대한 객관적인 근거를 제시해야 한다.
⑤ 개인적인 욕구, 희망 사항을 제외하고 발언해야 한다.

| 학평 기출 응용 |

7 (가)를 주장한 사상가의 입장에서 (나) 사례 속 문제에 대해 제시할 수 있는 해결책으로 타당한 것은?

> (가) 의사 결정은 각자의 선호를 공적 의사로 전환시키는 심의 과정을 필수적으로 요구한다. 의사 결정의 민주적 정당성은 시민의 자유롭고 이성적인 대화와 논증 절차 여부에 달려 있다.
> (나) 서울의 ○○구에서 장애 학생을 위한 특수 학교 건립 문제를 두고 지역 주민들 간의 갈등이 깊어지고 있다. 장애 학생들을 위한 필수적 공익 시설이 필요하다는 주장과 혐오 시설을 유치할 수 없다는 주장이 팽팽하게 맞서고 있는 상황이다.

① 지역 주민의 투표를 통해 다수결로 결정한다.
② 장애 학생에 대한 공감에 기초한 배려를 강조한다.
③ 공적 이익을 우선하되 충분한 경제적 보상을 준다.
④ 합리적 의사소통을 통해 적절한 해결책을 도출한다.
⑤ 시민에게 위임받은 공적 강제력을 통해 중재해야 한다.

| 수능 기출 응용 |

8 사회 사상가 갑, 을의 입장에 대한 설명으로 옳은 것은?

> 갑: 당사자들이 합의를 통해 주제에 대한 보편적 결론에 도달하려면 공론장이 개방되어야 한다. 공론장에 참여한 당사자들이 진리성, 정당성, 진실성, 이해 가능성의 규범을 준수할 때 이상적 대화가 가능한 공동체의 토대가 마련된다.
> 을: 무지의 베일을 쓴 가상 상황이 정의의 원칙에 합의하기 위한 조건이다. 이러한 상황이 전제되어야만 당사자들이 합의한 정의의 원칙이 보편적이고 정당한 공정성을 확보할 수 있다.

① 갑은 공론장에서 특정 주제를 배제해야 한다고 본다.
② 갑은 공론장을 법적으로 제도화된 정부 기구로 본다.
③ 을은 가상 상황을 상호 배려와 대화가 이뤄지는 상황으로 본다.
④ 을은 가상 상황의 개인들이 계약에 합의할 의지가 없다고 본다.
⑤ 갑, 을은 합의 당사자들이 자유롭고 평등한 존재이어야 한다고 본다.

4
주

4일

민족 통합의 윤리 ~ 지구촌 평화의 윤리

📖 **키워드 #39**   통일 문제를 둘러싼 쟁점

1 통일에 대한 입장 차이

소극적 입장(통일 반대)	적극적 입장(통일 찬성)
• 통일에 대한 무관심 ➡ 통일보다 평화와 공존 우선시 • 서로 다른 체제, 생활 방식 차이 등의 원인으로 이질화 심화 • 경제적 격차와 그에 따른 천문학적 통일 비용 부담 우려	• 당위적 차원: 민족적 정체성(동질성)의 회복 및 민족 공동체 건설 • 보편적 가치(평화, 인권, 인도주의)의 실현: 한반도 ☐☐ 정착 및 세계 평화에 이바지, 남북 주민의 인간다운 삶 구현, 이산가족의 고통 해소 • 실용적 차원: 분단 비용 해소, 통일 편익 향유

2 통일 비용과 분단 비용 문제

통일 비용	통일 과정과 통일 이후에 소요되는 비용(경제적 투자, 위기 관리 비용 등) ➡ 투자 성격의 생산적 비용
분단 비용 ❶	☐☐으로 인해 발생하는 모든 비용 ➡ 소모성 지출 비용
통일 편익 ❷	통일로 인한 유·무형적 혜택

❶ 분단 비용
• 유형적 비용: 군사 비용, 대북 관련 비용
• 무형적 비용: 이산가족의 고통, 전쟁에 대한 경각심 등

❷ 통일 편익
• 유형적 혜택: 영토 확대, 이용 가능 자원 증가, 분단 비용 해소
• 무형적 혜택: 전쟁 위험성 감소, 이산가족의 아픔 해소

📑 평화, 분단

1 다음 내용이 통일에 반대하는 논거이면 '반', 통일에 찬성하는 논거이면 '찬'이라고 쓰시오.

(1) 통일보다 평화와 공존이 먼저이다. (　　　)

(2) 평화, 인권 등 보편적 가치를 실현할 수 있다. (　　　)

(3) 분단 비용을 해소하고 통일 편익을 누릴 수 있다. (　　　)

(4) 서로 다른 체제와 생활 방식 때문에 화합이 어려울 것이다. (　　　)

2 괄호 안의 내용 중 옳은 것에 ○표 하시오.

(1) 통일 비용은 (통일, 분단)에 소요되는 비용이다.

(2) 통일로 인한 유·무형적 혜택을 통일 (비용, 편익)이라고 한다.

(3) 통일 비용에 대한 부담을 우려하는 것은 통일 (찬성, 반대) 논거 중 하나이다.

(4) 통일 편익의 무형적 혜택 중 하나로 남북한 주민의 고통과 불편의 해소를 통한 (인권 신장, 경제 발전)이 있다.

4주

5일

3 ☐ 안에 들어갈 알맞은 말을 쓰시오.

> ### 민족 통합을 위한 노력
>
> (가) 갑작스럽게 통일이 이루어진 이후, 동서독 주민들은 통일 이전의 상이한 체제에서 비롯된 사고방식과 정서의 차이로 심각한 갈등을 겪었다. 서독인은 동독인을 가난하고 게으르다는 의미인 '오씨(Ossi)'로, 동독인은 서독인을 거만하고 잘났다는 의미인 '베씨(Wessi)'로 부르는 현상이 나타났다.
>
> (나) 대북 지원은 1995년 수해를 입은 북한이 국제 사회에 지원을 요청한 것을 계기로 시작되었다. 1995~2014년간 대북 지원 총액은 약 3조 2,500억 원이며, 2014년도 대북 지원 총액은 약 195억 원이다. 대북 지원은 북한 주민의 생존권을 보장하고, 우리의 동포애를 전달함으로써 민족 공동체 회복에 이바지하며, 분단 상태를 평화적으로 유지하여 남북 관계의 개선을 가져온다.

　(가)는 독일 통일 후 서로 다른 사고방식과 정서 등으로 인해 빚어졌던 ☐☐ 사례로, 통일을 준비하는 우리나라의 경우도 내부의 통합이 중요하다는 점을 시사한다. (나)는 대북 지원 현황과 그 중요성을 강조한 글이다. 대북 지원은 지원 방식을 둘러싸고 인도주의적 입장과 상호주의적 입장이 대립하므로 내부적으로 국민적 합의를 이끌어 내기 위한 노력이 필요하다.

독일의 통일 사례를 제시하고, 우리나라의 분단 상황을 극복하는 데 참고할 수 있는 점을 묻는 문제가 자주 출제되고 있어.

📖 1. (1) 반 (2) 찬 (3) 찬 (4) 반　2. (1) 통일 (2) 편익 (3) 반대 (4) 인권 신장　3. 갈등

📖 **키워드 #40** 국제 분쟁과 해외 원조

1 국제 관계를 바라보는 관점❶

현실주의(모겐소)	국가의 이익과 도덕성 충돌 시 국가의 이익 우선
이상주의(칸트)	국가의 이익보다 인간의 존엄성, 자유, 평등 등 보편적인 가치 우선
구성주의(웬트)	상대국과의 관계 정립, 상호 작용이 국익 좌우

2 국제 평화를 이루기 위한 노력

칸트의 영구 평화론	국제법이 적용되는 국제적인 연맹을 창설할 것을 주장
갈퉁의 적극적 평화론	소극적 평화를 넘어 ☐☐☐ 평화❷ 상태에 도달해야 한다고 주장

3 해외 원조의 윤리적 근거

> 고통을 감소시키고 쾌락을 증진시키는 것이
> 인류의 의무라고 봄.

의무의 관점	• 싱어: 공리주의적 관점에서 원조의 필요성 강조 • 칸트: 타인을 돕는 것은 보편적인 윤리적 의무 • 롤스: 질서 정연한 사회에 살고 있는 국민들이 불리한 여건에 처해 있는 사회의 국민들을 질서 정연한 사회로 이행하도록 원조해야 함.
자선의 관점	노직: 개인의 배타적 소유권에 따라서 해외 원조는 개인의 자유로운 선택의 영역, 즉 의무가 아닌 ☐☐이라고 주장

> 정당하게 취득한 재산에 대해 다른 개인이나
> 국가가 결코 침해할 수 없음.

❶ 분쟁 해결에 대한 입장

- 모겐소: 국가의 힘을 키워 세력 균형을 유지해야 한다.
- 칸트: 국제기구, 국제법 등 도덕성에 근거한 집단 안보를 형성해야 한다.
- 웬트: 국가 간 긍정적인 상호 작용을 해야 한다.

❷ 소극적 평화와 적극적 평화

- 소극적 평화: 테러, 전쟁 등 물리적 폭력이 없는 상태
- 적극적 평화: 직접적인 폭력뿐만 아니라 사회 제도나 관습 등에서 생기는 구조적 폭력, 종교 사상 등으로 발생하는 문화적 폭력까지 제거된 상태

답 적극적, 자선

1 괄호 안의 내용 중 옳은 것에 ○표 하시오.

(1) 국제 관계를 바라보는 (현실주의, 이상주의)는 국가 간 도덕적 관계가 성립하지 않는다고 본다.

(2) 국제 관계를 바라보는 (현실주의, 이상주의)는 국가의 이익보다 보편적인 가치를 우선시한다.

(3) 갈퉁이 주장한 (적극적, 소극적) 평화는 빈곤, 정치적 억압, 종교적 차별과 같은 구조적·문화적 폭력까지 모두 사라진 상태를 의미한다.

2 ☐ 안에 들어갈 알맞은 말을 쓰시오.

싱어, 롤스, 노직의 글을 제시하고, 해외 원조에 관한 입장을 비교하는 문제가 자주 출제되고 있어.

▲ 싱어

자원은 한정되어 있기에 최대의 이익이 산출될 수 있는 곳에 사용되는 것이 적절하다. 풍요한 사회의 서민들만 풍요로움을 누리는 것은 부당하다. 인류 전체의 이익 증진을 위해 절대 빈곤으로 고통받는 사회의 사람들을 원조해야 한다.

자원이 부족하다고 해서 질서 정연한 사회가 될 수 없는 경우는 거의 없다. 어떤 사회가 질서 정연한 사회가 되는 결정적 요인은 자원의 수준보다는 정치 문화이다. 불리한 여건으로 고통받는 사회가 정치 문화를 바꾸도록 원조해야 한다.

▲ 롤스

▲ 노직

자유 사회에서 개인의 선택은 존중되어야 한다. 원조를 강요하는 것은 자신의 소유물에 대한 절대적 권리를 갖는 개인의 권리를 침해하는 것이다.

싱어는 ☐☐☐☐ 관점에서 빈곤에 따른 개인의 고통을 덜어 주어야 할 의무가 있으며, 이를 위해 해외 원조에 나서야 한다고 주장한다. 롤스는 정치·문화적으로 불리한 여건에 처해 고통받는 사회의 구성원들이 있다면 그 나라가 가난하든 부유하든 도와주어야 한다고 주장한다. 노직은 가난한 사람을 도울지 말지 정하는 것은 순전히 개인의 몫이라고 본다.

답 1. (1) 현실주의 (2) 이상주의 (3) 적극적 2. 공리주의

1 ㉠~㉣에 대한 적절한 진술만을 〈보기〉에서 있는 대로 고른 것은?

> 통일 비용은 통일 직후 예상되는 급격한 변화에 대응하기 위한 ㉠ 위기관리 비용, ㉡ 이질적인 제도의 통합을 통해 민주적 질서를 정착시키는 데 드는 제도 통합 비용, 그리고 열악한 사회 간접 자본과 산업 구조의 개선을 위해 드는 ㉢ 경제적 투자 비용으로 나눌 수 있다. 한편 통일이 되면 이산가족의 아픔 해소, 한반도의 지정학적 리스크로 인한 불이익의 해소 등 ㉣ 통일로 인한 편익 역시 기대할 수 있는데, 이것은 통일 방식에 따라 달라질 것이다.

보기
ㄱ. ㉠은 분단 상황의 긴장을 완화하기 위해 소모되는 비용이다.
ㄴ. ㉡은 북한 주민들을 남한 질서에 동화(同化)시키는 것이다.
ㄷ. ㉢은 통일 이전에 남북 경제 교류를 확대하여 감소시킬 수 있다.
ㄹ. ㉣은 국가적 위상 강화, 내수 시장 확대가 포함된다.

① ㄱ, ㄴ　　　② ㄴ, ㄹ　　　③ ㄷ, ㄹ
④ ㄱ, ㄴ, ㄷ　　　⑤ ㄱ, ㄷ, ㄹ

2 ㉠~㉢에 대한 설명으로 가장 적절한 것은?

> 통일에 대한 입장 차이는 통일 후 우리 민족이 남북한 간의 격차를 해소하고 이질적인 요소를 통합하는 데 부담해야 할 비용인 ┌ ㉠ ┐ 에 대한 인식 차이에 근거한다. 그러나 통일이 되면 분단으로 인한 대결과 갈등 때문에 지출되는 비용인 ┌ ㉡ ┐ 이 줄어든다. 또한 남북통일로 얻을 수 있는 편익인 ┌ ㉢ ┐ 도 기대할 수 있다.

① ㉠은 소모성 지출 비용이다.
② ㉠에는 미사일 시험 발사 비용 등이 포함된다.
③ ㉡은 투자 성격의 생산적 비용이다.
④ ㉢은 경제적 비용과 경제 외적 비용으로 나눌 수 있다.
⑤ ㉢에는 남북한 주민의 인권 신장, 국제 사회에서의 통일 한국의 위상 제고 등이 포함된다.

3 다음 사례를 통해 우리나라의 분단 상황을 극복하는 데 있어 참고할 수 있는 시사점으로 가장 적절한 것은?

> 갑작스럽게 통일이 이루어진 이후 동·서독 주민들은 통일 이전의 상이한 체제에서 비롯된 사고방식과 정서의 차이로 심각한 갈등을 겪었다. 서독인은 동독인을 가난하고 게으르다는 의미인 '오씨(Ossi)'로, 동독인은 서독인을 거만하고 잘났다는 의미인 '베씨(Wessi)'로 부르는 현상이 나타났다.

① 남북한의 조속한 통합을 위해 외형적인 통일을 강조해야 한다.
② 국제적 합의를 통해 남북통일에 대한 공감대를 형성해야 한다.
③ 정치·군사적 방식을 통해 하나의 민족 공동체를 수립해야 한다.
④ 동북아 다자 안보를 토대로 한반도 평화 체제를 구축해야 한다.
⑤ 사회·문화적 교류의 확대를 통해 남북한의 이질성을 줄여야 한다.

4 다음 글에 내포된 통일 한국의 지향 가치에 대한 적절한 설명만을 〈보기〉에서 있는 대로 고른 것은?

> 우리 민족은 오랜 역사 속에서 외세에 시달리면서도 고유한 전통문화를 간직하여 왔으며, 대륙과 해양 문화를 주체적으로 수용하면서 세계 문화 발전을 위한 매개자 역할을 해 왔다. 통일 한국은 사회 발전과 국가 경쟁력의 원동력인 문화 자원을 발굴·육성하고, 동서양의 우수한 문화를 수용하여 세계적인 문화 국가를 이룩할 수 있도록 노력해야 한다.

보기
ㄱ. 한 민족으로서의 자주적 발전을 도모하고자 한다.
ㄴ. 민족 문화 창달을 위해 자문화 중심주의를 기른다.
ㄷ. 국제 사회에서 능동적 주체자로서 위상을 강화한다.
ㄹ. 국가 경쟁력을 강화하기 위해 대륙과 해양 문화 수용에 주력해야 한다.

① ㄱ, ㄴ　　　② ㄱ, ㄷ　　　③ ㄷ, ㄹ
④ ㄱ, ㄴ, ㄷ　　　⑤ ㄱ, ㄷ, ㄹ

정답과 해설 23쪽

5 국제 사회를 바라보는 관점 A, B에 대한 설명으로 옳은 것은?

A	국가의 이익이 도덕성과 충돌할 때는 국가의 이익을 우선시해야 한다. 국민의 안녕과 국익을 지키는 것이 국가의 의무이기 때문이다.
B	분쟁 관계에서 국가는 도덕성을 고려해야 하며, 국가의 이익보다 인간의 존엄성, 자유, 평등 등 보편적인 가치를 우선하여 달성해야 한다.

① A는 국제기구의 중재를 근본적 해결책으로 본다.
② A는 국가 간 세력 균형으로 평화를 이룰 수 있다고 본다.
③ B는 국제 사회를 홉스가 가정한 자연 상태와 유사하다고 본다.
④ A는 B보다 국제법과 국제기구에 의한 해결을 강조한다.
⑤ B는 A와 달리 국가 간 상호 작용에 따라 국제 질서가 달라진다고 본다.

6 갑, 을의 입장으로 적절한 내용을 〈보기〉에서 고른 것은?

갑: 전쟁이 없는 상태를 넘어 모든 종류의 폭력이 없거나 감소한 상태가 평화이다. 평화를 저해하는 직접적이고 구조적인 폭력과 이를 정당화하는 문화적 폭력은 평화적 수단으로 해소해야 한다.
을: 전쟁이 정의롭기 위해서는 전쟁 개시, 전쟁 수행 과정, 전쟁 종식과 평화 정착에서 정당성을 갖추어야 한다. 전쟁의 시작은 정당화될 수 없을지라도 그 수행 과정과 전후 처리는 정의로워야 한다.

─ 보기 ─
ㄱ. 갑은 직접적 폭력의 소멸을 평화의 완성으로 본다.
ㄴ. 갑은 노동력을 착취하는 것도 폭력으로 간주한다.
ㄷ. 을은 전쟁이 정당하게 종식될 수 있다고 본다.
ㄹ. 을은 갑에 비해 평화 달성의 절차적 과정을 중요시한다.

① ㄱ, ㄴ   ② ㄱ, ㄷ   ③ ㄱ, ㄹ
④ ㄴ, ㄷ   ⑤ ㄷ, ㄹ

7 갑 사상가에 비해 을 사상가가 갖는 해외 원조에 대한 입장의 상대적 특징을 그림의 ⑦~⑩ 중에서 고른 것은?

갑: 국제 사회에서 어떤 사회가 불리한 여건 때문에 고통을 겪고 있다면, 적정 수준의 문화를 형성하여 질서 정연한 사회가 될 수 있도록 도와야 한다.
을: 도덕적으로 상응하는 중요한 것을 희생하지 않고 나쁜 일이 일어나는 것을 막을 수 있는 힘이 있다면, 우리는 마땅히 그러한 나쁜 일을 막아야 한다.

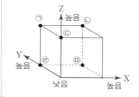

- X: 원조의 과제로 사회 제도의 개선을 강조하는 정도
- Y: 원조의 목표로 개인들의 복지 향상을 강조하는 정도
- Z: 원조의 근거로 이익 평등 고려의 원칙을 강조하는 정도

① ⑦   ② ⑥   ③ ⑤   ④ ②   ⑤ ⑩

8 갑, 을 사상가들의 입장으로 적절한 것만을 〈보기〉에서 있는 대로 고른 것은?

갑: 우리는 이익 평등 고려의 원칙에 따라 절대 빈곤에 처한 사람들을 도와야 한다. 사치품을 구입할 여유가 있는 사람들이 기부하지 않는 것은 막을 수 있는 죽음에 무관심함을 드러내는 것일 뿐이다.
을: 고통받는 사회들을 질서 정연한 만민 사회로 가입시켜야 한다. 이는 고통받는 사회가 자신의 문제를 합당하게 관리할 수 있게 도와 만민 사회의 구성원이 되도록 하려는 것이다.

─ 보기 ─
ㄱ. 갑: 자국민에 대한 우선적 원조가 도덕적으로 정당한 경우도 있다.
ㄴ. 갑: 모든 사람은 빈곤 해소를 위한 원조에 동등한 부담을 져야 한다.
ㄷ. 을: 적정 수준의 제도 확립에 막대한 부가 꼭 필요한 것은 아니다.
ㄹ. 갑, 을: 인권이 보장된 민주주의 국가도 원조 대상에 포함된다.

① ㄱ, ㄴ   ② ㄱ, ㄷ   ③ ㄴ, ㄹ
④ ㄱ, ㄴ, ㄷ   ⑤ ㄴ, ㄷ, ㄹ

1 갑 사상가에 비해 을 사상가가 갖는 예술관의 상대적 특징을 그림의 ㉠~㉤ 중에서 고른 것은?

> 갑: 예술은 절대적 자율성을 지닌다. 예술에 대해 도덕적이라든가 혹은 비도덕적이라고 말하는 것은 빵에 대해 도덕적이라거나 비도덕적이라고 평하는 것과 같다.
>
> 을: 좋은 음악이 되기 위해서는 노랫말이 훌륭한 덕을 지닌 사람의 용기와 절제를 모방해야 하고, 나아가 선율과 리듬의 형식이 그러한 내용을 적절히 반영해야 한다.

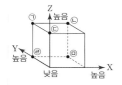

> • X: 예술이 인격 완성에 도움을 주어야 함을 강조하는 정도
> • Y: 예술이 사회 질서 유지에 기여해야 함을 강조하는 정도
> • Z: 예술이 도덕적 평가에서 자유로워야 함을 강조하는 정도

① ㉠　　② ㉡　　③ ㉢　　④ ㉣　　⑤ ㉤

2 다음 글의 입장으로 가장 적절한 것은?

> 군자는 밥을 먹을 때 다섯 가지를 살펴야 한다. 우선 밥이 완성될 때까지 얼마나 많은 노력이 필요한가와 밥이 어디서 나왔는가를 헤아려야 한다. 그리고 자신의 덕행이 완성되었는지를 헤아려서 공양(供養)을 받아야 한다. 마음을 절제하여 탐욕을 없애야 한다. 바른 처사와 좋은 약으로 건강을 보살펴야 한다. 끝으로 도덕을 이루어야 먹을 자격이 있다. 즉 군자는 먹을 때에도 인(仁)을 떠나지 않아야 한다.

① 먹는 행위는 자신과 타인을 살피는 덕의 실천이다.
② 먹는 행위는 자연에서 영양분을 섭취하는 행위이다.
③ 먹는 행위는 좋은 음식으로 건강을 돌보는 과정이다.
④ 먹는 행위는 윤리적 행위가 아니라 문화적 행위이다.
⑤ 먹는 행위는 자연을 인간의 소유로 만드는 과정이다.

3 다음 상황이 윤리적으로 문제가 되는 이유만을 〈보기〉에서 있는 대로 고른 것은?

> 다이아몬드의 가격이 고가로 책정되는 이유는 무엇일까? 그렇게 해야 소비자의 허영심을 자극해 소비가 늘어나기 때문이다. 만약 가격이 하락하면 희소성도 낮아져 소비가 줄어들게 된다. 이처럼 고가일수록 수요가 증가하는 현상을 베블런 효과(Veblen effect)라고 한다.

> ┌ 보기 ┐
> ㄱ. 자원의 고른 배분을 방해한다.
> ㄴ. 자신을 드러내려는 욕망을 억제하게 만든다.
> ㄷ. 물질을 중시하여 정신적 가치를 경시하게 된다.
> ㄹ. 상위 계층과 하위 계층 간의 위화감을 조성한다.

① ㄱ, ㄴ　　② ㄱ, ㄷ　　③ ㄴ, ㄷ
④ ㄱ, ㄴ, ㄷ　　⑤ ㄱ, ㄷ, ㄹ

4 (가), (나)의 관점에서 공통으로 전제하고 있는 내용으로 가장 적절한 것은?

> (가) 타 문화권에서 온 이주민들은 우리의 음식, 언어, 예절 등을 빨리 익혀 우리의 문화에 동화되어야 합니다. 그들도 우리 사회에 속한 이상 우리와 같아져야만 진정한 통합이 이루어집니다.
>
> (나) 국수는 갖가지 재료로 우려낸 국물에 밀가루로 만든 국수를 삶아 고명을 얹은 음식입니다. 우리 민족 문화는 국수와 국물처럼 주된 역할을 수행하고, 이주민 문화는 뒷받침하는 역할을 하여 서로 공존하는 문화를 만들어야 합니다.

① 주류 문화와 비주류 문화를 명확히 구분해야 한다.
② 다양한 문화가 하나로 용해된 상태를 추구해야 한다.
③ 우수한 외국 문화를 우리의 주류 문화로 채택해야 한다.
④ 세계화 시대에 부응하기 위해 민족 문화를 버려야 한다.
⑤ 각 문화를 보존하면서 조화를 이루는 사회를 추구해야 한다.

📗 정답과 해설 24쪽

5 갑, 을, 병이 서로에게 제기할 비판으로 가장 적절한 것은?

> 갑: 통일의 목적은 결국 다수의 이익을 증진하는 것이다. 따라서 비용이 편익을 초과해서는 안 된다.
> 을: 통일은 오직 인도적·국가적 차원에서 고려되어야 하므로 흡수 통일 방식도 기피할 이유는 없다.
> 병: 남북은 문화적 이질감을 줄이고 통합 단계를 공고히 해 궁극적으로 정치 공동체를 지향해야 한다.

①	갑이 을에게	통일의 당위성은 민족적 차원에서 고려되어야 해.
②	갑이 병에게	분단 비용을 최소화하는 것이 최우선 과제임을 알아야 해.
③	을이 갑에게	통일 비용을 줄이는 것이 가장 중요한 사항이야.
④	을이 병에게	민족의 통합이 선행되어야 정치적 혼란을 막을 수 있어.
⑤	병이 을에게	남북 주민 간의 이질성과 경제적 격차를 줄이는 것이 우선되어야 해.

6 (가) 사상가의 입장에서 볼 때, (나)의 ㉠에 들어갈 진술로 가장 적절한 것은?

(가)	국내법의 관점에서 각 국가의 시민적 체제는 공화적이어야 하며, 국제법의 관점에서 자유로운 국가들의 연합으로서의 국제 연맹이 요구된다. 그리고 세계 시민법의 입장에서 모든 나라의 국민들이 어디든지 자유롭게 방문할 수 있도록 해야 한다.
(나)	⟨ ㉠ ⟩ 그러면 국제 평화가 실현될 수 있을 것이다.

① 다른 나라의 내정에 적극적으로 개입하라.
② 모든 국가의 주권을 국제 연맹에 양도하라.
③ 민족 국가의 구성원이 아닌 세계 시민으로 살아가라.
④ 군사력을 바탕으로 하는 세력 균형 정책을 추구하라.
⑤ 각 국가의 주권을 존중하면서 상호 협력을 도모하라.

7 해외 원조에 대한 갑, 을 사상가들의 입장으로 옳은 것은?

> 갑: 만약 어떤 사회가 무질서로 인해 고통받고 있다면, 그 사회가 적정 수준의 정치 문화를 형성하여 질서 정연한 사회가 될 수 있도록 도와야만 한다.
> 을: 도움을 줌으로써 얻게 되는 이익이 비용보다 클 경우, 도움을 받는 사람이 어떠한 공동체에 속해 있든 상관없이 도움을 주어야 할 윤리적 의무를 가진다.

① 갑: 약소국에 대한 개인적 차원의 원조는 필요 없다.
② 갑: 인류의 균등한 복지 수준을 목표로 원조해야 한다.
③ 을: 개인적 삶의 개선보다 사회 구조를 개선해야 한다.
④ 을: 인류 전체의 행복 증진을 원조의 목적으로 삼아야 한다.
⑤ 갑, 을: 원조는 인도주의적 관점에서 자선으로 접근해야 한다.

8 갑, 을 사상가들의 입장으로 가장 적절한 것은?

> 갑: 어떤 국가에서 그 구성원들에게 가해지는 잔악성과 고통이 극심하지만 그 국가의 어떠한 세력도 그러한 문제를 해결할 능력이 없는 것처럼 보일 경우, 정의로운 전쟁을 통한 인도주의적 개입이 요구될 수 있다.
> 을: 어떤 국가도 다른 국가의 체제와 통치에 대해 폭력으로 개입해서는 안 된다는 것이 영구 평화를 위한 예비 조항이다. 한 국가에 대한 폭력적 개입은 결국 모든 국가의 자율성을 위태롭게 하는 결과를 가져올 것이다.

① 갑: 전쟁은 도덕적 비판의 대상일 뿐이며 결코 정당화될 수 없다.
② 갑: 인권 침해만으로는 정당한 전쟁의 조건이 완비되지 않는다.
③ 을: 평화 조약이란 국가 간 적대 행위의 일시적 중지에 불과하다.
④ 을: 영원한 군비 경쟁을 통해서만 영구적 평화를 실현할 수 있다.
⑤ 갑, 을: 전쟁은 국제 정의를 실현하기 위한 수단이 될 수 없다.

도덕과 예술의 관계는?

▲ 「네 가지 자유」(왼쪽부터 의사 표현의 자유, 신앙의 자유, 결핍으로부터의 자유, 공포로부터의 자유)
노먼 록웰은 루스벨트의 네 가지 자유 연설에서 영감을 얻어 네 가지 자유를 그림으로 표현하였다.

도덕주의적 관점

"예술은 도덕적 가치의 인도를 받아야 한다."

도덕주의는 예술 작품의 도덕적 가치가 예술적 가치에 영향을 미칠 수 있음을 인정하되 그 영향이 역방향이 될 수 있음은 부인하는 입장이다. 따라서 도덕주의는 예술 비평에서 작품의 도덕적 측면을 언급하는 것이 정당하다고 본다.

도덕적 평가가 예술 작품에 가해져 부정적 평가를 받는 예로는 다른 이에게 육체적 고통을 가하는 데서 느끼는 성적 만족을 다룬 사드의 소설 「줄리엣」이나 나치 선전 영화인 레니 리펜슈탈의 「의지의 승리」 등이 있고, 긍정적 평가를 받는 예로는 미국의 노예 해방에 일조했다고 여겨지는 해리엇 스토의 소설 「톰 아저씨의 오두막」이나, 기본적 자유에 대한 옹호를 담은 노먼 록웰의 그림 연작 「네 가지의 자유」 등을 들 수 있다.

심미주의적 관점

"예술은 그 자체로 인정해야 한다."

심미주의적 관점은 예술의 자율성을 강조하는 입장으로, 예술적 가치와 도덕적 가치가 어떠한 관련도 맺지 않는다는 주장도 있고, 두 가치가 간접적으로 관련되어 있다는 주장도 있다.

예술의 자율성을 강조하는 입장으로, 도덕적 가치가 오히려 예술 작품의 가치를 떨어뜨릴 수 있다는 주장도 있다. 키어런은 예술 작품을 통한 통찰과 도덕적 가치는 별개의 문제임을 명확히 하면서 "너무나도 도덕적으로 바람직한 작품의 정서는 너무 쉽게 얻을 수 있는 것이어서 통속적이기 때문에, 노먼 록웰의 「네 가지의 자유」와 같은 작품의 도덕성은 오히려 예술적 가치를 떨어뜨린다고 본다."라고 하였다.

다문화 사회를 어떻게 바라보아야 할까?

용광로 이론 동화주의

동화주의는 소수 문화를 주류 문화에 통합시키려는 경향을 말한다. 미국 사회는 동화를 통해 이민자들이 주류 사회에 적응하는 것을 당연시했다. 동화주의에 대한 비판의 대표적 근거로는 이민자들이 주류 사회에 적응하는 데 현실적으로 큰 어려움을 겪는다는 점이다. 이민자들을 사회적으로 배제할 수 있으며 지배 문화의 우월성을 전제한다는 점, 타자를 나와 같아야 할 존재로 보고 타자를 나와 같게 만들어야 한다는 동일성 논리를 깔고 있기 때문에 윤리적으로 문제가 될 수 있다는 점, 소수 문화를 파괴하고 그 구성원들을 열등하며 정치적으로 무기력하게 만든다는 점 등을 근거로 비판이 제기된다.

샐러드 그릇 이론 다문화주의

다문화주의는 동화를 요구하지 않고 문화적 차이를 인정하여 다양한 인종과 민족의 문화가 공존할 수 있도록 지원하는 정책적 입장을 말한다. 다문화주의를 비판하는 입장은 다문화주의가 본질적으로 분열적이며, 국민 통합을 저해하고, 문화적 게토를 형성하게 한다고 본다. 오히려 소수 문화를 문화적, 지리적 게토에 가두어 둠으로써 소수민의 자유를 억압하는 결과로 이어진다는 것이다. 또한 모든 문화가 존중받아야 하느냐는 윤리적 문제에도 부딪치게 된다. 그리고 더욱 현실적인 문제로는 다문화주의는 재정 부담, 사회적 부담, 국내 빈곤 계층과의 형평성 문제 등 실행 가능성에 의문이 제기되기도 한다.

구분	동화주의	다문화주의
문화적 지향	문화적 동질화 추구, 추상적인 다문화 이해와 수용	문화적 이질성 존중, 구체적인 다문화 인정과 보호
목표	소수 집단의 주류 사회로의 동화	소수 집단의 고유성 인정을 통한 사회 통합
갈등 해소 방안	완전한 동화를 통한 사회 갈등 해소	완전한 참여를 통한 사회 갈등 해소
수단	소수 집단 차별 방지의 법제화	소수 집단의 문화와 권리 보호의 법제
다양성 개념	사적 영역의 문화적 다양성 보호	사적·공적 영역의 문화적 다양성 보호
평등 개념	기회의 평등	결과의 평등
이주민 개념	노동력, 이방인, 통합의 대상	사회 구성원, 사회 다양성의 원천

동화주의는 주류 사회의 중요성을 부각시키며 소수 집단이 주류 사회에 동화되어야 함을 강조하고, 다문화주의는 다양한 문화가 평등하게 인정되어야 함을 강조해요.

빈출 자료 1 예술에 대한 심미주의와 도덕주의

윤리적 가치를 기준으로 예술을 평가해서는 안 된다는 주장으로,
예술의 목적을 미적 가치의 구현에 한정한다.

> 갑: 예술 세계에서는 어떤 거짓말도 허용된다. 중요한 것은 오차 없는 진실이 아니라 아름다운 거짓이다. 아름다운 것에서 추악한 의미를 발견하는 사람은 타락한 사람이다. 아름다운 것에서 아름다운 의미를 발견하는 사람은 교양 있는 사람이다.
>
> 을: 최고의 예술은 질서와 사랑을 통해 구현되며, 반항적이고 저급한 피조물을 거룩하게 만든다. 예술의 목적은 인간의 종교를 강화하고, 인간의 윤리적 상태를 완전하게 만드는 데 있다. 예술은 이런 일들을 물질적으로 구현하는 것이다.

도덕적 가치를 미적 가치보다 우위에 두고 예술도
윤리의 인도를 받아야 한다는 주장으로, 예술의 사
회성을 강조한다.

자료 분석

갑은 예술에 대한 심미주의(예술 지상주의)의 입장이고, 을은 도덕주의의 입장이다. 예술의 자율성을 강조하는 심미주의는 순수 예술론을 지지하고, 예술의 사회성을 강조하는 도덕주의는 참여 예술론을 지지한다.

> 예술과 윤리의 관계에 대한 도덕주의적 관점과 심미주의, 즉 예술 지상주의적 관점을 비교하는 문제가 자주 출제됩니다.

대표 예제와 기출 선택지

자료를 읽고 갑, 을의 입장으로 옳은 것에 모두 ○표 하시오.

① 갑은 예술의 본질을 오직 예술 안에서 찾아야 한다고 본다. ( )
② 을은 예술 활동에서 미적 요소를 배제해야 한다고 본다. ( )
③ 을은 예술이 이상과 현실의 분리를 강조해야 한다고 본다. ( )
④ 을은 도덕적 목적이 예술 작품으로 구현되어야 한다고 본다. ( )
⑤ 갑, 을은 예술이 공동체의 질서 유지에 기여해야 한다고 본다. ( )

답 ①, ④

빈출 자료 2 거주 윤리

자신의 공간을 자기 삶의 중심으로 형성해야 한다는
볼노브의 '공간 책임론'을 떠올릴 수 있다.

> 인간은 낯선 공간 안에 던져진 상태로 살아가는 것이 아닙니다. 오히려 인간은 그 공간에 친숙해지며 그 공간에서 자신의 삶을 지속할 수 있는 근거를 찾아냄으로써 거주(居住)하고자 합니다. 인간은 집 밖의 세계에서 일을 하고 나서 다시 자기 집의 보호로 돌아오게 됩니다. 이런 양극적 긴장과 관련된 양 측면은 모두 필수적이므로, 거주 공간은 외부 세계에 대해 열릴 수 있는 닫힘의 공간이자 자기 삶의 중심입니다. 이렇듯 인간의 거주는 특정한 장소에 뿌리를 내리는 것이며, 안정성을 느낄 수 있는 안주(安住)이어야 합니다.

거주 공간과 외부 세계를 구분하지만, 거주
공간이 외부 세계와 인간을 연결해 주는 역할
을 한다고 본다.

자료 분석

그림의 강연자는, 집이라는 공간은 인간에게 삶을 지속할 수 있는 근거를 찾는 공간이고, 외부 세계에 대해 열릴 수 있는 닫힘의 공간이며, 자기 삶의 중심이 되는 공간이라고 주장한다. 따라서 강연자는 집의 의미를 인간과의 관계 속에서 찾은 볼노브임을 알 수 있다.

> 주거와 관련된 윤리적 문제로서 주거의 본질에 관한 볼노브의 주장과 하이데거의 주장을 묻는 문제가 자주 출제됩니다.

대표 예제와 기출 선택지

그림의 강연자가 지지할 주장으로 적절한 것에 모두 ○표 하시오.

① 집은 거주자의 자아 정체성 형성에 기여한다. ( )
② 인간에게 거주 공간은 자기 세계의 중심이어야 한다. ( )
③ 인간은 자신의 거주 공간을 스스로 만들어 나가야 한다. ( )
④ 인간의 거주 공간은 집 밖의 세계와는 구분되어야 한다. ( )
⑤ 인간에게 거주 공간은 편안하고 친숙한 안식처가 되어야 한다. ( )

답 ①, ②, ③, ④, ⑤

빈출 자료 ③ 합리적 소비와 윤리적 소비

자신의 소득 범위 내에서 최소한의 비용으로 최대의 만족감을 얻기 위한 소비로서 합리적 소비를 의미한다.

도덕적 가치 판단에 따라 재화나 서비스를 구매하고 사용하는 소비로서 윤리적 소비를 의미한다.

갑: 자신의 욕구를 정확하게 파악하고 상품 정보를 충분히 알아본 뒤 계획을 세워 주어진 예산 범위 안에서 자신에게 가장 효용이 큰 제품을 선택하여 소비해야 한다.

을: 자신의 소비 생활이 개인에게 미치는 영향만이 아니라 사회, 자연 등에 미치는 영향을 고려하여 윤리적 가치 판단에 따라 올바른 선택을 하는 소비를 해야 한다.

〈문제 상황〉

A는 아보카도가 슈퍼 푸드라는 이야기를 듣고 관심을 가지게 되었다. 그런데 아보카도의 생산 및 유통 과정은 많은 이산화 탄소를 발생시켜 지구 온난화의 원인이 된다. 또한 재배에 많은 물이 소모되어 동식물은 물론 지역 주민의 삶에 피해를 준다. A는 그 사실을 알고 아보카도를 구매해야 할지 고민하고 있다.

아보카도를 소비하는 것이 A의 건강에는 이익일 수 있으나 세계의 환경 문제와 인권 문제에는 부정적일 것이라는 추론이 가능하다.

윤리적 소비가 합리적 소비와 비교해 어떤 점에서 같고 어떤 점에서 다른지를 파악하여 실생활에 적용하는 문제가 자주 출제됩니다.

대표 예제와 기출 선택지

자료의 을의 입장에서 〈문제 상황〉 속 A에게 제시할 조언으로 적절한 것에 ○표 하시오.

① 합리적 소비에 해당하는지 고려하세요.　　　　（　）

② 다른 가치보다 경제적 효용을 먼저 고려하여 결정하세요.　　　（　）

③ 대중의 선호도가 높은 상품인지를 살펴보고 결정하세요.　　　（　）

④ 생산 지역의 주민의 삶에 해악을 주지 않도록 결정하세요.　　　（　）

⑤ 자신의 처지에 맞는 가장 효율적인 소비인지를 고려하세요.　　　（　）

답 ④

빈출 자료 ④ 다문화 사회의 정책 이론

이민자들이 그들의 고유한 문화를 유지하는 것을 인정하는 입장이므로 다문화주의 정책 이론이다. 다문화주의는 사회적 연대감이나 결속력 형성이 미흡해 사회적 통합이 어렵다는 한계를 지닌다.

동화주의에 대한 비판이다.

갑: 주류 문화와의 통합 여부는 소수 문화의 구성원이 결정해야 한다. 주류 문화 구성원이 소수 문화의 통합을 강제하는 것은 부정의하다.

을: 단일한 언어, 문화 전통, 교육 정책을 추구하여 소수 문화가 주류 문화에 동화되도록 도와야 한다. 통일된 문화의 부재 때문에 집단 간 결속력이 훼손되는 것은 바람직하지 않다.

다문화주의에 대한 비판이다.

이민자를 주류 사회의 언어나 문화에 동화시켜 이들에게 국민이라는 정체성을 부여해야 한다는 입장이므로 동화주의 정책 이론이다. 동화주의는 이주민들의 문화적 정체성 상실을 초래하며 문화의 역동성을 파괴한다는 한계를 지닌다.

다문화 사회의 정책인 동화주의, 문화 다원주의, 다문화주의를 비교하거나 각 정책 이론의 특징을 묻는 문제가 자주 출제됩니다.

대표 예제와 기출 선택지

자료를 읽고 을의 입장에 해당하는 것에 모두 ○표 하시오.

① 국가의 교육 정책으로 통일된 문화를 형성해야 한다.　　　（　）

② 사회 통합을 위해 소수 문화가 억압받아서는 안 된다.　　　（　）

③ 소수 문화 구성원에게 문화적 자치권을 부여해야 한다.　　　（　）

④ 사회적 유대의 강화를 위해 단일 문화를 형성해야 한다.　　　（　）

⑤ 사회 발전을 위해 주류 문화가 문화 통합의 중심이 되어야 한다.　　　（　）

답 ①, ④, ⑤

빈출 자료 5 엘리아데의 종교관

성스러움이 세속적인 것과 전혀 다른 그 무엇으로서 자신을 드러내어 보여 주기 때문에, 인간은 성스러움을 알 수 있습니다. 돌이나 나무와 같은 일상적 대상 속에 나타나는 원시적인 성현(聖賢)에서부터 예수 안에 하느님의 신성이 부여되는 높은 수준의 성현에 이르기까지 일관되게 성스러움이 흐르고 있습니다. 어느 경우에나 세상 것이 아닌 하나의 실재가 자연적이고 세속적인 세계의 부분을 이루는 대상 속에서 나타나는 사건과 마주하게 됩니다. 이로 볼 때, 종교적 인간은 ☐ ㉠ ☐

└ 우리의 일상 가운데 성스러움이 드러나는 현상이 종교라는 관점이다.

자료 분석

강연자는 종교학자인 엘리아데이다. 엘리아데는 인간을 '종교적 존재'로 규정하면서, 인간은 근본적으로 종교 지향적이며 그러한 인간에게 자연과 우주는 성스러움으로 가득 차 있는 신의 창조물이라고 설명한다.

종교에 대한 다양한 관점 중 엘리아데의 종교관을 묻는 문제가 자주 출제됩니다.

그림은 어느 사상가의 강연이다. ㉠에 들어갈 내용으로 적절한 것에 모두 ○표 하시오.

① 성스러움과 세속적인 것이 단절되어 있지 않다고 생각합니다. ( )
② 성스러움이 드러난 돌이나 나무 자체를 신으로 받아들입니다. ( )
③ 세속의 세계 안에서 성현을 체험하며 그에 따라 살고자 합니다. ( )
④ 세속적인 삶에서 언제든지 성스러움이 드러날 수 있다고 봅니다. ( )
⑤ 세속의 세계를 성스럽게 만드는 거룩한 존재가 있다고 믿습니다. ( )

답 ①, ③, ④, ⑤

빈출 자료 6 통일의 정당성과 바람직한 방향

통일은 분단되기 이전으로 돌아가는 것이 아니라 미래를 향한 새 역사의 창조 작업입니다. 통일은 평화와 민족의 공동 번영, 이산가족의 고통 해소 그리고 자유와 평등 신장 등에 기여할 것입니다. 그러므로 통일은 성취해야 하지만, 어떤 형태로든 통일이 되기만 하면 된다는 통일 지상주의를 추구해서는 안 됩니다. 또한 급진적 방식의 통일은 사회적 갈등과 많은 비용을 초래할 것입니다. 따라서 통일은 국민적 합의에 기초하여 평화적 방식에 따라 단계적으로 추진되어야 합니다. 이런 방식은 급진적 방식의 통일보다 통일 비용을 줄이고 더 많은 통일 편익을 가져올 것입니다. 이러한 점에서 문화, 예술 등 비교적 합의하기 쉬운 분야로부터 교류 협력을 시작하여 궁극적으로는 체제 통합으로 나아가야 합니다.

┌ 통일 편익으로, 통일의 정당성을 주장하는 근거이다.

┌ 바람직한 통일의 방향으로 제시하는 통일 방법이다.

└ 강연자는 사회 문화적 통합을 바탕으로 체제 통합을 해야 함을 강조한다.

└ 통일 이후 남북한 간의 격차를 해소하고 이질적 요소 통합에 필요한 비용으로, 투자 성격의 생산적 비용에 해당한다.

그림의 강연자의 입장으로 적절한 것에 ○표 하시오.

① 점진적 평화 통일이 급진적 통일보다 더 많은 비용을 초래한다. ( )
② 통일을 위해 비정치적 협력보다 정치적 통합을 우선해야 한다. ( )
③ 인도적 측면이 아니라 경제적 관점에서 통일을 성취해야 한다. ( )
④ 통일은 이유와 방식을 불문하고 성취해야 할 민족적 과업이다. ( )
⑤ 통일은 민족의 번영과 인류의 보편적 가치 구현에 기여해야 한다. ( )

답 ⑤

남북통일에 대한 국내외의 관심이 증대되면서 통일 문제를 둘러싼 쟁점 내용을 묻는 문제가 꾸준히 출제됩니다.

빈출 자료 ⑦ 평화에 대한 칸트와 갈퉁의 입장

국제법을 따르는 평화 연맹의 구성을 요구하여 국제 연맹 및 국제 연합의 결성에 영향을 미친 칸트의 영구 평화론이다.

평화를 소극적 평화와 적극적 평화로 구분하고, 소극적 평화뿐 아니라 적극적 평화까지 실현되어야 진정한 평화라는 주장으로, 갈퉁의 적극적 평화론이다.

> 전쟁의 완전 종식과 영구 평화는 도덕적 입법의 최고 자리에 위치한 이성이 명령하는 의무입니다. 영구 평화를 실현하기 위해 모든 전쟁 수단의 금지와 국가 간 연맹의 확장이 필요합니다.

> 전쟁 종식만으로 평화가 보장되지 않습니다. 진정한 평화는 직접적, 구조적, 문화적 폭력을 예방함으로써 가능합니다. 이를 위해 억압과 착취의 구조를 시급히 개선해야 합니다.

갑   을

구조적 폭력이란 사회 제도나 관습, 정치, 법률 등에서 생기는 간접적·정신적 폭력으로서 의도되지 않은 폭력이고, 문화적 폭력이란 종교·언어·예술 등을 통해 직접적·구조적 폭력을 용인하고 정당화하는 상징적인 의미로서의 폭력을 의미한다.

> 지구촌 평화의 윤리와 관련해서는 국제 평화에 대한 칸트와 갈퉁의 입장을 비교하는 문제가 자주 출제됩니다.

대표 예제와 기출 선택지

그림은 서양 사상가 갑, 을의 가상 대화이다. 갑의 입장에 해당하는 것에 모두 ○표 하시오.

① 평화의 실현을 위해서는 구조적 폭력에서 벗어나야 한다. ( )
② 편견 극복을 위한 교육은 적극적 평화를 실현하는 방법이다. ( )
③ 국제법을 통해 국가 간 우호와 시민의 자유를 증진해야 한다. ( )
④ 연맹의 확산을 통해 국제 사회는 자연 상태를 벗어나야 한다. ( )
⑤ 개별 국가의 주권을 인정하면서 영원한 평화를 실현해야 한다. ( )

답 ③, ④, ⑤

4주

빈출 자료 ⑧ 해외 원조에 대한 입장

해외 원조의 결과로서 '질서 정연한 사회로 이행'되었음을 의미한다.

갑: 만민들의 사회의 기본 구조에서 일단 원조의 의무가 충족되고 모든 만민이 자유주의적 정부나 적정 수준의 정부가 작동하는 상황에 이르게 되면, 상이한 만민 간의 평균적 부의 차이를 다시 좁혀야 할 이유는 없다.

을: 기아의 원인은 인구 과잉이 아니라 가난한 나라 사람들에 대한 무관심이다. 선진국 사람들은 기아로 고통받는 사람들과 자신들의 이익 관심을 동등하게 고려하여 넘쳐나는 식량을 원조함으로써 인류 전체의 행복을 증진시켜야 한다.
공리주의적인 입장에서 해외 원조의 필요성을 강조한다.

자료 분석

갑은 롤스, 을은 싱어의 입장이다. 롤스는 질서 정연한 사회에 살고 있는 국민들이 불리한 여건에 처해 있는 사회의 국민들을 질서 정연한 사회로 이행하도록 원조해야 한다고 주장한다. 싱어는 고통을 감소시키고 쾌락을 증진시키는 것이 인류의 의무라며 원조의 필요성 강조한다.

> 국제 사회에 대한 책임으로서 논의되는 해외 원조와 관련해 싱어와 롤스, 나아가 노직이나 칸트의 입장을 비교하는 문제가 자주 출제됩니다.

대표 예제와 기출 선택지

자료를 읽고 을 사상가의 입장으로 옳은 것에 모두 ○표 하시오.

① 갑과 달리 원조를 자선의 관점에서 바라본다. ( )
② 빈곤국의 구성원은 원조의 주체가 될 수 없다고 본다. ( )
③ 이익 평등 고려의 원칙에 따라 어려운 사람을 도와야 한다고 본다. ( )
④ 절대 빈곤 해결을 위한 원조는 보편적 의무로 간주해야 한다고 본다. ( )
⑤ 원조는 그 결과와 무관하게 빈곤자들에 대한 관심의 실천이다고 본다. ( )

답 ③, ④

Memo

Memo

Memo

앞선 생각으로
더 큰 미래를 제시하는 기업

서책형 교과서에서 디지털 교과서,
참고서를 넘어 빅데이터와 AI학습에 이르기까지
끝없는 변화와 혁신으로
대한민국 교육을 선도해 나갑니다.

milk T

닥터매쓰

geniA.

천재교육

시작해 봐, 하루 시리즈로!

#천재와_수능 기초력_쌓고
#공부 습관_만들고!

시작은 하루 수능 국어

- 국어 기초
- 문학 기초
- 독서 기초

> 이 교재도 추천해요!

- 개념에서 기출까지! 국어 영역별 기본서 **100인의 지혜**
- 고등 문학, 단 하나의 해법! **해법문학 + 해법문학Q**

시작은 하루 수능 수학

- 수학 기초
- 수학 I
- 수학 II

> 이 교재도 추천해요!

- 내신 완성 해결책 **해결의 법칙** 시리즈

천재교육

정답과 해설

천재교육

정답과 해설
포인트 3가지

▶ 혼자서도 이해할 수 있는 친절한 '해설'

▶ 오답을 피할 수 있는 꼼꼼한 '선택지 풀이'

▶ 핵심 개념을 한 번 더 확인하는 '더 알아보기'

1일 현대 생활과 실천 윤리

기초 유형 연습
14~15쪽

1 ③	2 ③	3 ④	4 ④	5 ④	6 ①
7 ③	8 ④				

1 A는 기술 윤리학, B는 규범 윤리학, C는 메타 윤리학이다. 기술 윤리학은 도덕적 관습의 기술, 규범 윤리학은 인간이 어떻게 행동해야 할 것인가에 대한 보편적 도덕 원리의 탐구, 메타 윤리학은 도덕 언어의 의미와 윤리학의 학문적 성립 가능성에 대한 분석을 목표로 한다.

2 갑은 기술 윤리학, 을은 규범 윤리학의 입장이다. 도덕적 관행들을 객관적으로 서술하고자 하는 기술 윤리학과 달리, 규범 윤리학은 어떻게 행동해야 하는가에 관한 규범적 원리를 정립하고자 한다.
  선택지 풀이 ① 기술 윤리학은 도덕 현상을 기술할 때 문화적 특성을 고려한다. ② 기술 윤리학은 윤리적 개념 분석보다 도덕적 관습의 기술을 중시한다. ④ 메타 윤리학에 대한 설명이다. ⑤ 규범 윤리학은 인간의 가치 판단을 배제하지 않는다.

3 ㉠은 규범 윤리학을, ㉡은 기술 윤리학을 강조한다. 기술 윤리학은 도덕적 풍습 또는 관습에 대한 묘사나 객관적 기술(記述)을 주된 목표로 하는 윤리학으로, 사회 구성원들의 인식을 초월한 보편적 도덕규범보다는 특정 시대나 사회 구성원들의 관행이나 사고방식, 습관, 윤리적 관념 등에 대한 묘사나 객관적인 서술을 중시한다.

4 제시문의 '나'는 윤리학의 목적을 의미론적, 논리적, 인식론적 구조를 분명하게 이해하는 데 두는 것으로 보아 메타 윤리학의 관점이다. 제시문의 '어떤 이들'이 추구하는 것은 실제 삶의 윤리 문제를 해결하려는 실천 윤리학의 관점이다. 따라서 ㉠에는 메타 윤리학의 관점에서 실천 윤리학에 대해 비판하는 내용이 들어갈 수 있다.
  선택지 풀이 ① 실천 윤리학의 관점에서 메타 윤리학에 제시할 수 있는 비판이다. ② 규범 윤리학의 관점에서 메타 윤리학에 대해 제시할 수 있는 비판이다. ③ 규범 윤리학의 관점에서 메타 윤리학에 대해 제시할 수 있는 비판이다. ⑤ 실천 윤리학의 관점에서 메타 윤리학에 제시할 수 있는 비판이다.

5 갑은 이론 윤리학, 을은 실천 윤리학의 입장이다. 이론 윤리학은 도덕 법칙을 정립함으로써 윤리 문제 해결의 토대를 제공하고, 실천 윤리학은 삶의 영역에서 제기되는 다양한 윤리 문제를 해결하고자 한다.
  선택지 풀이 ① 특정 지역의 실천적 관습을 조사하는 것은 기술 윤리학의 입장이다. ② 도덕 언어 분석은 메타 윤리학에 해당한다. ③ 실천 윤리학과 관련 없는 내용이다. ⑤ 보편적인 도덕적 진리를 부정하는 상대주의 윤리의 관점이다.

6 (가)는 실천 윤리학, (나)는 이론 윤리학이다. 이론 윤리학은 윤리적 판단의 객관적 기준과 윤리 규범의 이론적 근거 정립을 실천 윤리학보다 더 중시한다. 따라서 X축은 낮고, Y축과 Z축은 높다.

7 제시문의 '이 윤리학'은 실천 윤리학으로, 실천 윤리학은 실제 생활 영역에서 제기되는 다양한 윤리 문제를 해결하고자 등장하였다. 이를 위해 실천 윤리학은 이론 윤리학에서 정립한 도덕규범을 현실 문제에 적용함으로써 구체적인 해결책과 대안을 모색한다.
  선택지 풀이 ① 메타 윤리학의 특성이다. ② 실천 윤리학은 도덕적 탐구가 학문적으로 정립 가능한 분야임을 인정한다. ④ 실천 윤리학은 도덕 문제 해결을 위한 규범 윤리 이론의 응용 가능성도 인정한다. ⑤ 기술 윤리학의 입장이다.

> **더 알아보기 ➕   실천 윤리학의 특징**
>
> - 보편적인 도덕 법칙을 구체적인 삶의 문제에 응용함.
> - 윤리적 문제 해결에 관해 윤리학과 관련 학문 분야와의 연계를 강조함.
> - 이론 윤리학을 바탕으로 삶에서 발생하는 구체적인 문제에 대한 도덕적 해결책을 찾고자 함.

8 ㉠은 메타 윤리학, ㉡은 실천 윤리학이다. 실천 윤리학은 윤리 문제의 해결책을 제시하는 과정에서 이론적 타당성을 검토하기 위해 메타 윤리학이나 기술 윤리학, 그 밖의 다양한 분야의 지식을 활용할 수 있다.
  선택지 풀이 ① 메타 윤리학은 도덕 언어의 분석을 목표로 한다. ② 기술 윤리학의 특징이다. ③ 실천 윤리학은 이론 윤리학을 토대로 윤리 문제의 해결책을 제시한다. ⑤ 실천 윤리학은 실천적 지식을 중시한다.

> **더 알아보기 ➕   실천 윤리학의 다양한 분야에서 다루는 문제들**
>
> | 평화 윤리 | 국제 분쟁과 해외 원조, 난민 문제 등 |
> |-----------|------------------------------------|
> | 문화 윤리 | 예술, 종교, 다문화 사회에 따른 윤리적 문제 등 |
> | 환경 윤리 | 환경의 회복과 생태계 보존, 국제적 공조 요구 등 |
> | 정보 윤리 | 사이버 불링과 범죄 확산, 개인 정보 침해의 문제 등 |
> | 생명 윤리 | 인간 복제 문제와 인공 지능 문제, 장기 이식 문제 등 |
> | 사회 윤리 | 개인과 공동체의 공존, 사회 제도와 구조에 따른 개인의 삶의 질 문제 등 |

기초 유형 연습   20~21쪽

1 ②	**2** ②	**3** ③	**4** ③	**5** ②	**6** ③
7 ①	**8** ①				

1 제시문은 유교의 사단에 대한 내용이다. 유교에서는 사단을 실천하여 사덕을 확충하고 실천할 것을 강조하는데, 이를 위해 경(敬)과 성(誠)을 통한 예(禮)의 회복을 주장한다. 따라서 갑에게 사사로운 욕심을 버리고 진정한 예를 회복하도록 하라고 조언할 수 있다.

[선택지 풀이] ① 불교의 연기설과 관련된 내용이다. ③ 도교와 관련된 내용이다. ④, ⑤ 유교에서는 인간의 본성은 선하고, 정의로운 마음은 선천적이라고 본다.

더 알아보기 ➕ 사단과 사덕의 관계

사단(四端)	내용	사덕(四德)
측은지심(惻隱之心)	남을 측은히 여기는 마음	인(仁)
수오지심(羞惡之心)	불의를 부끄러워하고 미워하는 마음	의(義)
사양지심(辭讓之心)	양보하고 공경하는 마음	예(禮)
시비지심(是非之心)	옳고 그름을 판단하는 마음	지(智)

2 제시문은 불교의 연기설에 대한 설명이다. 불교에서는 연기성을 깨닫지 못한 인간은 자기 자신과 현실 세계가 존속한다는 것에 집착함으로써 삼독(三毒), 즉 탐욕, 분노, 어리석음에 빠져 비도덕적 행위를 하고 이에 따른 고통을 받게 된다고 본다. 또한 불교에서는 윤회하는 삶을 고통의 하나로 보고, 현세에서 덕을 쌓으면 윤회의 고통에서 벗어나 해탈과 열반에 이를 수 있다고 여긴다. 불교의 이상적 인간인 보살은 위로는 진리를 구하고 아래로는 중생을 구제하는 사람이다.

3 제시문은 불교에 관한 내용이다. 불교에서는 고통의 원인인 집착과 욕망에서 벗어나 연기성과 진리를 깨달으면 해탈과 열반에 이를 수 있다고 보고, 이를 위해 중생 구제와 자비 실천에 힘쓸 것을 강조한다.

[선택지 풀이] ㄱ. 유교에서 강조하는 수양법이다. ㄹ. 도교에서 강조하는 수양법이다.

4 제시문은 도교의 제물(齊物)에 대한 내용이다. 제물은 편견이나 선입견에서 벗어나 자신의 관점에서 사물을 판단하지 않고 만물이 상대적이라는 것을 자각하는 것이다.

[선택지 풀이] ① 유교와 관련된 내용이다. ② 도교와 관련되지만 제시문의 문맥과 어울리지 않는 내용이다. ④ 불교와 관련된 내용이다. ⑤ 유교와 관련된 내용이다.

5 제시된 그림의 알고리즘은 왼쪽부터 차례대로 도교, 불교, 유교의 이상적 인간상에 해당한다. 도교에서는 상선약수의 원리를 알고 심재와 좌망을 실천할 것을 강조한다. 또한 불교에서는 삼독을 제거하고 만물이 상호 의존적이라는 연기성을 깨달을 것을 강조한다.

[선택지 풀이] ㄱ. 유교와 관련된다. ㄹ. 불성은 불교, 수기안인은 유교와 관련된다.

6 갑은 의무론적 윤리를 주장한 칸트, 을은 자연법 윤리를 주장한 아퀴나스이다. 칸트와 아퀴나스는 모두 보편적인 도덕적 의무의 존재를 인정하고, 인간은 이성을 통해 어떻게 행동하는 것이 도덕적 행동인지 알 수 있다고 본다.

[선택지 풀이] ㄱ. 아퀴나스의 주장에 해당하는 설명이다. ㄴ. 아퀴나스도 칸트와 마찬가지로 선험적으로 존재하는 정의를 강조한다.

더 알아보기 ➕ 의무론과 공리주의의 비교

구분	의무론	공리주의
행위 목표	이성적 명령에 따르는 것, 도덕 법칙을 존중하려는 의무에 따르는 것	쾌락의 증대, 고통의 감소 → 개인과 사회의 행복
특징	도덕적 의무, 당위, 동기 중시 → 의무론적 윤리설	행복, 쾌락 등 행위 결과 중시 → 결과론적 윤리설

7 (가)는 규칙 공리주의, (나)는 행위 공리주의의 입장이다. 공리의 원리를 개별 행위에 적용하는 행위 공리주의는 매 행위마다 유용성을 산출할 결과를 계산해야 한다는 한계를 가지고 있다. 이러한 한계를 극복하기 위해 제시된 규칙 공리주의는 행위가 따르고 있는 규칙의 결과를 옳은 행위를 결정하는 기준으로 삼는다. 따라서 어떤 규칙이 최대의 유용성을 가져오는가를 중시하며, 행위의 규칙에 공리의 원리를 적용한다.

더 알아보기 ➕ 행위 공리주의와 규칙 공리주의

행위 공리주의	규칙 공리주의
개별 행위의 유용성을 평가	규칙의 유용성을 평가
개별 행위를 매번 계산하기 어려움, 최대 행복을 가져오는 행위가 상식적 도덕에 어긋날 수 있음.	규칙이 서로 상충할 때 대안을 제시하기 어려움.

8 갑은 벤담, 을은 칸트이다. 벤담은 행위 결과의 유용성을 도덕적 판단의 기준으로 삼는다. 그는 사회 전체의 행복을 증진하는 것, 즉 최대 다수의 최대 행복을 도덕과 입법의 원리로 제시하였다. 벤담에 따르면 모든 쾌락은 질적으로 동일하고 단지 양에서만 차이가 나기 때문에 쾌락의 양을 계산할 수 있으며, 이를 통해 유용성을 측정할 수 있다. 벤담과 칸트 모두 도덕 판단의 이론적 근거를 제시하고자 한다.

[선택지 풀이] ㄷ. 질적 공리주의자 밀의 주장이다. ㄹ. 덕 윤리에 대한 설명이다.

3일 현대 윤리 문제에 대한 접근 ❷ ~ 윤리 문제의 탐구와 성찰

기초 유형 연습

1 ⑤	**2** ④	**3** ②	**4** ②	**5** ②	**6** ⑤
7 ①	**8** ②				

1 밑줄 친 'A 사상'은 덕 윤리이다. 덕 윤리는 선한 행위의 실천을 위해서는 행위자에게 초점을 맞추어야 한다고 보고, 더불어 사는 공동체 구성원의 삶을 강조한다. 특히 현대 덕 윤리학자인 매킨타이어는 개인의 선택과 자유보다 공동체의 전통과 역사를 중시한다.

2 갑은 의무론, 을은 덕 윤리이다. 덕 윤리는 근대 철학의 의무론이 공동체적 관점의 선의지와 맥락을 간과하였다는 비판에서 등장하였다. 따라서 덕 윤리는 어떤 행위를 하느냐보다 어떤 행위자가 되느냐가 더 중요하다고 보고 중용에 따른 윤리적 행위의 반복적 실천을 강조한다. 의무론적 접근은 행위의 결과보다 행위 자체의 도덕성에 주목하면서 도덕적 의무를 강조한다. 우리가 어떤 행위를 해야 하는 이유는 그 결과가 유용하기 때문이 아니라 그것이 도덕적 의무이기 때문이라고 보는 것이다.

3 제시문은 길리건의 주장이다. 길리건은 공정성, 정의, 객관성을 강조한 기존의 근대 윤리만으로는 현대의 윤리적 문제를 해결하기 어렵다고 비판하면서, 배려와 소통, 공감 등을 강조한 여성적 배려 윤리로 이를 보완해야 한다고 주장한다.

선택지 풀이 ㄴ. 배려 윤리는 이성, 정의, 공정함 등 기존의 근대 윤리의 한계를 비판하면서 등장하였다. ㄹ. 배려 윤리는 보편적 법칙보다 배려 대상의 문제 상황과 구체적 요구를 중시한다.

4 갑은 배려 윤리, 을은 담론 윤리의 입장이다. 담론 윤리를 주장한 하버마스는 담론 참여자들 사이에 의사소통의 합리성을 강조하며, 담론을 통해 옳고 그름에 대한 판단의 정당성을 확보할 수 있다고 본다.

선택지 풀이 ① 배려 윤리는 공정함과 보살핌이 조화를 이루어야 한다고 본다. ③ 배려 윤리와 담론 윤리 모두 공감 능력의 필요성을 강조한다. ④ 배려 윤리와 담론 윤리 모두 이성과 감정의 상호 보완적 관계를 강조한다. ⑤ 보편타당한 도덕적 의무를 산출하는 것은 칸트의 의무론과 관련 있다.

5 여학생의 진술을 삼단 논법의 형식으로 바꿀 때, 소전제 ㉠에 들어갈 말은 "인간 배아 복제 실험은 인간을 대상으로 하는 실험이다."이다. 이 진술에 대한 반론은 인간 배아는 인간과 다르다고 보는 관점에서 펼칠 수 있다. 그러므로 "출생하기 이전의

어떤 존재도 인간으로 볼 수 없다."라는 진술이 반론의 근거가 될 수 있다.

더 알아보기 ➕ 삼단 논법을 통한 도덕적 추론

도덕 원리 (대전제)	도덕 원리를 다른 사람들의 처지에서도 받아들일 수 있는지, 규범적 차원에서 보편화할 수 있는지 검토함. → 역할 교환 검사, 보편화 결과 검사, 반증 사례 검사 등을 활용함.
사실 판단 (소전제)	실험, 관찰, 조사, 연구 등의 방법을 활용하여 제시된 사실 근거의 참과 거짓을 확인함.
도덕 판단 (결론)	도덕 판단을 객관적 입장에서 검토하고, 규범적 차원에서 보편화가 가능한지, 전제와 결론 사이에 논리적 오류는 없는지를 점검함.

6 (나)는 도덕적 추론 과정을 나타낸 것이다. 도덕적 추론은 보편적인 도덕 원리를 바탕으로 사실 판단을 거쳐 도덕 판단을 내리는 연역적 추론 방법이다. 도덕적 추론은 삼단 논법과 유사한 추론의 과정을 거친다. 예를 들어 "모든 사람은 죽는다."라는 대전제와 "소크라테스는 사람이다."라는 소전제로부터 "소크라테스는 죽는다."라는 결론을 추론할 수 있다.

7 을은 유교의 관점에서 말하고 있다. 유교에서는 윤리적 성찰의 방법으로 마음을 한 곳으로 모아 흐트러짐이 없이 하는 거경의 수양 방법을 중시한다. 거경의 주된 예는 신독으로, 신독은 홀로 있을 때에도 도리에 어긋나지 않도록 몸과 마음을 바르게 하는 것이다.

선택지 풀이 ㄷ. 유교에서는 인간은 선한 본성을 타고난다고 본다. ㄹ. 참선은 불교에서 강조한 성찰 방법이다.

더 알아보기 ➕ 윤리적 성찰의 방법

유교	신독과 주일무적(主一無適)을 요체로 하는 거경의 수양법 강조
불교	무엇이 참된 삶인지 깨닫고 바르게 살아가기 위해, 앉아서 하는 수행법인 참선 제시
소크라테스	"숙고하지 않는 삶은 가치가 없다." → 반성하고 성찰하는 삶의 자세 강조
아리스토텔레스	반성과 성찰, 도덕적 실천 의지 강조 → 타인과의 관계에서 세계로 윤리적 성찰의 범위 확장

8 소크라테스는 물질이나 명예보다는 정신적인 가치에 대해 관심을 가져야 하며, 정신적 훌륭함을 위해서는 반성을 통해 윤리적으로 성찰하는 삶을 살아야 한다고 주장한다. 소크라테스는 "반성하지 않는 삶은 살 가치가 없다."라고 말하며 성찰의 중요성을 강조하였다.

선택지 풀이 ① 소크라테스는 끊임없는 질문을 통해 자신의 무지를 자각할 수 있도록 돕는 방법인 산파술을 강조하였다. ③ 소크라테스는 자기 삶에 대한 반성을 통해 최고선을 실현할 수 있다고 보았다.

기초 유형 연습

32~33쪽

1 ②　　**2** ③　　**3** ②　　**4** ④　　**5** ③　　**6** ②
7 ②　　**8** ⑤

1 갑은 태아도 인간으로서의 지위를 갖는다고 본다. 그리고 이러한 관점에서 낙태는 인간의 생명을 제거하는 것이라고 보고 낙태에 반대할 것이다. 이에 반해 을은 태아는 인간으로서의 지위를 갖지 않는다고 본다. 그리고 이러한 관점에서 낙태는 인간의 생명을 제거하는 것이 아니라고 보고 낙태에 반대하지 않을 것이다.

> **선택지 풀이** ㄴ. 갑, 을 모두 태아는 인간이 될 수 있는 가능성을 갖고 있다고 본다. ㄹ. 을이 부정할 질문이라고 보기 어렵다.

2 갑은 태아는 인간으로 볼 수 없으므로 낙태를 허용해야 한다는 입장이고, 을은 인간으로 성장할 가능성을 지닌 태아는 인간으로 보아야 한다는 잠재성 논거를 바탕으로 낙태에 반대하는 입장이다.

더 알아보기 ➕ 낙태 찬반론의 논거

찬성론 (선택 옹호 주의)	• 소유권 근거: 태아는 여성 몸의 일부이므로, 여성은 태아에 대한 권리를 지님. • 자율 근거: 여성은 자신의 신체에 대해 자율적으로 선택할 권리를 지님. • 정당방위 근거: 여성은 자기방어와 정당방위의 권리를 지님.
반대론 (생명 옹호 주의)	• 잠재성 근거: 태아는 성숙한 인간으로 발달할 가능성을 지님. • 존엄성 근거: 모든 생명은 존엄하므로 태아의 생명도 존엄함. • 무고한 인간의 신성불가침 근거: 태아는 무고한 인간이고, 무고한 인간을 해쳐서는 안 됨.

3 (가)는 맹자, (나)는 장자의 주장이다. 맹자는 삶과 의로움 가운데 한 가지를 택해야 한다면 의로움을 택하겠다고 주장하고 있는데, 이를 통해 도덕적 가치가 삶과 죽음의 선택 기준이 될 수 있다는 것을 알 수 있다. 이처럼 유교에서는 죽음보다는 현세의 도덕적인 삶을 더욱 강조한다.

> **선택지 풀이** ① 맹자는 생보다 의로움이 가치 있다고 본다. ③ 장자는 삶과 죽음을 자연스럽고 필연적인 과정이라고 본다. ④ 불교의 입장이다. ⑤ 맹자와 장자 모두 죽음 이후의 삶을 가정하지 않는다.

4 갑은 플라톤, 을은 에피쿠로스, 병은 하이데거이다. 죽음 이후에는 아무것도 감각할 수 없다고 본 에피쿠로스와 달리, 플라톤은 죽음 이후에 참된 진리의 세계에 도달할 수 있다고 본다. 또한 플라톤은 죽음이란 육체에 갇혀 있던 영혼이 해방되어 이

데아의 세계로 돌아가는 것이며, 인간은 죽음으로써 참된 사유를 할 수 있고 참된 지혜를 얻을 수 있다고 주장한다. 하이데거는 죽음을 직시해야 진정한 삶을 살 수 있다고 보았다.

더 알아보기 ➕ 동서양의 죽음관

동양	• 공자: 죽음에 관심을 가지기보다는 현세의 도덕적인 삶에 충실하는 것이 더 중요함. • 장자: 삶과 죽음은 기(氣)가 모였다가 흩어지는 것이고 자연스럽고 필연적인 과정이므로, 삶에 집착하거나 죽음을 걱정하고 두려워할 필요가 없음. • 불교: 죽음은 고통이자 다음 세상으로 윤회하는 과정이며, 현세의 업보가 죽은 이후의 삶을 결정함.
서양	• 플라톤: 죽음은 육체에 갇혀 있던 영혼이 해방되어 이데아의 세계로 돌아가는 것임. • 에피쿠로스: 살아서는 죽음을 경험할 수 없고, 죽어서는 감각할 수 없으므로 죽음을 두려워할 필요가 없음. • 하이데거: 현존재인 인간은 죽음을 직시할 때 진정한 삶을 살 수 있음.

5 갑은 인위적 개입으로 환자의 죽음을 앞당기는 적극적 안락사는 허용될 수 없지만, 회복이 불가능한 환자의 연명 치료를 중단하는 것과 같은 소극적 안락사는 자연의 과정을 따르는 것이기 때문에 허용될 수 있다고 주장한다. 반면 을은 인간의 생명은 절대적 가치를 지니고 있기 때문에 적극적 안락사와 소극적 안락사 모두 허용되어서는 안 된다고 주장한다.

6 갑은 의무론자인 칸트, 을은 자연법 윤리론자인 아퀴나스이다. 칸트는 고통에서 벗어나기 위해 자살하는 것은 자신의 생명과 인격을 수단으로 삼는 행위이고, 자율적 인간으로서 가지는 자기 보전의 의무를 위반하는 행위라고 여긴다. 즉 칸트는 인간을 고통 완화의 수단으로 대우한다는 점에서 자살에 반대한다.

> **선택지 풀이** ① 칸트는 사회적 유용성을 근거로 자살에 반대하지 않는다. ③ 아퀴나스는 자살을 신에 대한 생명의 의무를 위반하는 것으로 여긴다. ④ 아퀴나스는 자살이 자신을 사랑하고자 하는 자연적 성향에 위배된다고 본다. ⑤ 칸트, 아퀴나스 모두와 관련이 없다.

7 갑은 유전자 조작은 자연 질서에 위배되는 것이라고 간주하고, 모든 유전자 조작에 대해 반대하는 입장이다. 반면 을은 우월한 형질을 유발하기 위한 유전자 조작에는 반대하지만, 난치병의 치료나 질병의 예방을 위한 유전자 조작은 자연 질서에 부합하므로 허용될 수 있다고 보는 입장이다.

8 (가) 사상가는 레건이다. 레건은 일부 동물은 삶의 주체로서 존중받아야 할 도덕적 권리를 보유하고 있다고 본다. 따라서 동물 실험에 찬성하는 (나)의 주장에 대해 동물도 삶의 주체가 될 수 있으므로 기본적인 권리를 갖는다는 반론을 제기할 수 있다.

5일 사랑과 성 윤리

기초 유형 연습
38~39쪽

1 ①	2 ④	3 ②	4 ②	5 ⑤	6 ④
7 ④	8 ④				

1 제시문은 프롬의 주장이다. 프롬은 사랑이란 수동적인 감정이 아니라 능동적인 활동이라고 보고, 자신을 희생하여 상대방이 원하는 것을 들어주는 것은 진정한 사랑이 아니라고 주장한다. 또한 프롬은 사랑에는 책임, 존경, 이해, 보호 등과 같은 인격적 가치가 내포되어야 한다고 주장한다.

2 제시문은 온건한 자유주의의 관점이다. 온건한 자유주의의 관점에서는 사랑만이 인간의 성을 존엄하게 만들어 주기 때문에 사랑이 없는 성은 도덕적으로 옳지 않다고 본다. 이러한 관점에서 결혼이나 출산과 관련된 성이라도 사랑이 전제되지 않으면 동물의 성과 다를 바 없다고 여긴다.
선택지 풀이 ㄱ. 보수주의의 관점이다. ㄷ. 급진적 자유주의의 관점이다.

> **더 알아보기 ➕ 사랑과 성을 바라보는 관점**
>
> | 보수주의 | • 결혼 제도 내에서 출산과 양육에 대한 책임을 질 수 있는 성만이 도덕적으로 정당하다고 간주함.
• 결혼은 성의 사회적 책임을 위한 제도적 장치임. |
> |---|---|
> | 온건한
자유주의
(중도주의) | • 사랑과 결합한 성만이 인간의 고유한 품격을 유지해 줄 수 있음.
• 사랑이 있는 성 추구 |
> | (급진적)
자유주의 | • 성숙한 사람들이 상호 동의하에 타인에게 해를 주지 않는다면 성적 호감과 관심만으로도 성이 가능함.
• 사랑 없이도 가능한 성 추구 |

3 갑은 여성성과 남성성은 사회화로 형성되는 것이라고 보고, 을은 여성과 남성이 근본적으로 다르다고 본다. 따라서 갑은 을이 여성과 남성의 성향 차이가 후천적인 것임을 간과하고 있다고 비판할 수 있다.
선택지 풀이 ①, ③, ④, ⑤ 을이 할 수 있는 주장이다.

4 사상가는 칸트이고, 〈문제 상황〉의 A는 금전적 대가를 받고 타인의 성적 욕구를 충족시키는 일에 참여할 것인지를 고민하고 있다. 칸트는 신체는 인격을 이루는 것이므로 사물처럼 취급할 수 없다고 주장하고 있으므로, A에게 자신을 인격체가 아닌 사물처럼 취급하여 존엄성을 침해하지 않도록 하라고 조언할 수 있다.
선택지 풀이 ① 〈문제 상황〉과 관련 없는 조언이다. ③ 칸트는 욕망 충족을 위한 인간의 활동 자체를 부정하지는 않는다. ④ 칸트는 자유 의지에 따른 결정을 중시하지만, 그 자유 의지는 도덕 법칙을 따르는

데 사용되어야만 가치 있다고 본다. ⑤ 상호 동의하에 이루어진 성적 활동이라도 자신의 성을 사물처럼 취급할 수 있으므로, 칸트가 조언할 말이라고 하기 어렵다.

5 제시문의 사상은 유교 사상으로, 상호 공경을 바탕으로 하는 부부 사이에서의 도리를 제시하고 있다. 유교에서는 부부간에도 공경하는 마음을 담아 예절의 형식을 따라야 한다고 본다. 유교의 부부유별, 부부상경 덕목은 부부가 서로 차별적인 관계가 아닌 구별된 역할 속에서 서로의 인격을 존중할 것을 강조한다.
선택지 풀이 ① 유교에서 말하는 부부 예절은 서로의 역할과 도리가 다름을 전제한다. ② 제시문에서 금수는 남녀의 구별이 분명하지 않다고 하였다. ③ 제시문을 통해 부부가 되는 것에 일정한 절차가 필요함을 알 수 있다. ④ 유교에서는 인간을 관계적 존재로 파악한다. 그러므로 부부의 도리도 각각의 개별성보다는 부부 사이의 관계를 전제로 한다.

6 (가) 사상은 음양론이다. (나)의 가로 낱말 (A)는 부자유친, (B)는 보부아르이므로 세로 낱말 (A)는 부부이다. 음양론에 따르면 음과 양은 서로가 없으면 존재할 수 없기 때문에 상호 의존적인 관계이다. 음양론에서는 부부를 상호 보완적이고 대등한 관계로 본다.
선택지 풀이 ① 부부는 위계적 관계가 아니라 서로 대등한 관계이다. ② 친족 관계에 대한 설명이다. ③ 부모와 자녀의 관계에 대한 설명이다. ⑤ 부부는 각자 삶의 영역을 구축하거나 상호 간섭하지 않는 관계가 아니다.

7 제시문은 부모가 도리에 어긋나는 일을 할 경우에 자식은 부모에게 간언해야 한다고 주장한다. 이를 통해 효는 호혜적이고 쌍방적인 성격을 지니고 있으며, 참된 효는 예(禮)와 의(義)를 바탕으로 하고 있음을 알 수 있다. 이처럼 부모와 자식이 가정 내에서 자신의 역할을 온전히 수행할 때 바람직한 부모 자식 관계가 정립될 수 있다.

> **더 알아보기 ➕ 공자가 말한 부모에 대한 간언**
>
> 공자는 『논어』의 「이인」 편에서 부모에게 간언하는 것과 관련해 다음과 같이 말한다.
> "부모를 섬기되 조심스럽게 간언해야 하는 것이니, 부모의 마음이 내 말을 받아주지 않음을 보고서도 더욱 공경하여 어기지 않으며 수고롭더라도 원망하지 않아야 한다."

8 (가) 사상은 유교이고, (나)의 ㉠은 형제자매, ㉡은 부모이다. 형제자매 관계를 통해 장유유서의 도리를 배울 수 있고, 형제자매 간에 우애 있게 지내는 것은 효의 실천이 된다. 또한 부모는 자애를 베풀어 자녀들이 건강하게 성장할 수 있도록 최선을 다해야 한다.
선택지 풀이 ㄷ. 형제자매와 부모 사이에는 횡적 관계가 아니라 종적 관계가 성립된다.

1 ④	2 ④	3 ②	4 ⑤	5 ③	6 ④
7 ⑤	8 ④				

1 A 윤리학은 이론 윤리학이다. 이론 윤리학은 인간 행위의 보편적인 원리에 대한 탐구를 주된 목적으로 삼으며, 도덕적 행위를 정당화하는 근거를 탐구한다. 윤리학은 이론 윤리학과 실천 윤리학으로 구분하기도 하는데, 이론 윤리학과 실천 윤리학은 모두 현실의 윤리 문제에 대한 해결책을 제시하고 올바른 삶의 방향을 제시하는 것에 관심을 둔다. 실천 윤리학은 삶에서 구체적으로 발생하는 윤리 문제에 대하여 도덕 원리를 근거로 하여 실제적이고 구체적인 해결책을 모색하는 데 주된 관심을 두지만 이론 윤리학은 도덕 원리나 도덕적 정당화의 이론적인 근거를 제시하는 데 주된 관심을 갖는다.

선택지 풀이 ①, ② 기술 윤리학에 해당된다. ③ 메타 윤리학에 해당된다. ⑤ 실천 윤리학에 해당된다.

더 알아보기 ➕ 이론 윤리학과 메타 윤리학의 특징

이론 윤리학	도덕적 행위의 이론적 기준 정립과 정당화, 체계화를 목적으로 함.
메타 윤리학	윤리적 판단 대상과 근거의 객관적 실증 강조 → 도덕 언어의 의미와 뜻을 구체화하는 데 주력함.

2 제시문의 사상가는 요나스이다. 요나스는 과학 기술의 발달과 그것을 따라가지 못하는 도덕적 숙고의 간격을 윤리적 공백이라고 표현하였다. 요나스는 과학 기술의 발전에 따른 문제를 해결하기 위해 자연과 미래 세대까지 책임의 대상을 확대하고, 책임질 능력을 가진 인간에게 예견적 책임의 의무가 있음을 강조한다.

선택지 풀이 ① 인간만이 책임질 수 있는 능력이 있으므로 인간에게만 자연에 대한 일방적 책임의 의무가 있다. ② 기존의 전통 윤리로는 과학 기술 발전에 따른 윤리적 공백을 극복할 수 없으므로 새로운 책임 윤리로 윤리적 공백을 극복해야 한다. ③ 책임질 수 있는 능력은 책임져야 하는 당위로 연결된다. 따라서 책임질 능력이 있는 인간만이 책임의 의무를 갖는다. ⑤ 과학 기술의 발전만을 앞세워 윤리적 책임을 놓치고 있으므로 과학 기술의 발전보다 윤리적 성찰을 우선해야 한다.

3 제시문은 배려 윤리의 기본 입장이다. 배려 윤리는 남성 중심적 정의 윤리를 비판하고, 배려와 공감과 같은 여성적 특성을 중시한다. 따라서 A에게 상대방의 어려움에 대해 공감하고 배려할 것을 조언할 수 있다.

선택지 풀이 ① 공리주의의 입장이다. ③ 배려 윤리는 자연적 배려와 정서(감정)를 중시한다. ④ 공리주의의 입장이다. ⑤ 의무론의 입장이다.

더 알아보기 ➕ 길리건과 나딩스의 배려 윤리

길리건	• 여성의 도덕과 남성의 도덕은 질적으로 다름. → 여성은 배려 윤리, 남성은 정의 윤리를 강조하는 경향이 있음. • 공감, 배려, 동정심, 관계성, 구체적 상황, 맥락 등 배려 윤리의 여성성 강조
나딩스	• 배려는 상호적인 것 → 어머니와 자녀의 관계를 배려의 원형으로 간주함. • 배려는 낯선 타인, 동식물과 지구 환경 등에까지 확대되어야 한다고 주장함.

4 역할 교환 검사는 도덕 판단에 사용된 도덕 원리를 자기 자신에게 적용할 수 있는지 검토해 보는 것이다. 보편화 결과 검사는 자신이 채택한 입장을 유사한 상황에 있는 모든 사람에게 보편적으로 적용할 수 있는지 심사숙고해 보는 것이다.

선택지 풀이 ② 포섭 검사이다. ③ 보편화 결과 검사이다. ④ 반증 사례 검사이다.

5 제시문은 어떤 학자들이 객관적인 사실의 영역에서 가치의 영역인 도덕 판단을 도출하는 논리적 오류를 범하고 있다고 주장한다. 도덕 판단의 과정에서 사실 판단에 근거하여 곧바로 도덕 판단을 이끌어 내면 논리적 오류를 범하게 된다. 예를 들어 "모두가 쾌락을 좋아한다."라는 사실 판단을 내리고 이에 근거하여 "쾌락을 추구해야 한다."라는 도덕 판단을 도출하면 오류를 범하는 것이다.

6 윤리적 성찰은 개인의 도덕성과 도덕적 정체성 형성을 돕는다. 도덕적 탐구는 사회의 각종 윤리 문제에 대한 이해 및 분석에 관심을 둔다.

선택지 풀이 ④ 현상의 원인과 결과를 관찰과 실험을 통해 설명하는 것은 경험적 탐구이다.

7 갑은 싱어, 을은 레건으로, 모두 동물도 도덕적으로 고려받을 권리를 지닌다고 본다. 싱어는 쾌고 감수 능력에 근거하여 쾌고를 지각할 수 있는 동물의 이익 관심은 인간과 동등하게 배려해야 한다고 주장한다. 레건은 지각, 기억, 믿음, 자기의식 등의 능력을 가진 동물은 삶의 주체가 될 수 있으며, 이런 동물은 그 자체로 목적으로 대우해야 한다고 주장한다.

선택지 풀이 ㄱ. 모든 동물이 아니라 쾌고를 지각하는 동물의 이익을 고려한다.

8 갑은 성 상품화에 찬성하고, 을은 반대한다. 성 상품화란 성 자체를 상품처럼 사고팔거나 성을 다른 상품을 팔기 위한 수단으로 이용하는 것을 말한다. 성 상품화 반대 입장에서는 성 상품화를 인격적 가치를 지니는 인간의 성을 상품으로 대상화하는 것이라고 보고, 상품 판매를 위한 도구로 성적 이미지나 상징을 사용하는 것에 대해 반대한다.

Ⅲ. 사회와 윤리

1일 직업과 청렴의 윤리

기초 유형 연습
56~57쪽

1 ④	2 ⑤	3 ④	4 ②	5 ②	6 ②
7 ④	8 ⑤				

1 제시문의 사상가는 항산과 항심을 강조하는 맹자이다. 갑옷 만드는 사람이 선한 마음을 지켜 나갈 수 있다는 주장에서 알 수 있듯이 맹자에게 직업 활동이란 도덕성의 확충이라는 인격 수양의 의미를 지닌다. 그렇기 때문에 도덕적 본성을 유지할 수 있도록 직업 선택에서 인격에 미치는 영향을 고려해야 한다.
선택지 풀이 ① 맹자는 생업이 있어야 도덕심이 생길 수 있다고 본다. ② 맹자는 정신노동과 육체노동을 구분하고 양자의 상보성을 강조한다. ③ 맹자는 생업을 중시하지만, 직업 선택에서 경제적 보상을 가장 중시하는 것은 아니다. ⑤ 맹자는 개인의 출세보다 도덕적 마음을 더 강조한다.

2 갑은 맹자, 을은 순자이다. 맹자는 백성에게 안정된 생업(직업)을 갖도록 한 후 항심을 유지하도록 교육해야 한다고 주장한다. 또한 노심자의 노력과 배려를 강조한다. 순자는 이기적 존재인 인간은 예로써 욕망을 절제해야 한다고 본다. 두 사상가 모두 노동을 사회적 역할을 분담하는 활동으로 바라본다.
선택지 풀이 ㄱ. 항산이 있어야 항심을 가질 수 있다.

3 (가)를 주장한 사상가는 칼뱅이고, (나)의 ㉠은 '직업'이다. 칼뱅은 직업이 신이 개인에게 부여한 소명(召命)이고 창조주의 노동에 동참하는 행위라고 본다. 그는 직업 노동이 금욕과 절제를 바탕으로 하고, 신의 영광을 표현하는 행위여야 한다고 주장한다.
선택지 풀이 ㄹ. 신의 영광을 드러내고자 하는 활동이다.

4 갑은 프로테스탄티즘이 자본주의 정신의 토대가 되었다고 해석하는 베버이고, 을은 정명 사상에서 직업의 근거를 찾고 있는 공자이다. 베버는 프로테스탄트가 직업적 성공을 통한 부의 축적이 구원의 징표라며 부를 정당화하였다고 보고, 공자는 정명 사상을 통해 맡은 바 임무와 역할을 충실히 수행할 것을 강조한다.
선택지 풀이 ① 프로테스탄티즘에서는 직업적 성공을 거두고 부를 축적하는 것을 구원의 징표라고 여긴다. ③ 공자는 직업을 통한 이익을 강조하지 않는다. ④ 공자는 부의 유무와 관계없이 맡은 직책을 충실히 수행해야 한다고 본다. ⑤ 베버와 공자 모두 금욕을 부의 축적에 대한 정당화 근거로 보지 않는다.

더 알아보기 ⊕ 프로테스탄트와 공자의 직업관

프로테스탄트	공자
직업은 신이 부여한 소명, 직업적 성공은 구원의 징표	정명(正名) 사상: 자신의 직분에 충실해야 함.

5 갑은 노동을 신(神)의 소명으로 파악하는 프로테스탄트의 입장을 설명하고, 을은 노동을 자아실현으로 이해하는 마르크스의 입장을 드러내고 있다. 프로테스탄트들은 노동을 신의 영광을 드러내는 가장 좋은 행위로 여긴다. 더 나아가 근면·성실하게 직업적 성공을 거두고 부를 축적하는 것을 구원의 징표라고 여겼다. 마르크스는 인간은 본래 노동을 통해 자기 본질을 실현할 수 있지만 자본주의적 분업 방식이 노동의 소외 문제와 노동 착취 문제를 일으켰다고 지적한다. 마르크스에 따르면 자본주의적 생산 방식 아래에서 노동자는 자아실현이 불가능하다.

6 제시문은 기업의 유일하고 근본적인 목적이 자유 시장 경제 원리에 충실한 이윤의 극대화라고 주장하는 프리드먼의 입장이다. 그는 이윤 추구 이외의 요구를 기업에 하는 것은 자유 시장 경제의 근본 원리를 오해하는 것이라고 주장한다. 프리드먼에 따르면 자유 경제 체제에서 경영자들은 오직 기업의 소유주들에 대해서만 직접적인 책임을 진다. 이와 상반되는 입장으로는 보겔이 있다. 보겔은 기업의 사회적 책임을 강조하며 기업은 이윤을 추구하는 것과 더불어 도덕적 의미를 다해야 한다고 강조한다. 그는 기업이 이러한 태도를 지니면 기업의 비즈니스 위험도를 낮추어 줄 것이라고 본다.

더 알아보기 ⊕ 기업의 사회적 책임

프리드먼	이윤 극대화만이 기업의 책임
보겔, 애로	기업의 장기적 이윤 추구에 기여하므로 사회적 책임 이행 필요

7 강연자는 기업의 근본 목적을 자유 시장 경제 원리에 충실한 이윤 추구에 두어야 한다는 논리를 비판하면서 기업의 사회적 책임의 필요성을 주장하고 있다. 강연자는 환경 오염과 같이 지역 사회에 불이익을 일으키는 외부 효과를 기업이 해결해야 한다고 본다.

8 제시문은 청렴을 강조한 정약용의 입장이다. 정약용은 백성을 사랑하고 공익을 위해 힘쓰려면 청렴이 필요하다고 강조한다. 그는 나라와 백성을 생각하는 관리는 무엇보다 자신의 사사로운 이익을 넘어서야 하며 청렴의 자세를 지녀야 한다고 말한다. 그러나 정약용은 청렴이 목민관의 모든 과오를 면책시켜 준다고는 보지 않는다.

2일 사회 정의와 윤리 ❶

1 ⑤   **2** ①   **3** ④   **4** ④   **5** ⑤   **6** ⑤
7 ②   **8** ④

1 갑은 개인 윤리적 관점에서 사회적 도덕 문제를 파악하며, 을은 사회 윤리적 관점에서 사회적 도덕 문제를 파악한다. 사회적 도덕 문제 해결에서 갑은 개인의 선의지와 양심적 덕목 실천을 중시하고, 을은 도덕성 함양과 함께 사회 구조 및 제도의 개선을 중시한다.

선택지 풀이 ㄴ. 개인 윤리적 관점에서는 개인의 도덕성 함양으로 사회 갈등을 해결할 수 있다고 보고, 사회 윤리적 관점에서는 집단 간 권력 균형을 통해 사회 갈등을 해결할 수 있다고 본다.

2 갑은 개인의 도덕성 함양과 사회 구조의 개선을 모두 중시하는 니부어, 을은 개인의 선의지 함양만을 강조하는 도덕가들이다. 니부어는 집단 간 힘의 차이를 사회적 갈등의 중요한 원인으로 파악하기 때문에 집단 간 힘의 균형을 중시한다. 또한 윤리적 문제 해결을 위해 정치적 강제력에 의한 방법도 필요하다고 본다.

3 제시문의 사상가는 니부어이며, 그는 도덕가(도덕주의자)들의 입장, 즉 개인의 도덕의식과 양심(선의지)의 고양만을 통해서도 도덕적 사회를 실현할 수 있다는 주장을 비판한다. 그는 개인 간 갈등은 도덕적·합리적 방법에 의해 조정될 수 있지만, 집단 간 힘의 불균형 때문에 일어나는 사회적 부정의는 구조와 제도의 개선이라는 정치적·물리적 방법이 함께 쓰여야 함을 강조한다.

선택지 풀이 ① 니부어는 개인 윤리적 이타성과 사회 윤리적 정의는 항상 상호 보완적인 관계여야 한다고 본다. ② 니부어는 집단 간 갈등을 해결하려면 개인의 자발적 타협뿐만 아니라 사회 구조와 제도의 개선도 필요하다고 본다. ③ 개인 윤리적 관점에서 긍정의 대답을 할 질문이다. 니부어의 입장인 사회 윤리적 관점에서는 사회 정의 실현을 위해 개인의 도덕적 선의지 함양과 사회 구조·제도의 개선이 함께 필요하다. ⑤ 니부어는 집단의 도덕성은 개인의 도덕성보다 열등하다고 본다.

더 알아보기 ➕ **개인 윤리와 사회 윤리**

개인 윤리	• 윤리 문제의 원인과 해결은 개인의 도덕성과 관련됨. • 이타성 실현 강조
사회 윤리 (니부어)	• 윤리 문제의 원인과 해결은 사회 제도 및 구조와도 관련됨. • 개인의 도덕성 함양도 필요성 인정 • 정의 실현 강조 • 집단과 개인의 도덕성 구분 • 개인 윤리와 상호 보완적 관계

4 제시문은 니부어의 주장이다. 니부어는 개인이 사회 집단에 속하면 비도덕적이고 이기적인 특성을 보인다고 본다. 니부어는 이러한 문제를 해결하기 위해 합리성의 통제를 받는 정치적 강제력을 행사해야 한다고 강조한다.

선택지 풀이 ① 니부어는 집단 간 힘의 차이를 조정하기 위해 정치적 강제력이 필요하다고 본다. ③ 니부어는 도덕적인 개인으로 구성된 집단일지라도 집단에 속한 개인은 이기적으로 행동하기 쉽다고 본다. ⑤ 니부어는 집단 간의 문제는 윤리적이기보다 정치적이므로 집단 내의 문제보다 쉽게 해결되지 않는다고 본다.

5 제시문은 니부어의 주장이다. 니부어에 따르면 개인의 이기적 충동은 집단 속에서 더 강화된 형태로 나타난다. 왜냐하면 개인의 이기심을 억제할 만한 양심이 집단에서는 존재하기 어렵기 때문이다. 또한 집단 내 구성원 간의 문제는 도덕적이고 합리적인 조정과 설득을 통해 어느 정도 해결이 가능하지만, 집단 간의 문제는 윤리적이기보다 정치적이므로 쉽게 해결되지 않는다고 본다.

6 제시문의 '나'는 분배적 정의의 기준으로 업적이 올바르다고 주장하며, '어떤 사람들'은 분배적 정의의 기준으로 필요가 바람직하다고 여긴다. 따라서 '나'는 '어떤 사람들'에 대해 필요에 따른 분배가 개인이 성취한 결과에 대한 적절한 보상을 못한다고 비판할 수 있다.

선택지 풀이 ① 업적에 의한 분배에 대한 비판으로 적절하다. ② 필요에 따른 분배는 사회적 약자를 배려하는 것이다. ③ 능력에 의한 분배에 대한 비판으로 적절하다. ④ 능력에 의한 분배와 관련된 비판으로 적절하다.

7 '고대의 어느 사상가'는 아리스토텔레스로, 그는 각자의 가치에 비례하는 몫이 나누어질 때 분배적 정의가 실현된다고 주장하였다. 즉, 기하학적 비례를 추구하였다.

더 알아보기 ➕ **아리스토텔레스의 정의**

일반적 정의	법을 준수함으로써 정치 공동체의 행복을 창출하고 지키는 것이다. 또한 이웃과의 관계 속에서 완전한 미덕 또는 탁월성을 구현하는 것이다.
특수적 정의	• 시정적 정의: 타인에게 해를 끼치면 그만큼 보상을 하며, 이익을 주었으면 그만큼 되돌려 받는 것이다. • 분배적 정의: 권력, 지위, 명예, 재화 등을 각자의 가치에 비례하여 분배받는 것이다.

8 제시문은 공리주의자 벤담이다. 그는 사회적 효용의 극대화를 정의로 본다. 롤스나 노직은 절차적 정의를 주장하므로 절차가 공정하면 결과가 불평등해도 정의롭다고 본다. 가치와 공적에 의한 재화의 분배를 중시한 인물은 아리스토텔레스이고, 소유에 관한 개인의 권리를 절대시하는 것은 노직이다. 노직은 또한 복지를 위한 국가의 재분배에 반대한다.

3ᵉ 사회 정의와 윤리 ❷

1 ④	2 ⑤	3 ⑤	4 ④	5 ④	6 ③
7 ④	8 ③				

1 제시문의 사상가는 롤스이다. 그는 가상적 상황에서 도출되는 정의의 원칙을 제시하며 사회적·경제적 불평등은 최소 수혜자에게 최대 이익을 보장해야 한다고 주장한다. 또한 정의의 원칙에서 우선성의 원리를 주장하며 모든 사람이 기본적 자유에서 평등한 권리를 지닌다는 제1원칙이 제2원칙에 우선하고, 제2원칙 가운데 공정한 기회균등의 원칙이 차등의 원칙에 우선한다고 본다.

【선택지 풀이】 ㄴ. 롤스는 최소 수혜자에게 최대 이익을 보장하는 한에서 사회적·경제적 불평등을 인정한다.

더 알아보기 ➕ 롤스의 정의관

공정으로서의 정의	공정한 절차를 통해 합의된 것은 정의로움.
원초적 입장	서로 무관심한 합리적 개인이 무지의 베일을 쓰고 있다고 가정한 상황
정의의 원칙	• 제1원칙: 모든 사람은 기본적 자유에서 평등한 권리를 지닌다. • 제2원칙: 사회적·경제적 불평등은 최소 수혜자에게 최대 이익을 보장해야 하며, 그 불평등이 모든 사람에게 이익이 되리라는 것이 합당하게 기대되고, 불평등의 계기가 되는 지위는 공정한 기회균등의 원칙에 따라 모든 사람에게 개방되어야 한다.

2 갑은 니부어, 을은 롤스이다. 니부어는 사회의 도덕적 이상은 정의라고 주장하였다. 롤스 또한 정의를 사회 제도의 제1덕목이라고 주장하였다.

【선택지 풀이】 ① 니부어는 개인의 선의지와 정치적 강제력을 병행하여 사회 정의를 확립해야 한다고 본다. ② 취득과 양도 절차가 공정하면 결과도 공정하다고 본 사상가는 노직이다. ③ 니부어는 개인이 사회보다 도덕성의 측면에서 우월하다고 본다. ④ 니부어와 롤스 모두 정당한 강제력으로 사회 문제를 해결해야 한다고 본다.

3 갑은 아리스토텔레스, 을은 롤스이다. 아리스토텔레스가 말하는 분배적 정의는 각자의 가치나 공적을 기준으로 삼고, 롤스는 평등한 자유의 원리인 제1원칙을 가장 우선시한다. 아리스토텔레스와 롤스 모두 정의로운 사회에서도 사회적·경제적 불평등은 존재한다고 본다.

4 갑은 아리스토텔레스, 을은 벤담, 병은 롤스이다. 벤담은 쾌락과 고통의 총합을 분배 정의의 기준으로 삼는다. 아리스토텔레스, 벤담, 롤스 모두 사회적·경제적 불평등을 인정한다.

5 제시문의 사상가는 노직이다. 노직은 개인의 타고난 재능과 같은 우연적 요소는 모두 개인의 것이라고 보았다. 노직은 우연성이 배제된 상태에서 계약이 이루어져야 한다고 주장하지 않았다.

6 갑은 롤스, 을은 노직이다. 최소 국가만이 개인의 권리를 가장 잘 보호한다는 것은 노직의 주장이며, 롤스와 노직 모두 기본적 자유의 가치와 절차의 공정성을 강조한다.

【선택지 풀이】 ㄱ. 롤스는 정의에 대한 공평한 합의를 위해 자신의 사회적 지위나 능력, 재능, 가치관 등을 모르고 있다고 가정한다. ㄷ. 노직만이 긍정의 대답을 할 질문이다. 노직은 국가가 강압, 절도, 사기, 강제 계약의 발생을 막는 일 이상의 역할을 해서는 안 되며, 재화의 분배에 적극적으로 관여하기보다 최대한 개인의 자유에 맡겨야 한다고 주장하였다.

7 제시문은 소유 권리론을 주장하는 노직이다. 노직은 최소 국가를 지향하였지만 부정의한 계약의 시정을 위해 국가가 개입할 수 있다고 보았다. 그는 어떤 개인이 정당하게 노동하여 최초로 재화를 취득하였거나, 다른 사람으로부터 합법적으로 재화를 양도받았다면 그의 소유는 정당한 것이지만 재화를 획득하고 양도받는 과정에서 부정의한 부분이 있을 때는 이를 바로잡아야 한다고 보았다.

【선택지 풀이】 ①, ③ 공리주의에서 긍정의 대답을 할 질문이다. ② 노직은 모든 사람이 자신의 소유물에 대해 소유 권리를 갖는 것이 정의라고 본다. ⑤ 롤스가 긍정의 대답을 할 질문으로, 롤스는 원초적 상황에서도 일반적 사실은 안다고 가정한다.

8 제시문의 사상가는 자유 지상주의자이면서 소유 권리론을 주장하는 노직이다. 그는 최소 국가만이 정당하다고 주장하며 최소한의 국가 역할을 강조한다. 따라서 그는 복지를 위한 세금 부과는 개인의 정당한 소유권을 침해한다고 여기고 부정의 대답을 할 것이다.

【선택지 풀이】 ㄱ. 차등의 원칙이 구성원 모두에게 이익이 된다는 주장은 롤스에게서 나타난다. ㄴ. 노직이 주장한 소유 권리론에 따르면 정의로운 상태에서도 부의 불평등은 존재할 수 있으므로 정의롭지 못한 상황을 교정하는 재분배만이 정당화될 수 있다.

더 알아보기 ➕ 노직의 정의관

소유 권리로서의 정의	• 재화의 취득·이전·교정의 절차가 정당해야 함. • 개인의 권리를 보호·존중하는 역할만 하는 최소 국가 정당
정의의 원칙	• 취득의 원칙: 취득에서의 정의의 원리에 따라 소유물을 취득한 자는 그것의 소유 권리가 있다. • 이전의 원칙: 소유물에 대한 소유 권리가 있는 자로부터 이전에서의 정의의 원리에 따라 그 소유물을 취득한 자는 그것의 소유 권리가 있다. • 교정의 원칙: 취득의 원칙과 이전의 원칙이 반복적으로 적용되지 않은 부당한 취득은 교정해야 한다.

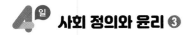

기초 유형 연습

74~75쪽

1 ②	2 ④	3 ②	4 ④	5 ④	6 ②
7 ④	8 ②				

1 갑은 형벌에 대한 응보주의적 입장을, 을은 형벌의 예방과 교화 기능을 강조하는 공리주의적 입장을 대변하고 있다. 응보주의적 관점에서 처벌의 목적은 도덕적 형평성의 회복이고, 공리주의적 관점에서 처벌의 목적은 범죄자의 교화와 범죄 예방이다.

선택지 풀이 ㄴ. 응보주의적 입장에서는 형벌을 계약의 이행으로 보지 않는다. ㄹ. 응보주의는 형벌에 대해 동등성(등가성)의 원리를 강조한다.

더 알아보기 ➕ 처벌의 정당화 근거

응보주의적 관점	처벌의 목적은 범죄 행위의 심각성에 비례한 처벌
공리주의적 관점	처벌은 고통을 가하므로 해악이지만, 더 큰 사회적 이익을 증진하기 위한 수단 → 처벌로 얻는 이익 ＞ 처벌로 발생하는 고통

2 갑은 벤담, 을은 베카리아이다. 둘은 공리주의적 관점에서 형벌의 필요성을 주장하기 때문에 형벌을 공동체의 선을 실현하기 위한 수단으로 보며, 지속적 효과를 통한 형벌의 본보기 역할을 강조한다.

선택지 풀이 ① 벤담과 베카리아 둘 다 긍정의 대답을 할 질문이다. ②, ③ 응보주의적 관점에서 긍정의 대답을 할 질문이다. ⑤ 형벌을 정언 명령으로서 공적 정의를 실현하는 것이라고 주장하는 사상가는 칸트이다.

3 갑은 루소, 을은 벤담이다. 루소는 사회 계약설적 관점에서 사형을 인정하고, 벤담은 더 큰 해악의 제거나 방지를 위해 형벌이 필요하다고 주장한다.

선택지 풀이 ㄴ. 살인범에 대한 응당한 보복을 사형의 목적으로 강조하는 것은 응보주의적 관점에 서 있는 칸트의 입장이다. ㄹ. 공리주의의 입장에서는 더 큰 사회적 이익의 증진을 가져올 때만 사형을 허용해야 한다고 본다.

4 갑은 베카리아이고, 을은 칸트이다. 베카리아는 범죄 예방을 형벌의 목적으로 보며, 칸트는 동등성의 원리에 따라 응보주의적 형벌관을 주장한다. 따라서 베카리아는 형벌의 선한 결과와 형벌 자체의 악을 비교해서 형벌의 부과 여부를 결정해야 한다고 주장하며, 칸트는 결과와 무관하게 범죄 행위에 비례해 형벌을 가해야 한다고 본다.

선택지 풀이 ① 베카리아는 긍정, 칸트는 부정의 대답을 할 질문이다. ② 칸트는 응분의 보복을 의욕했기 때문에 형벌을 받는 것이 아니라 응분의 보복을 받을 만한 행위를 했기 때문에 그에 따라 응분의 보복으로서 형벌이 가해지는 것이라고 본다. ③ 베카리아가 긍정의 대답을 할 질문이다. ⑤ 베카리아는 사형보다 종신형이 유용하다고 보고, 칸트는 사형이 살인에 대한 응분의 책임을 지우는 것이므로 인격을 존중하는 것이라고 여긴다.

5 갑은 칸트, 을은 베카리아이다. 형벌과 관련해 칸트는 보복적 응보주의를 주장하고, 베카리아는 범죄의 예방과 공동선의 실현을 중시한다. 칸트는 범죄 그 자체에만 근거한 형벌, 즉 응보주의적 형벌을 주장하는 반면, 베카리아는 사회적 효용과 사회 전체의 이익을 실현할 수단으로서 형벌을 주장한다.

선택지 풀이 ① 칸트는 범죄 예방보다 범죄 자체에 근거한 형벌을 주장한다. ⑤ 칸트는 살인범의 인격 존중을 위해서 사형을 실행해야 한다고 보았다.

더 알아보기 ➕ 사형 제도에 대한 사상가들의 견해

루소	사형에 처할 중죄를 저지른 자는 사회 계약을 위반한 사회의 적 → 사형 찬성
칸트	살인자에 대한 사형은 범죄자의 인격을 존중하는 행위 → 사형 찬성
베카리아	사형은 공익에 기여하는 바가 적고, 범죄 예방의 지속성이 약함. → 사형 반대

6 갑은 루소, 을은 칸트이다. 루소는 사형의 근거를 일반 의지와 계약으로부터, 칸트는 범죄 행위에 대한 동등성의 원리로부터 찾는다. 두 사상가 모두 살인자에 대한 사형을 공적 정의의 실현으로 본다.

선택지 풀이 ㄴ. 칸트는 형벌은 어떤 선(善)이나 사회적 목적을 실현하기 위한 수단이 되어서는 안 된다고 주장한다. ㄷ. 칸트는 범죄 예방을 형벌의 목적으로 보지 않으며 사형이 살인에 대한 응분의 처벌이라고 여긴다.

7 갑은 베카리아, 을은 칸트이다. 칸트는 응보론에 입각하여 평형의 원리에 따라 처벌의 양과 질 결정을 강조한다. 베카리아는 가혹한 형벌이 정당화되는 경우는 그것이 공공의 이익에 긍정적으로 기여할 때뿐이라고 말한다. 베카리아는 가혹한 형벌인 사형은 공익에 이바지하는 바가 극히 적고, 비효율적이라는 점에서 부당하다고 보았다.

선택지 풀이 ① 베카리아는 사형이 종신형보다 실효성이 적고 비인간적이라고 본다. ② 베카리아는 사형을 폐지할 것을 주장한다. ③ 칸트는 사형을 범죄자의 인격을 존중하는 것으로 보았다. ⑤ 처벌의 최종 목적을 범죄 예방과 교화에 두는 것은 공리주의의 입장이다.

8 갑은 칸트, 을은 벤담, 병은 베카리아이다. 공리주의에서는 형벌은 사회적 이익을 증진시키기 위한 수단으로서 범죄와 비례하여 가해져야 한다고 본다. 공리주의 입장에서 형벌은 필요악이기 때문에 필요 이상으로 가할 필요가 없다.

기초 유형 연습

80~81쪽

| 1 ② | 2 ② | 3 ① | 4 ③ | 5 ① | 6 ④ |
| 7 ③ | 8 ② | | | | |

1 갑은 흄, 을은 로크이다. 흄은 정치적 의무의 근거를 국가가 제공하는 혜택에서 찾고, 로크는 계약론적 관점에서 찾는다.

선택지 풀이 ① 두 사상가 모두 정치적 의무는 중단될 수 있다고 본다. ③ 자발적 계약에 의해 국가에 대한 정치적 의무가 발생한다는 것은 계약론적 관점을 지닌 로크가 긍정의 대답을 할 수 있다. ④ 자연적 본성에 의해 국가에 대한 정치적 의무가 발생한다는 것은 아리스토텔레스의 입장이다. ⑤ 동의론의 입장에서 긍정의 대답을 할 질문이다.

2 갑은 로크, 을은 아리스토텔레스이다. 로크는 계약과 동의에 기초해 국가 권위를 주장하고, 아리스토텔레스는 인간의 본성으로부터 국가 권위의 근거를 찾고자 한다.

선택지 풀이 ㄴ. 아리스토텔레스의 입장이다. ㄷ. 로크는 묵시적 동의에 의해서도 복종해야 할 의무가 성립한다고 본다.

3 제시문은 민본주의 정치를 중시하는 맹자이다. 그는 백성을 정치의 근본으로 삼는 민본주의를 강조하고, 군주는 항산(恒産)을 제공하여 백성을 경제적으로 안정시켜 주어야 한다고 주장한다. 그러나 그는 백성의 생명과 재산을 기본권이라고 주장하지는 않는다.

선택지 풀이 기본권은 민주주의에서 사용하는 개념이고, 유교는 군주가 덕을 갖추고 올바른 정치를 할 때, 백성에게 국가에 대한 충(忠)의 자세를 요구할 수 있다고 본다.

4 갑은 공자, 을은 묵자이다. 공자는 도덕적 군주에 의한 덕(德)의 정치를 강조했고, 묵자는 겸애(兼愛)와 교리(交利)에 기초한 정치를 주장했다. 정치가 백성을 사랑하고 위하는 것이라는 점에 대해 두 사상가 모두 동의할 것이다.

더 알아보기 ➕ 동양에서 강조하는 국가의 의무

공자, 맹자	도덕적 군주에 의한 덕(德)의 정치
묵자	무차별적 사랑(兼愛)과 교리(交利)의 정치
한비자	엄격한 상벌에 의한 법치와 사회 질서 유지
정약용	백성들의 건강한 삶을 위한 통치자의 헌신과 백성에 대한 배려 강조

5 갑은 소로, 을은 롤스이다. 소로는 양심과 정의에 근거한 시민 불복종을 강조하고 롤스는 평등한 자유의 원칙과 기회균등의 원칙, 다수의 공유된 정의관에 근거한 시민 불복종을 강조한

다. 소로는 법보다 양심을 중시하므로 양심에 어긋나는 법이라면 최후 수단이 아니더라도 시민 불복종을 할 수 있다고 여긴다. 롤스는 시민 불복종이 국가 체제가 아니라 정부 정책의 변혁을 목적으로 삼아야 한다고 본다.

선택지 풀이 ㄴ. 롤스는 시민 불복종이 법에 대한 충실성의 한계 내에서 법에 대한 불복종을 표현하는 것이라고 본다. ㄹ. 소로는 원칙적으로 시민 불복종은 비폭력적이어야 한다고 보고, 롤스도 시민 불복종은 비폭력적이어야 정당화될 수 있다고 여긴다.

6 제시문은 롤스이다. 롤스는 시민 불복종을 법이나 정부의 정책에 변화를 가져오기 위해 이루어지는 정치 행위라고 주장하며, 그것은 거의 정의로운 민주 사회에서 체제의 합법성을 인정하는 시민들에 의해서만 가능하다고 주장한다. 또한 롤스는 시민 불복종의 의도가 시민들에게 공표되어야 하고, 다수의 정의관에 입각해야 한다고 본다. 그리고 시민 불복종은 폭력을 사용해서도 안 되고, 합법적인 방식으로 불의한 법을 고치려는 노력을 먼저 한 후 최후의 수단이 되어야 한다.

더 알아보기 ➕ 소로, 드워킨의 시민 불복종

| 소로 | 양심에 어긋나는 법에 대해 시민 불복종 가능 |
| 드워킨 | 헌법 정신에 반하는 법률에 대해 시민 불복종 가능, 시민 불복종의 유형을 양심·정의·정책 기반으로 분류 |

7 갑은 롤스, 을은 소로이다. 롤스는 개인의 양심보다 사회적 다수의 정의관에 주목하였는데, 평등한 자유의 원칙이나 공정한 기회균등의 원칙과 같은 정의의 원칙에 어긋나는 법이나 정책에 대해서 저항할 수 있다고 보았다. 소로는 국민으로서 법에 대한 존경심보다는 인간으로서의 양심을 우선해야 한다고 보았다. 즉, 롤스는 공동체의 정의감을 시민 불복종 정당화의 최종 근거로 보았고, 소로는 양심을 불복종 정당화의 최종 근거로 보았다.

선택지 풀이 ① 롤스는 시민 불복종이 공개적으로 이루어져야 한다고 본다. ② 롤스는 불복종 행위 때문에 법적인 처벌이나 제재를 받게 되더라도 이를 기꺼이 감수할 각오를 해야 한다고 본다. ④ 소로에게 불복종 정당화의 최종 근거는 양심이다. ⑤ 롤스와 소로 모두 시민 불복종을 합법적 행위로 보지 않는다.

8 제시문은 롤스이다. 롤스는 시민 불복종 운동에서 다수의 정의관에 기초한 공공적 성격, 즉 공개적인 정치 운동임을 강조하고 있다. 롤스에 따르면 시민 불복종 운동은 의도적인 위법 행위이면서 처벌을 감수해야 한다.

선택지 풀이 ① 법이나 정책을 변혁하기 위한 비폭력 행위이다. ③ 시민 불복종은 처벌이나 제재를 감수하는 정치적 행위이다. ④ 시민 불복종은 다수의 정의감에 호소하는 행위이다. ⑤ 시민 불복종은 평등한 자유의 원칙이나 공정한 기회균등의 원칙과 같은 정의의 원칙을 위반하는 법이나 정책에 따르기를 거부하는 행위이다.

1 ⑤ **2** ① **3** ⑤ **4** ③ **5** ⑤ **6** ④
7 ④ **8** ①

1 대인과 소인의 일, 마음을 수고롭게 하는 사람과 몸을 수고롭게 하는 사람을 구별하는 내용에서 알 수 있듯이 맹자는 정신노동과 육체노동을 구분 짓고, 두 노동은 상보적 역할을 통해 사회의 안정적 질서 유지에 기여한다고 본다.

선택지 풀이 ① 맹자는 정신노동과 육체노동을 구분한다. ② 맹자는 마음이 수고로운 사람이 몸이 수고로운 사람을 세심하게 배려해야 한다고 본다. ③ 맹자는 모든 사람에게 선택의 자유를 보장하자고 주장하지 않는다. ④ 맹자는 직업을 통한 역할 분담의 권한을 개인이 결정할 사안이라고 보지 않는다.

더 알아보기 ⊕ **직업관**

맹자	• 백성은 일정한 생업이 있어야 도덕적 마음을 가질 수 있음. → 통치자는 구성원의 생계 수단을 마련해 주어야 함. • 사회적 분업 인정
순자	예를 바탕으로 한 역할 분담
실학자	능력에 따라 역할 분담
프로테스탄티즘	직업 소명설, 부의 축적 정당화
마르크스	• 노동을 통해 자기 본질 실현 • 자본주의 분업이 노동 소외 문제 초래 → 분업 반대

2 플라톤은 사회 질서 유지를 위해서 타고난 성향에 따라 각자 한 가지 일에 배치되어야 한다고 주장한다. 따라서 분업의 원리에 따르는 것이 바람직하다고 본다. 그는 능력에 따라 사회적 역할을 분담해야 함을 강조하였으며, 육체노동을 정신노동보다 열등한 것으로 간주하기도 하였다.

3 전문직은 고도의 교육과 훈련을 통해서 사회적으로 승인된 자격을 취득한 사람을 의미한다. 이들의 직무는 대개 사회 공익적 성격을 띠며, 일반인이 모르는 지식이나 정보를 이용하여 쉽게 부당한 이익을 취할 수 있으므로 더욱 높은 수준의 직업 윤리가 요구된다.

4 제시문은 사회적 자본의 중요성을 주장한다. 제시문에 따르면, 사회적 자본은 신뢰와 같은 도덕적 자원으로 구성되고, 사회적 자본의 축적은 결국 호혜성과 생산성을 증가시킨다. 또한 사회적 자본의 축적을 통해 시민 단체 간 갈등이나 대립이 승화되면 부패가 감소할 수 있다. 그리고 이는 사회적, 경제적 효율성의 증진으로 이어지게 된다.

5 노력에 따른 분배를 할 때의 단점은 노력을 평가할 객관적 기준 마련이 어렵다는 점이다. 노력으로 분배하는 것은 생산 의욕을 저하시키지 않는다. 생산 의욕을 저하시키는 것은 모든 사람에게 똑같이 나누는 절대적 평등 방식이다.

더 알아보기 ⊕ **분배 정의와 관련된 다양한 입장**

아리스토텔레스	특수적(부분적) 정의의 구분: 분배적 정의(기하학적 비례 강조), 시정적 정의(산술적 비례 강조)
롤스	• 무지의 베일을 쓴 원초적 상황에서 정의의 원칙 도출 • 평등한 자유의 원칙 • 차등의 원칙(최소 수혜자의 원칙)
노직	• 소유 권리론: 소유에 관한 절대적 권리 강조 • 최선의 국가로서 최소 국가 강조

6 갑은 칸트, 을은 베카리아이다. 베카리아는 사형이 종신형에 비해 사회적 효용이 낮은 형벌이므로 폐지되어야 한다고 주장하였다. 칸트는 사형에 처하는 것은 동등성의 원리에 근거한 것으로, 누군가를 때리거나 살해하는 것은 자기 자신을 때리거나 살해하는 것과 동등하므로 사형을 규정한 형벌의 법칙을 일종의 정언 명령으로 보았다. 또한 칸트는 사형을 살인한 범죄자의 인격을 존중하는 것으로 보았다. 베카리아는 가혹한 형벌이 정당화되는 경우는 그것이 공공의 이익에 긍정적으로 기여할 때뿐이라고 하였다. 베카리아는 가혹한 형벌인 사형은 공익에 이바지하는 바가 극히 적고, 비효율적이라는 점에서 부당하다고 보았다.

선택지 풀이 ① 칸트는 사형이 범죄 억제의 수단이 아니라, 범죄자의 인격을 존중하는 것이라고 보았다. ② 칸트는 동등성의 원리에 근거해 사형을 살인죄에 대한 정당한 처벌로 보았다. ③ 베카리아는 사형에 반대한다. ⑤ 베카리아는 사형 제도에 반대하지만 칸트는 사형 제도에 찬성한다.

7 루소는 살인을 저질러 계약을 위반한 자는 공공의 적으로 간주되어야 한다고 보았다. 루소에 따르면 사회 계약은 계약자의 생명 보존을 목적으로 한다. 그러므로 타인의 희생으로 자기의 생명을 보존하려고 하는 사람은 필요하다면 타인을 위해 마땅히 자신의 생명을 희생하겠다는 것에 동의한 것이다. 루소에게 있어 사형에 처할 만큼의 중죄를 범한 사람은 스스로 사회의 구성원이기를 포기한 것이며, 이 사람은 사회의 적으로 간주한다.

8 갑은 홉스, 을은 로크이다. 두 사상가 모두 계약론적 관점에서 국가의 권위 발생과 개인의 정치적 의무를 주장한다. 이들은 자연 상태에서 제대로 보장되지 못하는 생명과 자유, 재산을 보장받기 위해서 개인 간에 계약을 통해 국가를 수립하기로 합의하였다고 본다.

1^일 과학 기술과 윤리 ❶

기초 유형 연습

98~99쪽

| 1 ② | 2 ⑤ | 3 ① | 4 ① | 5 ② | 6 ② |
| 7 ⑤ | 8 ① | | | | |

1 제시문의 '나'는 과학 기술이 사회의 모든 문제를 해결하고 무한한 부와 행복을 누리게 해 줄 수 있다고 믿는 과학 기술 지상주의 입장이다. '어떤 사람들'은 과학 기술이 비인간화를 초래하고 오히려 사회에 많은 문제를 낳았다는 과학 기술 혐오주의의 입장이다. 따라서 ㉠에는 과학 기술 혐오주의에 대한 비판이 들어가는 것이 적절하다. 과학 기술 혐오주의는 과학 기술의 혜택과 성과를 간과하여 비현실적이라는 비판을 받는다.

2 갑은 과학 기술이 모든 문제를 해결하여 인류에게 무한한 행복과 풍요를 가져다줄 수 있다고 믿는 과학 기술 지상주의 입장, 을은 과학 기술이 비인간화를 초래하고 인간성 자체를 위협한다고 믿는 과학 기술 혐오주의 입장이다. 갑과 달리 을은 과학 기술에 대한 비판적 사고 능력이 필요하다고 본다.

더 알아보기 ➕ 과학 기술에 대한 관점

과학 기술 지상주의	• 과학 기술을 이용하여 모든 문제를 해결할 수 있다는 생각 • 문제점: 과학 기술의 부정적 측면을 간과, 반성적 사고 능력 훼손
과학 기술 혐오주의	• 과학 기술의 비인간적·비윤리적 측면을 부각하고 과학의 합리성 자체를 회의 • 문제점: 과학 기술의 영향을 부정하여 현실을 반영하지 못함.
바람직한 시각	과학 기술의 긍정적 측면과 부정적 측면 모두 고려

3 제시문의 사상가는 과학 기술의 가치 중립성을 주장하는 야스퍼스이다. 야스퍼스는 과학 기술 자체는 가치 중립적인 것으로 기술의 선악 여부는 인간이 기술을 어떻게 사용하느냐에 달려 있다고 본다.

선택지 풀이 ㄴ. 기술은 가치 중립적인 것으로 선악이라는 가치와는 무관하다. ㄹ. 기술 자체는 좋고 나쁨이 없지만, 인간의 사용 방향에 따라 좋은 것을 만들어 낼 수 있다.

4 제시문은 과학 기술의 가치 중립성을 강조하는 입장이다. 과학 기술의 가치 중립성을 강조하는 사람들은 과학 기술이 선이나 악과 같은 윤리적 평가와 무관하다고 본다.

선택지 풀이 ② 과학 기술을 사회와 독립적인 영역으로 파악한다. ③ 과학 기술에 대해 가치 판단을 내릴 수 없다고 본다. ④ 가치 중립성을 부정하는 입장의 주장이다. ⑤ 과학 기술은 객관적인 사실의 영역에 있다고 여긴다.

5 그림의 강연자는 과학 기술의 가치 중립성을 부정하는 하이데거이다. 하이데거는 과학 기술이 가치 중립적인 것이 아니며, 과학 기술에 대한 윤리적 성찰과 기술의 결과에 따른 사회적 책임이 필요하다고 본다. 하이데거는 과학 기술을 가치 중립적인 것으로 고찰하여 무방비 상태가 된다면 인간이 오히려 과학 기술에 조종당하는 상황이 올 수 있다고 경고한다. 따라서 과학 기술에 대한 가치 판단이 필요하다고 본다.

선택지 풀이 ① 가치 중립성을 부정하는 입장에서는 과학 기술의 영향에서 과학자의 책임을 인정한다. ③ 우리 존재를 지배하는 과학 기술은 윤리의 영역에 속한다. ④ 과학 기술에 대한 윤리적 성찰을 강조한다. ⑤ 과학 기술을 중립적인 것으로 고찰해서는 안 된다고 본다.

6 ㉠에 들어갈 내용은 "객관적인 지식과 그 활용 과정에는 주관적 가치가 개입되어서는 안 된다."이다. 이에 대한 반론은 "객관적인 지식과 그 활용 과정에도 주관적 가치가 개입될 수 있다."이므로 과학 기술의 가치 중립성을 부정하는 입장이 근거로 제시되어야 한다.

선택지 풀이 ①, ③, ④, ⑤ 과학 기술의 가치 중립성을 긍정하는 입장이다.

7 (가)는 과학 기술의 가치 중립성을 부정하는 입장, (나)는 강조하는 입장이다. (가)에 비해 (나)는 과학 기술 연구의 독립성을 강조하는 정도(X)가 높고, 과학 기술에 대한 윤리적 판단을 배제해야 함을 강조하는 정도(Y)가 높다. 반면, 과학 기술 연구 결과 활용에 관해 과학자의 사회적 책임을 강조하는 정도(Z)는 낮다.

더 알아보기 ➕ 과학 기술의 가치 중립성

강조 입장	• 연구의 자유 보장 • 가치 개입 부정 • 윤리적 규제는 과학 기술 발달 저해
부정 입장	• 윤리적 검토나 통제 필요 • 사회적 요인과의 관련 인정 • 과학 기술과 도덕적 가치 분리 불가능

8 갑은 과학 기술을 가치 중립적으로 보는 입장, 을은 과학 기술의 가치 중립성을 부정하는 입장이다. 갑은 과학 기술에 대한 도덕적 평가가 불필요하다고 보고, 을은 과학 기술에 대한 윤리적 검토가 필요하다고 본다. 갑의 입장에서는 과학 기술의 연구는 객관적인 진리 탐구를 주된 활동으로 하는 학문적 목적에서 이루어진다. 을의 입장에서는 과학 기술을 연구하거나 발견 또는 발명하는 주체도, 활용하는 주체도 인간이므로 과학 기술과 도덕적 가치를 분리하여 생각할 수 없다.

기초 유형 연습 104~105쪽

1 ②	2 ⑤	3 ④	4 ④	5 ⑤	6 ②
7 ③	8 ④				

1 (가)는 미리 사유된 위험을 통해 자연과 미래 세대를 보호하는 책임 윤리를 강조하는 요나스의 주장이다. 요나스는 (나)의 물음에 생태계 전체를 예방적 책임 대상에 포함시켜야 한다고 주장할 것이다.

【선택지 풀이】 ① 현재 및 미래의 위험을 모두 고려해야 한다. ③ 예견될 수 있는 모든 결과를 고려하여 예방 조치를 취해야 한다. ④ 현세대만이 미래 세대를 책임져야 한다. ⑤ 과학적 연구 성과보다 사회적 책임을 더 중시해야 한다.

2 제시된 사상가는 자연과 미래 세대에 대한 미래적인 책임을 주장한 요나스이다. 요나스는 A 학생에게 환경과 미래 세대에 미칠 영향을 고려한 책임을 강조하라고 조언할 수 있다.

【선택지 풀이】 ① 성장을 위한 무분별한 기술 개발에 대해 성찰해야 한다. ② 인간은 환경과 미래 세대에 대한 미래적 책임을 져야 한다. ③ 기술로 인한 문제를 해결하기 위해 윤리적 공백을 책임으로 채워야 한다. ④ 요나스는 과학 기술의 위험성을 우려하며 환경에 대한 책임을 강조한다.

더 알아보기 ➕ 요나스의 책임 윤리

책임의 확대	• 자연, 미래 세대 등까지 확대 • 과거 지향적 책임 부과에서 행위되어야 할 것에 대한 책임 제시
과학 기술자의 책임 윤리	• 과학 기술의 발전이 사회에 미칠 결과를 예측하고 윤리적 책임을 져야 함. • 자연환경과 미래 세대가 존속할 수 있는 범위 내에서 과학 기술의 발전 추구 • 과학 기술의 부정적 결과에 대한 예측을 통한 연구의 한계 인식

3 제시문의 사상가는 요나스이다. 요나스는 현대 기술에 대해 새로운 책임 윤리가 요구된다고 보았고, 미래 세대에 대한 현세대 인류의 책임을 강조하였다. 또한 현대 기술은 공간적·시간적으로 범위가 확대되고 있다고 보았다. 요나스는 책임의 개념을 두 가지의 의미로 구분한다. 하나는 인간이 이미 행위한 것에 대한 책임이며, 다른 하나는 인간이 지속적으로 행위되어야 할 것에 관한 책임이다. 요나스가 강조한 것은 행위되어야 할 것에 관한 책임이다. 요나스에 따르면 현세대는 인류의 존속을 위해 자연환경이 수용할 수 있고 미래 세대가 존속할 수 있는 범위에서 행위해야 할 책임이 있다.

【선택지 풀이】 ㄷ. 요나스는 현대 기술에 대한 책임의 범위를 자연만으로 한정짓지 않는다.

4 제시문의 사상가는 요나스이다. 요나스가 지향하는 정언 명령은 "A이면 B하라."라는 조건부 명령이 아니라 무조건적인 정언 명법이다.

5 제시문은 과학자의 내적 책임만을 강조하는 입장으로, 이러한 입장의 사람은 과학자의 연구 결과에 대한 윤리적 평가와 사회적 영향력에 대한 숙고를 강조하는 외적 책임에 반대할 것이다.

【선택지 풀이】 ㄱ. 제시문은 과학자가 과학 기술을 어떻게 활용할지에 대해 아무런 지시를 내리지 않는다고 주장하므로 긍정할 것이다. ㄴ. 제시문은 과학자가 내적 책임을 다할 뿐이라고 설명하므로 긍정할 것이다.

6 갑은 과학자의 외적 책임, 즉 사회적 책임을 강조하는 입장인데 반해 을은 과학자의 내적 책임만 강조하고 있다. 내적 책임은 연구 자체에 대한 책임이고, 외적 책임은 연구 결과가 사회에 미칠 영향까지 고려한 책임이다.

【선택지 풀이】 ①, ③, ④, ⑤ 을의 입장에서 할 수 있는 말이다.

더 알아보기 ➕ 과학 기술자의 책임

내적 책임	연구 자체에 대한 책임으로, 과학 기술의 가치 중립성을 강조하는 입장과 연결됨.
외적 책임	연구 결과의 사회적 영향에 대한 책임으로, 과학 기술의 가치 중립성을 부정하는 입장과 연결됨.

7 제시문은 과학적 발견의 활용 여부 결정은 과학자의 몫이 아니라고 본다. 이러한 입장의 사람은 과학자의 외적 책임을 부정할 것이다. 과학 기술자의 내적 책임만을 인정하는 입장에서 과학 기술자는 연구 윤리를 지키며 자신의 연구가 진리임을 밝히면 될 뿐이며, 연구 결과가 사회에 미칠 영향까지 고려할 필요는 없다고 본다. 따라서 과학 기술자의 연구가 부정적 결과를 가져온다고 하더라도 그것은 연구 결과를 실제로 이용한 사람들의 책임이라고 본다.

【선택지 풀이】 ㄱ. 제시문은 과학자의 내적 책임만을 강조하고 있으므로 연구 결과 활용에 대한 책임에 부정할 것이다. ㄹ. 연구 주제의 사회적 파급 효과를 고려하는 것은 과학자의 외적 책임에 해당한다.

8 갑은 과학자의 내적 책임을 강조하고, 을은 과학자의 내적 책임과 외적 책임을 함께 강조한다. 갑과 을 모두 내적 책임을 강조하기 때문에 과학자는 연구 과정에서 윤리적 원칙을 충실히 지켜야 한다고 대답할 것이다. 과학 기술자의 사회적 책임을 인정하는 입장에서는 과학 기술자의 내적 책임과 동시에 외적 책임도 인정한다. 과학 기술이 인간의 삶과 불가분의 관계에 있으므로 과학 기술을 연구하고 활용하는 전 과정을 독립적인 영역으로 여겨서는 안 된다고 보기 때문이다.

【선택지 풀이】 ①, ③ 을만이 긍정할 질문이다. ② 갑만이 긍정할 질문이다. ⑤ 갑, 을 모두 부정할 질문이다.

3일 정보 사회와 윤리 ❶

기초 유형 연습

1 ③	2 ①	3 ③	4 ①	5 ②	6 ④
7 ⑤	8 ④				

1 갑은 저작권 보호를 강조하는 입장이고, 을은 정보 공유를 강조하는 입장이다. 갑은 정보 창작자의 노력에 대한 경제적 이익 보장과 배타적 정보 소유권을 강조하며, 을은 지적 창작물을 공공재로 보고 공동체의 이익을 위한 정보 사용을 강조한다.
`선택지 풀이` ① 정보 공유를 강조하는 을의 입장이다. ② 정보 공유를 강조하는 입장에서는 정보 공유가 사회적 불평등을 해결할 수 있다고 본다. ④ 을은 정보의 공공재적 성격을 강화시켜야 한다고 본다. ⑤ 공익 증진을 위한 지적 재산의 공유는 정보 공유를 강조하는 입장이다.

2 갑은 정보 공유론, 을은 정보 사유론을 강조하는 입장이다. 정보 공유론의 입장에서는 정보의 배타적 소유권보다 정보의 공공재적 성격을 더 중시하므로 정보의 공공재적 성격을 중시해야 하는지에 대한 질문에 갑은 긍정을, 을은 부정의 대답을 할 것이다.
`선택지 풀이` ② 갑이 부정의 대답을 할 질문이다. ③, ④, ⑤ 을이 긍정의 대답을 할 질문이다.

3 갑은 저작물에 대한 정당한 대가를 지불함으로써 소유권을 보장해야 한다는 입장이고, 을은 저작물은 인류 공동의 자산이므로 공유해야 한다는 입장이다. 저작권 보호를 주장하는 입장은 창작자에게 정보에 대한 배타적 독점권을 부여하기 때문에 정보의 자유로운 교류를 방해할 수 있다는 점에서 비판을 받는다. 정보 공유를 주장하는 입장은 창작자의 노력을 충분히 고려하지 못하고, 창작물의 질적 수준이 낮아질 수 있다는 점에서 비판을 받는다.
`선택지 풀이` ③ ㉢은 지적 재산권 보장을 주장하는 갑의 입장이다.

4 (가)는 정보는 인류 공동의 소유물이므로 공유되어야 한다고 주장한다. (가)의 입장에서 소전제 ㉠에 들어갈 내용은 "정보는 인류 공동의 지적 산물이다."이므로, 이에 반대하는 논거는 정보는 인류 공동의 지적 산물이 아니라는 입장이 들어가야 한다.

5 (가)는 국민의 알 권리 보장을 위해서 개인의 자유 침해는 감수해야 함을, (나)는 국민의 알 권리와 개인의 인격권을 함께 보장해야 함을 주장한다. (나)의 입장에서 (가)에 대해 개인의 인격권 침해는 부당하며, 국민의 알 권리 보장이라는 목적의 정

당성이 개인의 자유 침해를 정당화할 수는 없다고 비판할 수 있다.
`선택지 풀이` ㄴ. (가) 입장은 국민의 알 권리가 공익 실현에 필수적이라고 보고 개인의 자유보다 중요하다고 주장한다. ㄷ. (가)는 알 권리 보장을 위해 개인의 자유 침해를 받아들여야 한다고 본다.

더 알아보기 ➕ 알 권리와 잊힐 권리

알 권리	국민이 사회적 현실에 관한 정보를 자유롭게 알 수 있는 권리
잊힐 권리	• 온라인상에서 자신과 관련된 모든 정보에 대한 삭제 및 확산 방지를 요구할 수 있는 정보 주체의 자기 결정권 및 통제 권리 • 개인 정보를 비롯하여 자신이 원하지 않는 민감한 정보들이 포털 사이트 등을 통하여 많은 사람에게 공개되지 않아야 한다는 생각이 확산하면서 등장함.

6 갑은 사생활 보호라는 개인의 기본권이 어떤 이유에서도 훼손되어서는 안 된다는 입장이고, 을은 국민의 알 권리 실현을 위해 국민의 사생활 침해가 불가피한 경우도 있다는 입장이다. 개인 정보의 공개는 사람들의 알 권리를 충족시킬 수 있지만, 한편으로는 인격권의 침해로 이어질 수도 있다. 알 권리와 개인의 인격권은 둘 다 기본적으로 보장되어야 할 중요한 권리이므로 신중하게 다루어져야 한다.
`선택지 풀이` ① 갑뿐만 아니라 을도 국민의 사생활 보호가 필요하다고 본다. ② 갑, 을 모두 인정하는 내용이다. ③ 갑은 강조하고 을도 부정하지는 않는다. ⑤ 사생활 보호가 필요한 이유이다.

7 갑은 악성 댓글 문제를 도덕규범의 자율적 내면화와 실천을 통해 해결해야 한다고 보고, 을은 자율적인 노력과 함께 제도적 조치도 병행해야 문제를 해결할 수 있다고 본다. 따라서 갑, 을은 악성 댓글을 제재할 수 있는 제도적 규제의 필요성을 둘러싸고 의견 차이를 보인다. 현실과 가상 공간의 행동 주체는 결국 인간이기 때문에 가상 공간에서 만나는 모든 사람의 인권과 자유를 동등하게 존중해야 하고, 타인에게 해를 끼치는 행동을 해서는 안 된다.
`선택지 풀이` ①, ③, ④ 갑, 을 모두 동의하는 부분이다. ② 토론의 쟁점과 무관한 내용이다.

8 갑은 사이버 공간에서 표현의 자유 실현을 위해 디지털 익명성을 보장해야 한다는 입장이고, 을은 디지털 익명성이 사회에 많은 해악과 범죄를 초래하므로 금지되어야 한다는 입장이다. 갑은 을에게 익명성을 금지할 경우 표현의 자유 제한을 통해 오히려 개인의 기본권이 훼손될 수 있다고 반박할 수 있다. 익명성에 대해서는 갑, 을 모두 선이나 악이라고 가치 판단을 내리고 있다. 익명성이 사이버 폭력의 원인이라는 주장, 실명 공개가 표현의 책임성을 강화한다는 주장, 익명성 보장이 사회 구성원 사이의 불신을 조장한다는 주장은 디지털 익명성에 반대하는 입장에서 제시할 수 있는 근거이다.

기초 유형 연습

116~117쪽

1 ④	**2** ④	**3** ④	**4** ②	**5** ④	**6** ①
7 ②	**8** ③				

1 A는 정보화 사회에 새롭게 등장한 뉴 미디어이다. 뉴 미디어는 기존의 매체와는 달리 시공간적 제약에서 벗어나 광범위한 사회적 연결망 형성과 쌍방향적 의사소통을 가능하게 하며, 정보의 생산·소비·유통이 동시 다발적으로 이루어지게 한다. 또한 다양한 의견을 반영한 즉각적 정보 수정이 가능하다.

선택지 풀이 ① 정보가 전달되고 수용되는 과정이 쌍방향적이다. ② 정보를 제공하는 통로가 다양화되어 확산 속도가 빠르다. ③ 정보의 생산·유통·소비가 전문가뿐만 아니라 정보를 사용하는 모든 사람을 통해 이루어진다. ⑤ 전달 과정에서 허위 정보나 유해 정보가 걸러지기 어렵다.

2 정보 통신 기술의 발전으로 기존의 매체와는 다른 다양한 유형의 뉴 미디어가 등장하고 있다. 뉴 미디어를 통해 누구나 정보를 생산·유통·소비할 수 있다. 또한 뉴 미디어는 모든 정보를 디지털화하여 정보를 신속하게 처리할 수 있다. 아울러 뉴 미디어를 이용해 시공간의 제약에서 벗어나 대규모의 사회적 연결망을 형성할 수 있게 되었다.

선택지 풀이 ㄴ. 정보 생산과 소비 주체의 쌍방향적 의사소통이 가능하다. ㄷ. 정보를 선택하고 활용할 수 있는 정보 수신자의 자발성도 중시된다.

3 갑은 정보 리터러시를 정보 접근 능력과 정보 수용 능력이라고 주장하고, 을은 정보 리터러시에 정보 접근과 수용 능력 이외에 정보 생산 능력까지 포함해야 한다고 주장한다.

선택지 풀이 ① 정보 접근 능력과 정보 수용 능력 모두를 제공해야 한다. ② 정보 격차의 주된 원인은 정보 접근 및 수용 능력의 차이에 있다. ③ 정보 생산 능력을 제공하는 정보 복지가 보장되어야 한다. ⑤ 을은 정보 리터러시의 개념을 정보 생산 능력으로 확장해야 한다고 본다.

더 알아보기 ➕ 정보 윤리의 기본 원칙

자율성의 원칙	스스로 도덕 원칙을 수립하여 행동하고 타인의 자기 결정 능력을 존중해야 한다.
해악 금지의 원칙	남에게 해악을 끼치거나 상해를 입히는 일을 피해야 한다.
선행의 원칙	타인의 복지를 증진하는 방향으로 행동해야 한다.
정의의 원칙	공정한 기준에 따라 혜택이나 부담을 공정하게 배분해야 한다.

4 가상 편지는 매체가 제공하는 정보를 있는 그대로 받아들일 것

이 아니라 비판적으로 해석하는 태도를 길러야 함을 강조하고 있다.

선택지 풀이 ①, ⑤ 매체가 전달하는 정보의 객관성과 신뢰성이 부족하기 때문에 정보를 객관적으로 해석하는 능력이 필요하다. ③, ④ 매체의 정보를 비판적으로 해석해야 한다.

5 (가)는 인간 중심주의의 입장이다. 인간 중심주의는 이성을 지닌 인간을 자연과 구별되는 유일한 존재로 여기며, 인간의 이익과 편리한 삶에 이바지하는 자연을 활용하고 보호해야 한다고 본다. 이러한 인간 중심주의 윤리는 자연을 인간의 이익과 욕구 충족을 위한 수단으로 삼는 '도구적 자연관'을 지닌다. 인간 중심주의 윤리를 강조한 사상가로는 베이컨, 데카르트, 칸트 등이 있다.

선택지 풀이 ① 인간 중심주의 입장에서는 인간과 자연이 동등한 도덕적 지위를 갖는다고 보지 않는다. ② 인간 중심주의 입장에서는 자연을 수단으로 여긴다. ③ 인간 중심주의 입장에서는 인간이 자연보다 우월한 가치를 지닌다고 여긴다. ⑤ 자연이 고유한 가치를 지닌다고 보는 것은 생명 중심주의이다.

6 갑은 칸트, 을은 싱어이다. 칸트는 인간의 간접적 의무로서 동물에 대한 고려를, 싱어는 이익 평등 고려의 원칙에 입각하여 동물에 대한 고려를 주장한다. 두 사상가 모두 동물을 인간과 동일한 권리를 가진 삶의 주체로 여기지 않는다. 삶의 주체는 의무론적 동물 중심주의자인 레건의 용어이다.

선택지 풀이 ② 두 사상가 모두 도덕적 행위 능력은 인간에게만 있다고 본다. ③ 칸트는 동물에 대한 간접적 의무를 인정한다. ④ 칸트가 긍정의 대답을 할 질문이다. ⑤ 싱어가 긍정의 대답을 할 질문이다.

7 그림의 강연자는 쾌고 감수 능력을 가진 동물의 이익을 인간의 이익과 동등하게 고려해야 함을 주장하는 싱어이다. 싱어는 쾌고 감수 능력은 이익 관심을 갖는 전제 조건이며, 인간의 이익만을 위한 동물 실험은 종 차별이라 주장한다.

선택지 풀이 ㄴ. 인간뿐만 아니라 쾌고 감수 능력을 지닌 동물도 도덕적 지위를 갖는다. ㄷ. 공리주의적 관점에서 동물의 이익을 보장해야 한다.

8 그림의 강연자는 쾌고 감수 능력, 욕구, 기억, 지각, 미래 의식 등을 갖춘 동물들을 삶의 주체로 인정하고 동물의 권리를 존중해야 한다고 주장하는 레건이다. 그는 동물의 권리를 의무론적 관점에서 제시하고, 인간에게 동물의 권리를 존중할 의무가 있다고 주장한다.

선택지 풀이 ① 생태계의 모든 존재의 본래적 가치를 인정하는 것은 생태 중심주의의 주장이다. ② 인간 이외의 다른 존재의 도덕적 지위를 인정하지 않는 인간 중심주의의 주장이다. ④ 생명을 가진 모든 존재에 대한 도덕적 의무를 강조하는 것은 생명 중심주의의 주장이다. ⑤ 레건은 삶의 주체로 존중받기 위해서 쾌고 감수 능력 이외에 다양한 조건이 충족되어야 한다고 본다.

기초 유형 연습

122~123쪽

1 ⑤	2 ①	3 ②	4 ②	5 ①	6 ④
7 ①	8 ①				

1 제시된 글은 생태 중심주의적 입장이다. 생태 중심주의는 인간을 자연의 한 부분으로 파악하고, 자연 안의 모든 존재가 평등하며 인간이 자연과의 상호 관련성을 통해 자신을 발견할 수 있다고 본다. 생태 중심주의 윤리는 무생물을 포함한 생태계 전체를 도덕적 고려 대상으로 삼는 입장으로, 동물 중심주의 윤리나 생명 중심주의 윤리가 개별 생명체에 초점을 맞추는 개체론의 성격을 지닌다고 비판하면서 생태계 전체의 상호 의존성을 강조하는 전체론 혹은 전일주의를 주장한다.

선택지 풀이 ㄱ. 생태 중심주의는 무생물도 도덕적 고려의 대상으로 삼는다. 생명체만으로 도덕적 고려의 대상으로 삼는 것은 생명 중심주의의 입장이다.

2 갑은 테일러, 을은 레오폴드이다. 테일러는 개별 생명체에 대한 존중이 생태계 보존보다 중요하다고 보고, 레오폴드는 생태계의 모든 존재에 대한 도덕적 고려가 필요하다고 본다.

선택지 풀이 ㄷ, ㄹ. 테일러와 레오폴드 모두 인간 중심적 사고를 버리고 동물을 도덕적으로 고려해야 한다고 보았다.

3 (가)는 온건한 인간 중심주의적 입장, (나)는 생명 중심주의적 입장이다. (가)는 자연에 대한 보호가 인간의 생존과 복지라는 목적에서 비롯된다고 보며, (나)는 인간이 모든 생명체에 대해 도덕적 의무를 갖는다고 본다. 인간이 단지 생명 공동체의 한 구성원일 뿐이라는 것은 생명 중심주의이고, 인간성 보존을 위해 개별 생명체를 고려해야 한다는 것은 온건한 인간 중심주의이며, 대지의 모든 존재가 인간과 동등한 가치를 갖는다는 것은 생태 중심주의이다.

선택지 풀이 ①, ⑤ 생명 중심주의적 입장에 해당한다. ③ 인간 중심주의적 입장에 해당한다. ④ 생태 중심주의적 입장에 해당한다.

4 갑은 쾌고 감수 능력을 지닌 동물의 이익에 대한 평등한 고려를 주장하는 싱어, 을은 생명체가 목적론적 삶의 중심이며 고유한 선을 지닌 존재라고 주장하는 테일러, 병은 자연의 모든 존재를 생명 공동체의 구성원으로 존중해야 함을 주장하는 레오폴드이다. 테일러는 생명체에 대한 의무로서 성실의 의무, 해치지 않을 의무, 개입하지 않을 의무, 보상적 정의의 의무를 제시한다.

선택지 풀이 ㄱ. 싱어는 모든 동물이 아니라 쾌고 감수 능력이 있는 동물만을 도덕적 고려의 대상으로 삼고 평등하게 고려할 것을 주장한다. ㄹ. 싱어, 테일러, 레오폴드가 공통으로 긍정할 진술이다.

5 세상을 공(空)의 관점에서 보는 것과 만물의 상호 의존성을 강조하고 있는 것으로 보아 불교의 자연관임을 알 수 있다. 불교는 자연을 원인과 조건에 의해 살고 죽는 관계로 본다.

선택지 풀이 ② 유교와 관련 있는 내용이다. ④ 도교와 관련 있는 내용이다.

6 (가)는 모든 존재가 원인과 조건으로 연결되어 서로 영향을 주고받는다는 불교이다. 불교는 연기론을 주장하며 만물의 상호 의존성을 강조한다. (나)는 천지 만물에 도덕적 가치가 내재해 있다는 유교이다. 유교에서는 인간과 하늘이 조화를 이루는 천인합일의 경지를 지향한다.

선택지 풀이 ④ 무위를 강조하는 것은 도교의 입장이다.

더 알아보기 ➕ 동양의 자연관

유교	• 만물은 본래의 가치를 지님. • 하늘은 덕의 근원
불교	• 자연은 원인과 조건으로 연결된 그물 • 만물의 상호 의존성 강조
도교	• 무위자연 추구 • 자연에 통제나 조작을 가해서는 안 됨.
공통점	• 인간과 자연의 상호 의존성 및 조화와 화합 강조 • 자연과의 공존 모색

7 (가)는 공리주의적 관점과 호혜적 관계의 유무를 근거로 미래 세대를 도덕적으로 고려할 필요가 없다는 입장이다. (나)는 세대 간 연속성을 이유로 미래 세대를 도덕적으로 고려해야 한다는 입장이다. 요나스는 인류는 하나의 연속적 세대로 이루어진 도덕 공동체를 이루고 있으며, 어느 세대도 자신의 이익을 위해 전 인류의 공동 자산인 자연환경을 무분별하게 남용하거나 훼손할 권리를 가지고 있지 않다고 말한다. 따라서 현세대는 과거 세대로부터 이어받은 혜택을 미래 세대에게 전수해야 할 도덕적 책임을 지닌다고 본다.

선택지 풀이 ㄴ. (가)는 미래 세대의 도덕적 권리를 고려할 필요가 없다고 주장한다. ㄹ. (가)는 도움을 주고받는 관계가 성립되어야 도덕적 권리도 인정할 수 있다고 보므로 긍정할 수 있지만, (나)는 세대 간 연속성을 근거로 현세대가 과거 세대에게서 도움을 받은 것처럼 미래 세대도 도와야 한다고 주장하므로 부정할 진술이다.

8 갑은 환경권의 보장을 현세대에 국한하여야 한다고 주장하고 있는 데 반해 을은 미래 세대까지 고려해야 한다고 주장한다. 따라서 토론의 핵심 쟁점은 환경권의 귀속을 현존하는 인간에 한정해야 하는가, 미래 세대에게까지 확장해야 하는가이다.

더 알아보기 ➕ 미래 세대에 대한 책임

책임 윤리	인류가 지구상에 계속 존재해야 한다는 정언 명법에 근거해 미래 세대에 대한 책임을 져야 함.
책임의 근거	현세대와 미래 세대의 세대 간 연속성

1 ④ **2** ② **3** ② **4** ② **5** ③ **6** ①
7 ⑤ **8** ②

1 갑은 과학 기술의 부정적 측면을 강조하는 과학 기술 혐오주의의 입장, 을은 과학 기술의 긍정적 측면을 강조하는 과학 기술 지상주의의 입장을 취하고 있다. 과학 기술 혐오주의는 과학 기술의 가치를 인정하지 않고 과학 기술의 성과를 부정하는 문제점이 있는 데 비해, 과학 기술 지상주의는 과학 기술의 부정적 측면을 간과하고 과학 기술의 부정적 측면에 대한 반성적 성찰이 결여될 수 있다는 문제점이 있다.

2 갑은 과학 기술의 가치 중립성을 강조하는 야스퍼스, 을은 과학 기술의 가치 중립성을 부정하는 하이데거이다. 야스퍼스가 과학 기술을 단지 도구로 보는 데 비해 하이데거는 과학 기술이 인간을 지배할 수 있는 속성이 있기 때문에 반성하고 성찰하는 자세가 필요하다고 주장한다.

3 제시문의 서양 사상가는 과학 기술의 발달에 따라 책임 윤리의 필요성을 강조한 요나스이다. 요나스는 자연과 미래 세대의 생존 조건에 대한 책임이 현세대에게 있다고 주장하며, 공포의 발견술을 통해 결과에 대해 예견을 하여 자연과 미래 세대에 대한 책임 의식을 가져야 한다고 본다.
선택지 풀이 ① 인간의 책임 범위에는 자연과 미래 세대까지 포함된다. ③ 인간의 책임 범위는 의도하지 않은 결과까지 포함한다. ④ 현세대만이 자연과 미래 세대에 대한 책임의 의무가 있다. ⑤ 과학 기술 시대의 부작용을 해결하기 위해서는 성찰과 책임이 필요하다.

4 갑은 과학자의 연구가 사회에 끼치는 영향을 고려하여 외적 책임을 강조하는 입장이며, 을은 과학자의 책임은 연구 과정에 한정되는 내적 책임만을 강조하는 입장이다. 외적 책임을 강조하는 입장에서는 자신의 연구 활동이 인간의 존엄성을 구현하고 삶의 질 향상을 위한 것인지 성찰하는 자세를 가져야 한다고 본다. 따라서 선한 의도로 시작한 연구일지라도 사회적으로 해로운 결과가 예상된다면 연구를 중단해야 한다고 본다. 내적 책임만을 강조하는 입장에서는 과학 기술자는 연구 윤리를 지키며 자신의 연구가 참 또는 거짓인지를 밝혀야 하고, 다른 연구자들이 신뢰할 수 있는 검증 과정을 거치면 된다고 본다.

5 제시문은 정보 공유를 주장하는 입장이다. 정보 공유를 주장하는 입장은 지식과 정보 등 지적 창작물은 공공재의 성격을 지니며, 모든 지식과 정보는 공동체의 이익을 위해 사용되어야 한다고 본다. 또한 특정한 개인이나 집단이 정보를 독점한다면 정보 사회의 지속적인 발전이 어려워질 것이라고 주장한다.

6 제시문에서는 가상 공간에서 네티즌들의 '잊힐 권리'가 보장되어야 함을 강조하고 있다. '잊힐 권리'란 온라인상에서 자신과 관련된 모든 정보에 대한 삭제 및 확산 방지를 요구할 수 있는 정보 주체의 자기 결정권 및 통제 권리를 의미한다. 잊힐 권리는 개인 정보를 비롯하여 자신이 원하지 않는 민감한 정보들이 포털 사이트 등을 통하여 많은 사람에게 공개되지 않아야 한다는 생각이 확산하면서 등장한 권리이다.
선택지 풀이 ② 저작권 보호를 주장하는 입장이다. ③, ④ 정보 공유를 주장하는 입장이다. ⑤ 사생활보다 알 권리 보장을 강조할 경우 잊힐 권리를 인정하지 않을 수 있다.

7 갑은 싱어, 을은 레건, 병은 테일러이다. 싱어와 레건은 모두 쾌고 감수 능력을 지닌 동물이 도덕적 지위를 갖는다고 보았으나, 싱어는 공리주의적 관점에서 동물의 이익을, 레건은 의무론의 관점에서 동물의 권리를 옹호한다. 한편 테일러는 인간이 생명 공동체에 대한 불간섭의 의무가 있다고 본다. 종의 차이만으로 도덕적 지위에 차별을 두어서는 안 된다는 것은 세 사상가 모두의 공통점이다.
선택지 풀이 ㄱ. 생태 중심주의의 입장이다.

더 알아보기 서양의 자연관

인간 중심주의	• 인간만 도덕적 고려 • 베이컨: 과학적 지식을 활용하여 자연을 정복해야 한다고 주장 • 데카르트: 자연은 영혼 없는 기계 • 칸트: 자연에 대한 간접적 의무
동물 중심주의	• 인간을 포함한 동물까지 도덕적 고려 • 싱어: 쾌고 감수 능력 강조 • 레건: 삶의 주체 강조
생명 중심주의	• 인간, 동물, 식물 등을 포함한 생명체까지 도덕적 고려 • 슈바이처: 생명에 대한 외경 강조 • 테일러: 모든 생명체는 고유한 선을 지닌 목적론적 삶의 중심
생태 중심주의	• 생명체와 무생물을 포함한 생태계 전체를 도덕적 고려 • 레오폴드: 대지의 윤리, 도덕 공동체의 범위를 대지로 확대 • 네스: 심층 생태주의, 큰 자아실현, 생명 중심적 평등

8 갑은 모든 생명체의 생명 유지가 최고선이라고 주장하는 슈바이처, 을은 쾌고 감수 능력을 갖춘 존재에 대한 동등한 이익 고려를 주장하는 싱어, 병은 삶의 주체로서 조건을 갖춘 존재에 대한 권리 존중을 주장하는 레건이다. 세 사상가는 모두 인간이 동물에 대해 도덕적 의무와 책임을 지닌다고 주장한다.
선택지 풀이 ① 생태 중심주의적 입장에서만 긍정의 대답을 할 질문이다. ③ 인간 중심주의적 입장에서만 긍정의 대답을 할 질문이다. ④ 싱어의 입장에서만 긍정의 대답을 할 질문이다. ⑤ 싱어와 레건의 입장에서만 긍정의 대답을 할 질문이다.

4주 V. 문화와 윤리 ~
VI. 평화와 공존의 윤리

1일 예술과 대중문화 윤리

기초 유형 연습   140~141쪽

1 ①   2 ②   3 ④   4 ⑤   5 ①   6 ①
7 ④   8 ②

1 제시문은 예술에 대한 유교의 입장으로 도덕주의에 해당한다. 도덕주의는 예술 활동의 목적이 예술적 가치의 외부인 도덕에 있으며(ㄱ), 선한 것과 아름다운 것 사이에 직접적인 관련성이 있다고 본다(ㄴ).

선택지 풀이 ㄷ, ㄹ. 심미주의적 견해이다.

2 제시문은 플라톤의 주장이다. 플라톤은 예술과 도덕의 관계에 있어서 도덕주의의 입장을 취한다. 플라톤에 따르면 예술은 실재를 모방하는 것인데, 그것은 올바름을 모방해야 하고 사람들은 이러한 올바름에 따라 삶을 영위해야 한다.

선택지 풀이 ① 도덕주의는 도덕이 미를 평가해야 한다. ③ 도덕주의는 예술이 사회적 규범과 같은 현실적 삶과 관련을 맺을 수밖에 없다고 본다. ④ 도덕주의는 선과 미가 일치될 수 있다고 본다. ⑤ 도덕주의는 예술가의 윤리적 감성과 동정심이 미를 구현하는 기반이 될 수 있다고 본다.

3 제시문의 '나'는 플라톤, '어떤 학자'는 와일드이다. 플라톤은 모든 예술 작품은 고결한 품성과 올바른 행위를 포함하여 도덕적 교훈이나 본보기를 제공해야 한다고 본다. 와일드는 예술을 위한 예술을 강조하면서 예술은 도덕적 평가에서 자유로워야 한다고 주장한다. 따라서 ⊙에는 도덕주의의 입장에서 심미주의를 비판하는 내용이 들어가야 한다.

더 알아보기 ➕ 도덕주의와 심미주의

도덕주의	· 윤리적 가치가 미적 가치보다 우위에 있음. · 예술의 목적은 올바른 도덕적 품성을 함양하는 것 · 예술가도 사회 구성원이므로 사회 발전에 이바지해야 함.
심미주의	· 미적 가치와 윤리적 가치는 무관하며 예술 이외의 목적을 예술보다 우위에 두는 것을 경계 · '예술을 위한 예술'을 강조 · 예술의 독자성과 자율성 보장을 강조

4 갑은 심미주의, 을은 도덕주의의 관점에서 예술을 바라보고 있지만, 둘 다 예술 활동이 미적 가치를 실현하는 활동이 되어야 한다고 본다는 점에서는 공통적이다.

선택지 풀이 ① 갑은 예술은 아름다우면 되는 것이지 도덕적일 필요는 없다고 주장한다. ② 을은 예술과 도덕적 가치가 일치되어야 한다고 주장한다. 분리되어야 한다고 보는 것은 갑이다. ③ 갑은 도덕적 기준이나 원리로 예술을 판단하려는 시도는 창조나 감상에 유해하다고 본다. 반면에 을은 예술을 통해 도덕성을 실현해야 한다고 주장한다. ④ 예술의 독립성 보장을 통해 얻는 순수한 미적 즐거움을 강조하는 것은 갑의 입장이다.

5 카타르시스는 비극을 봄으로써 마음에 쌓여 있던 우울함, 불안감, 긴장감 따위가 해소되고 마음이 정화되는 것을 의미한다. 이는 외설이 아닌 예술을 통해서만 느낄 수 있다. 예술은 미적 가치를 표현하는 반면, 외설은 감각적이고 관능적인 표현으로 성욕을 자극해 상업적 이익을 얻고자 한다.

6 제시문은 벤야민의 주장이다. 벤야민은 예술 작품에 대한 기술적 복제가 예술 작품의 존속에 아무런 손상도 입히지 않으며, 예술 작품을 숭배 대상에서 전시 대상으로 변화시키고 있다고 평가한다.

선택지 풀이 ② 기술적 복제를 통해 표준화된 생산으로 대중은 미적 체험을 경험할 수 있다. ③ 예술 작품의 기술적 복제 시대에 예술의 아우라, 즉 신비감은 축소된다. ④ 예술의 복제는 예술 작품에 대한 대중의 거리감을 감소시키고 접근성을 높인다. ⑤ 예술의 복제는 제의 의식에 바탕을 둔 숭배 가치보다 전시 가치가 높아지게 한다.

7 갑은 아도르노, 을은 벤야민이다. 벤야민은 예술 작품의 대량 복제 기술은 기존의 예술 작품이 지녔던 신비감, 즉 '아우라(Aura)'를 사라지게 함으로써 누구나 쉽게 미적 체험이 가능하도록 한다고 주장한다. 아도르노는 상업화된 예술에 관해 '문화 산업'이라고 비판하면서, 현대 예술은 자본에 종속되어 문화 산업으로 획일화되었다고 본다. 아도르노에 따르면 하나의 상품으로 전락한 예술 작품을 감상하는 것은 감상자에게 고유한 체험이 아니라 표준화된 소비 양식이 될 뿐이다.

선택지 풀이 ① 아도르노는 문화 산업은 예술을 상품화하고 인간의 의식을 획일화시키므로 대중의 자율성과 주체성이 훼손되고 예술 작품은 상품으로 전락하게 된다고 본다. ② 아도르노는 예술 작품의 반복적 소비를 통해 인간의 의식이 획일화된다고 본다. ③ 벤야민은 예술 작품의 복제를 통해 대중은 미적 체험의 기회를 증대할 수 있다고 본다. ⑤ 아도르노는 대중문화 산업을 통해 대중의 자율성과 주체성이 훼손당한다고 본다.

8 학생은 대중문화에 대한 제도적 규제를 찬성하는 입장이다. 따라서 학생은 대중문화의 문제점을 부각하면서 제도적 규제를 찬성할 것이다. 제도적 차원의 규제를 찬성하는 입장에서는 청소년 보호 등을 위해서 유해 요소를 규제해야 한다고 본다. 제도적 차원의 규제를 반대하는 입장에서는 제도적 규제가 표현의 자유와 문화를 향유할 권리를 제한할 수 있다고 본다.

선택지 풀이 ㄴ. 제도적 규제를 한다면 대중문화의 자율성이 오히려 침해될 것이다. ㄷ. 규제를 반대하는 입장의 논거이다.

2일 의식주 윤리와 윤리적 소비

기초 유형 연습

146~147쪽

| 1 ② | 2 ① | 3 ② | 4 ③ | 5 ⑤ | 6 ④ |
| 7 ③ | 8 ① | | | | |

1 제시문에는 윤리적 소비와 거리가 멀다는 점에서 패스트 패션을 비판적으로 보는 입장이 나타나 있다. 패스트 패션은 최신 유행과 변화하는 소비자의 취향에 즉각적으로 대응함으로써 생산과 소비가 빠르게 이루어진다. 소비자는 옷을 저렴하게 살 수 있고, 업체는 빠른 소비를 통해 재고 부담을 줄인다. 이로 인해 과소비가 이루어지고 버려지는 옷이 많아진다. 이렇게 버려진 옷은 소각될 때 각종 유해 물질을 배출하여 환경 오염을 유발하기도 한다.

〔선택지 풀이〕 ㄴ, ㄹ. 합리적 소비를 강조하는 입장으로, 패스트 패션의 효율성을 높이 평가하여 옹호할 가능성이 높다.

2 (가)를 주장한 사상가는 싱어이다. 주어진 문제 상황은 최소 비용으로 최대한 많은 양의 고기를 생산하기 위해 동물을 비윤리적으로 대우하는 공장식 축산업의 실태를 보여 주고 있다. 싱어는 인간과 동물의 이익을 평등하게 고려해야 한다고 주장한다. 따라서 동물을 수단으로 대우하고 극심한 고통을 가하는 공장식 축산업에 대해 비판하면서 동물을 도덕적으로 대우해야 한다고 주장할 것이다.

〔선택지 풀이〕 ② 싱어는 동물의 고통을 고려한 것이지 인간성 고양을 이유로 공장식 축산업을 비판한 것이 아니다. ③ 싱어는 기존의 육류 생산 방식을 비판한다. ④ 싱어는 생태계의 주인이 인간이라는 인간 중심주의적 사고에 반대한다. ⑤ 동물의 복지를 고려해야 한다고 주장한다.

3 제시문은 음식에 대한 아리스토텔레스의 입장이다. 아리스토텔레스에 따르면 잘 먹는다는 것은 잘사는 것과 직결되어 있으며, 먹을거리의 선택 문제는 개인의 건강은 물론이고 사회적 차원, 생태계 차원에까지 영향을 미친다. 아리스토텔레스는 먹는 행위에도 중용이 필요하다고 주장하였으며, 특히 지나침을 경계하여 인간의 이성을 통해 먹는 행위를 조절해야 한다고 보았다.

4 갑은 경제적 효율성의 측면에서 산업형 농업을 지지하는 반면, 을은 생태적 지속 가능성과 동물 복지의 측면에서 유기 농업을 지지하고 있다.

〔선택지 풀이〕 ② 갑과 을은 각각 경제적 효율성과 생태적 안정성을 우선적 고려 사항으로 보고 있다. 동물과 생태계 중 어떤 것을 먼저 고려해야 할지 토론하는 것은 아니다.

5 제시문의 사상가는 하이데거이다. 하이데거에 따르면 거주는 인간 삶의 바탕으로서 정서적 안정을 제공하고 인간다운 삶을 영위할 수 있도록 한다. 하이데거에게 집은 외부에서 돌아와 자신을 둘러싼 인간관계와 온갖 일들을 정리하고 의미를 돌아보는 공간이다. 이렇게 삶을 질서 있게 하는 데 기여하는 집은 마치 고향의 품과도 같다. 하이데거는 오늘날 현대인이 이러한 본래 의미의 거주 공간을 상실하였다고 보고, 이를 '고향의 상실'이라고 표현하였다.

〔선택지 풀이〕 ⑤ 하이데거는 거주를 낯선 공간에 내던져진 것이 아니라고 본다.

6 ㉠은 '과시 소비'이다. 과시적 소비는 자신을 과시하고자 하는 욕망에서 비롯된 것으로, 일부 상품에 높은 가격이 책정되고, 사치 풍조가 조장되어 수요가 몰리면서 해당 상품 관련 자원의 고갈, 환경 훼손 등의 문제로 이어져 경제를 위협할 수 있다. 또한 자신과 남을 구분 짓기 위하여 경쟁적으로 더 비싼 상품을 소비하게 되면서 사회 계층 간의 위화감을 조성하여 분열을 촉진하는 등의 문제를 발생시킨다.

7 갑은 공리주의적 입장에서 윤리적 소비를 주장하고 있다. 동물에게 불필요한 고통을 주는 것은 잘못이고, 선진국이 후진국을 도울 경우에 공동체 전체의 행복이 증가한다는 표현에서 갑이 공리주의자임을 알 수 있다. 을은 의무론의 입장에서 윤리적 소비를 주장하고 있다. 을은 현세대는 미래 세대의 삶을 고려할 의무가 있다고 본다. 따라서 에너지 소비를 줄이고 친환경적으로 삶의 방식을 전환하는 등의 노력을 해야 한다고 주장한다.

〔선택지 풀이〕 ③ 공리주의자인 갑은 의무론자인 을과 달리 공리주의적 관점을 바탕으로 윤리적 가치 판단을 내린다.

8 (가)는 합리적 소비, (나)는 윤리적 소비이다. 윤리적 소비는 X축(소비에 있어 최적의 경제적 효용성을 강조하는 정도)에서 합리적 소비보다 낮기 때문에 ㉠, ㉢이 이에 해당한다. Y축(정의로운 공동체의 구축을 강조하는 정도)에서는 합리적 소비보다 높기 때문에 ㉠, ㉢ 모두 해당한다. Z축(환경적으로 지속 가능한 소비를 강조하는 정도)에서는 합리적 소비보다 높기 때문에 ㉠만 이에 해당한다.

더 알아보기➕ 합리적 소비와 윤리적 소비

합리적 소비	• 소비자가 가격과 품질 등 상품 정보를 바탕으로 재화나 서비스를 사는 것 • 소득 범위 내에서 최소의 비용으로 최대의 만족감을 얻기 위한 소비
윤리적 소비	• 소비자가 윤리적인 가치 판단에 따라 재화나 서비스를 사는 것 • 가격 외 인권, 정의, 공동체적 가치, 동물 복지, 환경 보전 등도 고려한 소비

3^일 다문화 사회의 윤리 ❶

기초 유형 연습　　　　　　152~153쪽

| **1** ② | **2** ③ | **3** ② | **4** ① | **5** ⑤ | **6** ⑤ |
| **7** ③ | **8** ③ | | | | |

1 갑은 문화의 우열을 평가하는 입장이며, 을은 문화 상대주의의 입장이다. 문화 상대주의는 각각의 문화가 서로 다른 사회적 배경에서 형성되므로 문화의 우열을 가리기 어렵다고 보는 입장이다(Z축 높음). 따라서 다양한 문화가 지닌 고유성을 존중해야 하며(Y축 높음), 각 문화가 동등한 입장에서 공존을 도모해야 한다고 본다(X축 높음).

2 갑은 국수 대접 이론이고, 을은 샐러드 그릇 이론이다. 국수 대접 이론은 주류 문화와 비주류 문화를 구분하면서도 다양한 문화들 간의 공존을 강조한다. 샐러드 그릇 이론은 주류 문화와 비주류 문화를 구분하지 않고 모든 문화의 정체성을 대등하게 인정하면서 조화롭게 공존할 것을 강조한다.
　선택지 풀이　ㄱ. 국수 대접 이론, 샐러드 그릇 이론 모두 관용의 태도를 강조하지만, 국수 대접 이론은 주류·비주류 문화를 구분하는 데 반해 샐러드 그릇 이론은 주류·비주류 문화를 구분하지 않는다. ㄴ. 중심 문화의 관점에서 문화의 단일성을 유지해야 한다고 보는 관점은 용광로 이론이다.

3 샐러드 그릇 모형은 각각의 문화의 고유성을 유지하면서 조화와 공존을 이룬다는 관점이다. ㉠에는 샐러드 그릇 모형의 장점이 들어가야 한다.
　선택지 풀이　①, ⑤ 용광로 모형의 특징이다. ③ 용광로 모형이나 국수 대접 모형의 특징이다. ④ 샐러드 그릇 모형은 주류 문화와 비주류 문화를 구분하는 것이 아니라 모든 문화가 서로 동등한 관계 속에서 조화를 이루어야 한다고 강조한다.

4 갑은 세계화 시대에 다양한 이주민 문화가 동등한 입장에서 공존하며 서로 조화를 이루는 샐러드 그릇 모형을 지지한다. 을은 고유한 민족의 문화가 주류 문화로서 확고한 위치를 차지하면서 비주류 문화인 이주민 문화가 조화를 이루어야 한다고 보는 국수 대접 모형을 지지한다. 병은 이주민 문화를 받아들이는 것에 대해 상당히 회의적인 태도를 보이고 있으며, 최대한 단일한 문화적 정체성을 유지하는 것이 사회 안정에 도움이 된다고 강조한다.
　선택지 풀이　① 갑은 다양한 문화가 동등한 입장에서 서로 조화를 이룰 수 있다고 보는 반면, 을은 주류 문화와 비주류 문화를 구분해야 한다고 본다. ② 을은 비주류 문화를 인정하긴 하지만 주류 문화와의 구분이 필요하고, 비주류 문화로 인해 주류 문화의 정체성이 흔들려서는 안 된다고 본다. ③ 병은 다양한 이주민 문화의 수용에 대해 부정적인 태도를 보이고 있으며, 문화의 다양성보다는 단일한 정체성

유지를 강조하고 있다. ④ 갑은 각각의 문화가 고유성을 유지할 것을 강조하며, 을은 민족 고유의 정체성을 확고히 유지하는 가운데 이주민 문화를 수용하여 조화를 이룰 것을 강조하고 있다. ⑤ 갑, 을이 병에 비해 이주민 문화를 적극 수용하여 문화의 다양성을 추구할 필요가 있다고 본다.

5 제시문의 '나'는 문화의 상대성은 인정하는 동시에 윤리의 보편성을 강조하는 입장인 반면, '어떤 사람'은 문화와 윤리 모두 상대성을 지닌다고 주장하는 입장이다. '나'는 문화 상대주의의 입장, '어떤 사람'은 윤리적 상대주의의 입장으로, 윤리적 상대주의 입장에서는 윤리를 문화의 산물로 보고 각 사회마다 마땅히 따라야 할 규범이 다를 수 있다고 본다. '나'는 보편적 윤리에 어긋나는 관습에 반대하므로 모든 관습을 무조건 바람직하다고 인정해서는 안 된다고 비판할 수 있다.
　선택지 풀이　①, ③, ④ '어떤 사람'이 '나'의 주장을 비판할 때 적절하다. ② 문화 절대주의자의 주장이다. ⑤ 보편적 윤리를 기반으로 문화(모든 관습)에 대한 비판적 성찰이 필요하다는 '나'의 관점에 부합한다.

6 (가)는 문화의 다양성과 윤리의 상대성을 모두 인정하지만, (나)는 문화의 다양성은 인정하되 윤리적 상대주의는 지양해야 한다고 본다.
　선택지 풀이　⑤ 문화의 다양성이 윤리 규범의 다양성을 정당화하는 근거가 될 수 없다고 보는 입장은 (나)이다. (가)는 문화의 다양성이 윤리 규범의 다양성을 정당화하는 근거가 될 수 있다고 보는 입장이다.

7 문화 상대주의란 문화의 다양성과 상대성을 인정하는 입장이며, 윤리적 상대주의란 행위의 도덕적 옳음과 그름이 사회에 따라 다르고 보편적인 도덕적 기준은 존재하지 않는다는 입장이다. 따라서 ㉠에 들어갈 말은 다양한 문화 속에 보편 윤리가 내재해 있다고 보는 입장에서 윤리적 상대주의를 주장하는 사람들을 비판하는 내용이어야 한다.
　선택지 풀이　① '이 사람들'은 문화의 다양성뿐만 아니라 윤리적 가치의 상대성까지 인정해야 한다고 주장한다. ②, ④ '이 사람들'은 각 문화와 윤리를 평가할 수 있는 보편적 가치나 절대적 판단 기준이 없다고 주장한다. ⑤ '이 사람들'은 문화 상대주의를 바탕으로 윤리적 상대주의를 주장하므로 문화 간의 질적 차이의 존재를 부정할 것이다.

8 세계화 현상과 맞물려 다문화 사회에서는 새로운 문화 요소가 도입되어 사회 구성원의 문화 선택의 폭이 넓어지고 문화가 발전할 수 있는 기회가 확대되었다. 따라서 문화 상대주의의 태도를 지니고, 관용을 바탕으로 타 문화에 대한 수용과 존중의 자세를 가져야 한다.
　선택지 풀이　③ 우리 문화를 기준으로 타 문화를 평가하는 것은 관용의 정신에 어긋난다.

기초 유형 연습
158~159쪽

1 ⑤	**2** ②	**3** ③	**4** ④	**5** ④	**6** ⑤
7 ④	**8** ⑤				

1 갑은 종교학자 엘리아데이고, 을은 심리학자 프로이트이다. 엘리아데는 세상이 신에 의해 창조되었으므로 신성함이 보편적으로 내재되어 있다고 본다. 이에 반해 프로이트는 신의 실존을 부정하고, 인간의 심리적 불안감이 자신을 지켜 줄 완벽한 존재인 신을 창조해 낸 것이라고 본다. 엘리아데는 신성함은 세계 모든 곳에서 내재되어 있다며 인간을 종교적 인간으로 규정하고, 종교적 지향성을 인간의 근본적인 성향으로 본다. 그에 반해 프로이트는 종교가 심리적 현상이며 환상에 불과한 것이라며, 인간의 심리적 불안감과 이를 해소하기 위한 필요에 의해 종교가 만들어졌다고 본다.

2 제시문은 종교가 보편적인 윤리 규범을 제공할 수 있다는 내용이다. 대부분의 건전한 종교는 인간의 존엄성을 실현하는 윤리적인 계율과 덕목을 중시한다. 예를 들어 불교에서는 다른 사람을 사랑하고 자신이 가진 것을 베푸는 자비를 강조한다. 그리스도교에서는 이웃에 대한 사랑을 강조하며, 이슬람교에서도 다른 사람에 대한 친절과 배려를 강조한다.

선택지 풀이 ㄴ, ㄹ. 제시문의 내용과 거리가 멀다. 또한 종교 윤리에 대한 바람직한 서술도 아니다.

3 (가)는 종교 분쟁의 해결을 위해서 각 종교의 근본적 차이를 인식하고 종교적 다양성과 풍요로움을 중시할 것을 주장하고 있다.

선택지 풀이 ① 종교 분쟁에 대해 제기할 수 있는 적절한 해결 방안이 아니며, 이슬람교와 그리스도교는 이미 세계 종교로 볼 수 있다. ② 자기 종교의 관점에서 다른 종교의 가치를 평가하면 오히려 갈등의 원인이 될 수 있으므로 다른 종교를 이해하고 존중하는 자세가 필요하다. ④ 종교의 단일화는 종교의 다양성과 풍요로움을 잃게 하므로 각 종교의 차이점과 다양성을 존중해야 한다. ⑤ 종교 간의 우열을 가리거나 위계질서를 확립하는 것은 종교 간의 상호 충돌을 야기할 수 있다. 따라서 이러한 수직적 관계보다는 수평적 관계로 종교 간의 관계를 바라보아야 한다.

4 제시문은 다양한 종교의 필요성을 역설한 달라이 라마의 글이다. 그는 종교의 단일화를 추구할 것이 아니라 각 종교의 특징과 차이점을 이해하고 다양성을 존중할 것을 강조하였다. 또한 그는 수많은 사람들의 다양한 욕구를 충족시키기 위해서라도 하나의 종교보다는 다양한 종교가 공존해야 한다고 역설하였다.

5 원효의 일심, 화쟁 사상의 핵심을 이해하는지 묻는 문제이다. 일심 사상은 여러 교리와 사상이 있다고 하더라도 그것은 모두 중생(衆生)을 대상으로 하는 부처의 가르침이며, 그것이 목적으로 하는 바는 모두 깨달음이라는 점에서 한마음이라는 사상이다. 화쟁 사상은 '모든 종파와 사상을 분리시켜 고집하지 말고, 더 높은 차원에서 하나로 종합해야 한다.'라고 주장한 사상이다.

선택지 풀이 ㄱ. 화쟁(和諍) 사상에 대한 기본적 태도로서 타당한 진술이다. ㄴ. 일심(一心) 사상에 대한 설명으로 타당한 진술이다. ㄷ. 유교 사상에 대한 진술이다. ㄹ. 원효에 따르면 자신의 말이 무조건 옳다고 믿는 독선과 아집이 분쟁의 원인이다.

6 제시문의 사상가는 하버마스이다. 하버마스는 공론장에서 개인적인 욕구, 희망 사항을 발언할 수 있다고 본다. 하버마스는 합리적인 의사소통을 위해 대화 당사자들이 개방성, 평등성, 호혜성을 지켜야 한다고 본다. 모든 사람에게 담론에 참여할 기회가 개방되어야 하고, 또한 담론에 참여하는 사람들은 누구나 평등하게 발언할 수 있어야 한다. 담론 과정의 참여자들은 합의된 규범을 실천할 것을 상호 기대할 수 있어야 한다.

더 알아보기 ➕ 하버마스의 이상적 담화 조건

진리성	대화 당사자들의 말하는 내용이 참이어야 함.
정당성	대화 당사자들은 논쟁의 절차를 준수해 정당성을 확보해야 함.
진실성	대화 당사자들은 기만하거나 속이려는 의도 없이 말하는 바를 진실하게 표현해야 함.

7 (가)의 사상가는 하버마스이다. 하버마스는 공론 참여자는 적극적인 의사소통을 통해 해결책을 도출하고, 그렇게 도출된 해결책을 충실히 따를 의무가 있다고 보았다. 또한 공론장의 의사소통을 통해 도출된 결론은 공적 이익이라고 하였다.

8 자유롭고 평등한 시민들이 모여 토론하는 공론장의 필요성을 역설한 갑은 하버마스이고, 공정한 절차가 공정한 결과를 가져온다고 주장한 을은 롤스이다. 하버마스는 공론장을 이성의 공적 사용을 전제로 모든 시민이 제한 없이 자유롭게 토론에 참여함으로써 공공의 이익과 관련된 문제들을 논의하고 여론을 형성하는 사회적 삶의 한 영역으로 규정한다. 롤스는 정의의 원칙을 도출하기 위해 자신의 사회적 지위나 능력, 재능, 가치관 등을 모르는 가상 상황을 가정한다.

선택지 풀이 ① 하버마스가 말한 공론장은 그 어떤 시민이라도 참여할 수 있는 개방성이 주된 특징을 지닌다. ② 공론장은 시민들이 자발적으로 만들어 내고 참여하는 자유로운 공간이다. ③ 롤스는 가상 상황에서 합의 당사자들은 자신의 이익에만 관심을 지닌다고 본다. ④ 롤스는 사회의 구성원으로서 그 사회의 정의의 원칙에 합의하고자 하는 의지를 지니고 있다고 본다. ⑤ 하버마스와 롤스 모두 합의 당사자들은 자유롭고 평등한 존재여야 한다고 본다.

기초 유형 연습

1 ③	**2** ⑤	**3** ⑤	**4** ②	**5** ②	**6** ④
7 ①	**8** ②				

1 통일과 관련된 제반 비용과 통일 이후의 편익을 이해하는지 묻는 문제이다. ㉠, ㉡, ㉢은 모두 통일 이후에 지출되는 통일 비용에 해당한다.

선택지 풀이 ㄱ. 분단 상황의 긴장 완화에 소모되는 비용은 분단 비용에 해당한다. ㄴ. 동화는 한쪽 문화가 다른 쪽에 편입되는 것이므로, 동화주의가 강조될수록 남북 주민 간 이질감과 적대감은 심화될 수밖에 없다.

2 ㉠은 통일 비용, ㉡은 분단 비용, ㉢은 통일 편익이다. 통일 비용은 통일 후 통일 한국을 실현하는 투자 성격의 생산적 비용이다. 투자 성격의 경제적 비용과 남북한 주민 간에 발생할 수 있는 사회적 갈등을 해소하기 위해 지출하는 경제 외적 비용 등이 있다. 분단 비용은 남북한 분단의 결과인 대결과 갈등 때문에 지출되는 유·무형의 비용으로, 소모성 지출 비용이다. 국방비, 외교적 경쟁 비용, 이산가족의 슬픔과 고통, 남남 갈등 등과 같은 비용으로 통일이 되면 소멸할 비용이다. 통일 편익은 남북통일로 얻을 수 있는 편익이다. 경제적 편익에는 군사비 감소, 교역의 증가 및 생산성 향상, 국토의 효율적 이용 등이 있고, 비경제적 편익에는 남북한 주민의 인권 신장과 국제 사회에서 통일 한국의 위상 제고 등이 있다.

선택지 풀이 ① 통일 비용은 투자 성격의 생산적 비용이다. ② 미사일 시험 발사 비용은 분단 상황에서 소모되는 비용으로, 분단 비용에 포함된다. ③ 분단 비용은 소모성 지출 비용이다. ④ 통일 편익은 경제적 편익과 비경제적 편익으로 나눌 수 있다. ⑤ 남북한 주민의 인권 신장, 국제 사회에서의 통일 한국의 위상 제고 등은 비경제적인 통일 편익에 해당한다.

3 독일은 통일 이후 제도적 차원의 통일에 진력해 왔지만 사회·문화적 통합, 즉 옛 동독과 옛 서독 주민들 간의 마음의 통합을 이루는 문제를 제대로 해결하지 못해 양 지역 주민들 간의 갈등이 오랫동안 지속되었다. 이러한 독일 통일의 사례는 우리에게 외형적인 통일보다는 사회·문화적 교류의 확대를 통해 남북한의 이질성을 줄이면서 남북한 주민들 간의 마음의 통합이 이루어져야 진정한 의미의 통일이 가능하다는 것을 시사해 준다.

선택지 풀이 ① 외형적인 통일을 위한 조속한 통합은 독일이 겪었던 것과 마찬가지로 남북한 주민들 간의 사회·문화적 갈등을 일으킬 가능성이 크다. ② 제시문을 통해서는 파악할 수 없는 내용이다. ③ 정치·군사적 방식보다는 사회·문화적 통합의 중요성을 강조하고 있다. ④ 제시문을 통해서는 파악할 수 없는 내용이다.

4 제시문은 통일 한국은 문화 국가를 지향한다는 내용이다. 다시 말해 개개인의 문화적 활동을 장려하고 국가는 이를 존중한다는 것을 핵심으로 하고 있다.

선택지 풀이 ㄴ. 자문화 중심주의는 타 문화권 출신의 구성원들과 문화적 마찰 및 충돌을 가져올 수 있으므로 지양해야 한다. ㄹ. 제시문은 우리 고유의 전통문화 자원의 발굴·육성 및 주체적인 해외 문화 수용의 필요성을 함께 강조하고 있다.

5 A는 모겐소의 주장으로 현실주의의 관점, B는 칸트의 주장으로 이상주의의 관점이다.

선택지 풀이 ① 이상주의의 관점이다. ③ 현실주의의 관점이다. ④ 국제법과 국제기구에 의한 해결을 강조하는 것은 B, 즉 이상주의의 관점이다. ⑤ 웬트의 주장으로, 구성주의의 관점이다.

6 갑은 갈퉁의 평화론, 을은 정의 전쟁론이다.

선택지 풀이 ㄱ. 갑에 의하면 직접적 폭력의 소멸은 평화 달성의 필요조건일뿐 충분조건일 수는 없다. 평화를 위해서는 직접적 폭력이 없는 소극적 평화 상태를 넘어 간접적 폭력도 사라진 적극적 평화까지 달성되어야 한다고 보기 때문이다. ㄴ. 노동력 착취는 구조적 폭력으로서 간접적 폭력에 속한다. ㄷ. 을은 전쟁 개시 전 국제 사회로부터 지지를 얻을 경우 정당성을 얻을 수 있으나 만일 그러지 못했다면 수행 과정과 종전 처리에서 정의의 원칙을 따름으로써 윤리적 정당성을 획득할 수 있다고 본다. ㄹ. 갑은 비폭력적 방법으로, 을은 전쟁의 개입 과정과 수행 과정에서의 정의의 원칙을 강조한다는 측면에서 양쪽 모두 절차적 정당성을 중요시하고 있음을 알 수 있다.

7 갑은 롤스이고, 을은 싱어이다. 롤스와 싱어는 해외 원조를 자선이 아니라 의무의 관점에서 이해했다는 측면에서는 공통된다. 하지만 롤스는 불리한 여건으로 인해 고통받는 사회를 질서 정연한 사회로 만들어야 한다는 국제주의적 관점을 주장하고, 싱어는 인종과 국적을 초월한 세계 시민주의의 관점에서 원조의 의무를 주장한다.

선택지 풀이 ① 싱어는 롤스에 비해 X축은 낮음, Y축과 Z축은 높음에 해당한다.

8 갑은 싱어, 을은 롤스이다. 싱어는 자국민에 대한 우선적 원조가 더 큰 공리를 증진한다면 정당하다고 본다. 단지 무조건 자국민이기에 우선적인 원조를 하는 것에 대해서는 비판한다. 롤스는 해외 원조에 있어 복지 증진보다 사회 구조 개편에 초점을 둔다.

선택지 풀이 ㄴ. 싱어는 기본적 필요를 충족하고도 여유가 있는 사람들의 전체 소득의 최소 1%를 기부해야 한다고 주장한다. 산술적으로 동등한 부담을 지는 것이 아니다. ㄹ. 싱어의 입장에서는 인권이 보장된 민주주의 국가라 할지라도 그 국가 내의 국민이 빈곤하다면 원조를 해야 하지만, 롤스의 경우 인권이 보장된 민주주의 국가를 질서 정연한 국가로 보기 때문에 원조 대상에 포함하지 않는다.

1 ⑤　**2** ①　**3** ⑤　**4** ①　**5** ⑤　**6** ⑤
7 ④　**8** ②

1 갑은 심미주의 입장인 스핑건이고, 을은 도덕주의 입장인 플라톤이다. 스핑건은 예술을 도덕으로부터 완전히 독립된 영역으로 보아 예술가의 작품을 도덕적 가치로 판단하면 안 된다고 주장한다. 플라톤은 예술의 도덕 교육적인 기능을 강조하며 예술이 인간의 품성 함양에 이바지해야 한다고 본다.

선택지 풀이 ⑤ 플라톤은 예술이 인격 완성에 도움을 주어야 하며(X축 높음), 사회 질서 유지에 기여해야 한다(Y축 높음)고 강조한다. 즉, 예술을 도덕적 평가의 대상으로 삼고 있는 것이다(Z축 낮음).

2 제시문은 유학의 이상적 인간상인 '군자'의 식습관을 제시한다. 군자는 먹는 행위를 덕의 실천으로 여기며, 먹을 때도 주위를 살피고 신중히 행하였다.

3 제시문은 베블런 효과에 대한 설명이다. 베블런 효과는 어떤 상품이 고가로 책정되어야만 수요가 증가하는 현상을 말하는데, 이는 과소비의 한 형태인 과시적 소비에 해당한다. 베블런은 가격이 오르는 물건에 대해 높은 수요가 발생할 수도 있다고 주장한다. 그 이유는 과시적 소비가 존재하기 때문이다. 과시적 소비란 부를 과시하며 이루어지는 소비로 주로 사치품 시장에서 일반 사람들과 신분이 다르다는 것을 과시하려는 부유층이나 이를 모방하려는 계층에 의해 주도된다.

선택지 풀이 ㄱ. 과소비는 자원의 고른 배분을 방해하고 환경 오염 등의 문제를 초래한다. ㄴ. 과시적 소비는 자기 과시욕이 지나쳐서 나타나는 것이다. ㄷ. 과소비는 물질의 소유를 행복으로 여기는 물질주의 풍토를 조성하여 정신적 가치를 경시하게 만든다. ㄹ. 과소비는 경제력 차이에 따른 계층 간의 위화감을 조성하여 근로 의욕을 저하시킬 수 있다.

4 (가)는 소수의 비주류 문화가 주류 문화에 편입되어야 한다고 보는 동화주의 이론이고, (나)는 국수와 국물이라는 주류 문화와 함께 고명이라는 비주류 문화가 공존하는 상태를 설명하는 국수 대접 모형으로, 문화 다원주의 이론이다. 동화주의와 문화 다원주의 모두 주류 문화와 비주류 문화를 명확히 구분해야 한다고 전제한다.

선택지 풀이 ② 용광로 모형에 해당하는 설명이다. ③, ④ (가), (나) 모두 민족 문화를 주류 문화로 유지해야 한다는 입장이다. ⑤ 흔히 샐러드 그릇 모형으로 설명되는 다문화주의에 해당한다.

5 갑은 경제적 관점에서, 을은 인도적·국가적 차원에서 통일에 관해 이야기하고 있다. 병은 단계적 통일을 해야 함을 주장하고 있다.

선택지 풀이 ① 갑은 경제적 비용과 편익 측면에서 통일의 당위성을 강조하고 있다. 민족적 차원의 필요성은 확인할 수 없다. ② 갑은 분단 비용이 아니라 통일 비용을 줄일 것을 강조하고 있다. ③ 갑의 관점에 부합하는 주장이다. ④ 병이 다른 참여자들에게 할 수 있는 주장이다.

6 (가) 사상가는 칸트이다. 칸트는 각 국가의 주권을 존중하면서 상호 협력을 도모하여 국제 연맹을 만들라고 주장했다. 즉, 주권은 언제나 해당국에게 있어야 한다. 제1차·제2차 세계 대전 후 조직된 국제 연맹(1920)이나 국제 연합(1945)과 같이 국제 평화 유지를 목적으로 하는 국제기구들은 칸트가 주장하는 영구 평화의 실천적 형태라고 할 수 있다.

7 갑은 롤스, 을은 싱어이다. 롤스는 빈곤국의 자생력을 키워 주는 것이 원조의 목적이고, 질서 정연한 사회로 이행할 수 있도록 돕는 것이 윤리적 의무라고 본다. 싱어는 공리주의 입장에 근거하여 원조를 주장한다. 싱어의 입장에서 해외 원조는 공리주의적 입장에서 인류 전체의 고통을 감소하는 것이기 때문에 절대적 빈곤으로 고통받는 사람들을 도와주는 것은 윤리적 의무이다. 싱어는 굶주림으로 죽어 가는 이웃에게 자신의 꼭 필요하지 않은 지출을 기부하는 방식으로 소득의 일정 부분을 적극적으로 기부할 것을 제안한다.

8 갑은 정의 전쟁론을 주장한 왈처이고, 을은 영구 평화론을 주장한 칸트이다. 왈처는 정당한 전쟁이 되려면 개전 정당성만이 아니라 전시 정당성, 전후 정당성이 갖추어져야 한다고 본다.

선택지 풀이 ① 왈처는 전쟁은 도덕적 비판의 대상이며, 정당한 전쟁이 있을 수 있다고 본다. ③ 칸트는 적대 행위의 일시적 중지에 불과한 조약은 평화 조약이 아니라고 본다. 칸트는 장차 전쟁의 화근이 될 수 있는 내용을 암암리에 유보한 채 맺은 어떠한 조약도 결코 평화 조약으로 간주되어서는 안 된다고 하였다. 그런 조약은 휴전 상태, 즉 국가 간 적대 행위의 일시적 중지일 뿐이라고 보기 때문이다. ④ 칸트는 영구 평화를 위해 상비군이 조만간 완전히 폐지되어야 한다고 본다. ⑤ 왈처는 전쟁이 국제 정의 실현을 위한 수단이 될 수 있다는 정의 전쟁론의 입장을 취한다.